David Shapland
und Michael Rycroft

SPACELAB

Vertrieb:
VCH Verlagsgesellschaft, Postfach 1260/1280, D-6940 Weinheim
(Federal Republic of Germany)
USA und Canada: VCH Publishers, 303 N.W. 12th Avenue,
Deerfield Beach FL 33442-1705 (USA)

David Shapland und Michael Rycroft

SPACELAB

Forschung im Weltraum

Übersetzt von Karl Knott

Für alle Menschen, die vom Weltraum fasziniert sind, besonders die der nächsten Generation

Titel der Originalausgabe: Spacelab – Research in Earth Orbit
Von David J. Shapland, European Space Agency, Noordwijk, Holland, und Michael J. Rycroft, Natural Environment Research Council, Cambridge, England
Erschienen bei The Press Syndicate of the University of Cambridge, Cambridge CB2 1RP, England, New York, NY 10022, U.S.A., Melbourne 3166, Australia

Lektorat: W. Greulich

CIP-Kurztitelaufnahme der Deutschen Bibliothek

Shapland, David:
Spacelab: Forschung im Weltraum/David Shapland u. Michael Rycroft.
Übers. von Karl Knott. – Weinheim: VCH, 1986.
Einheitssacht.: Spacelab <dt.>
ISBN 3-527-26500-7

NE: Rycroft, Michael:

Satz: Glyn-Davies Type Setting, Cambridge, England
Druck und Bindung: Cambridge University Press
Umschlaggestaltung: Wolfgang Schmidt
Printed in Great Britain

INHALT

GRUSS-SCHREIBEN

Der neunte Flug der amerikanischen Raumfähre war für Europa und besonders für die Europäische Weltraumbehörde ESA (European Space Agency) von großer Bedeutung. Nach zehnjähriger intensiver Entwicklungsarbeit kam ein von Europäern gebautes Spacelab zum Einsatz- an Bord eine große Zahl von europäischen Experimenten und ein Europäer als Mitglied der Besatzung. Spacelab ist seitdem ein fester Bestandteil des Raumtransportsystems der NASA. Für die Mitgliedsländer der ESA ist dieser Erfolg nur der Anfang von noch interessanteren Aufgaben in der Zukunft. Wir haben allen Grund zu erwarten, daß durch die nächsten Spacelab-Flüge das Ansehen, das europäische Konstrukteure genießen, noch vermehrt wird.

Im Hinblick auf freifliegende Plattformen und Raumstationen, die mit Hilfe des Space Shuttle im Weltraum installiert werden sollen, eröffnet Spacelab europäischen Technikern und der Industrie die Möglichkeit, zukünftige Entwicklungen aktiv mitzugestalten. Es obliegt nun den Europäern, die gemachten Erfahrungen zu nutzen.

Erik Quistgaard
Generaldirektor der ESA 1980–1984

Spacelab ist nicht nur ein außerordentlich wertvoller Beitrag Europas zur bemannten Raumfahrt, sondern auch ein Symbol enger Zusammenarbeit zwischen Europa und den Vereinigten Staaten auf dem Gebiet der Weltraumforschung und -nutzung. Durch die Kombination von Spacelab mit unserer Raumfähre, dem Space Shuttle, eröffnet sich Wissenschaftlern auf der ganzen Welt die Möglichkeit, Experimente in einem Raumlabor durchzuführen.

Spacelab wird die Raumfahrt revolutionieren. Sein genialer modularer Aufbau ermöglicht viele Kombinationen von Experimenten. Es versetzt Wissenschaftler und Ingenieure in die Lage, ihre Untersuchungen im Raum verfolgen zu können und bietet die Möglichkeit zum direkten Kontakt zwischen Nutzlastspezialisten an Bord und Experimentatoren im Kontrollzentrum. Die durch die Raumfähre geschaffene Rückführbarkeit erlaubt den routinemäßigen Wiedereinsatz wertvoller und komplizierter Instrumente sowie die Rückführung mitgeflogener Proben und Substanzen.

Ich bin fest davon überzeugt, daß diese neue Art der Weltraumforschung, die sich in vieler Hinsicht von der Arbeit in einem Laboratorium auf der Erde kaum unterscheidet, Vorteile bringen wird, die heute noch gar nicht absehbar sind.

James M. Beggs
NASA

Mit dem Erstflug des europäischen Spacelab beginnt eine neue Phase der Nutzung des Weltraums. Das Weltraumlabor eröffnet Wissenschaftlern aller Länder die Möglichkeit, im Weltraum unter Nutzung der dort gegebenen einzigartigen Umweltbedingungen zu forschen. Neben den schon klassischen Bereichen der Weltraumforschung (Astronomie, Astrophysik, Solarphysik, Aeronomie), der Meteorologie und Erderkundung erlangen jetzt auch die Mikrogravitationsforschung (Fluidphysik, Materialwissenschaften,Biologie und Medizin) und die Technologieerprobung im Weltraum breite Bedeutung. Durch die Spacelab-Mission D1 im Jahr 1985 und die für die Folgejahre vorgesehenen Wiederflüge sind wir in Deutschland und Europa dabei, uns intensiv an der Erschließung dieser neuen Nutzungsmöglichkeiten des Weltraums zu beteiligen.

Prof. Dr. H.L. Jordan
Deutsche Forschungs – und Versuchsanstalt
für Luft- und Raumfahrt

Das Zeitalter der Weltraumfahrt ist durch eine Reihe von 'Erstmaligkeiten' geprägt worden. Es begann am 4. Oktober 1957 mit Sputnik 1, dem der erste bemannte Weltraumflug von Jurij Gagarin folgte; danach kamen die ersten bemannten Missionen der Amerikaner, die ersten Weltraum–Rendezvous und die frühen Orbitalstationen, ganz zu schweigen vom Apollo-Projekt und der Erforschung von Planeten durch Raumsonden. Die Entwicklung der Raumfähre war von ganz besonderer Bedeutung. Mit ihr wurde eine zweite Phase der Raumfahrt eingeleitet.

Seit kurzem steht nun auch Spacelab zur Verfügung – ein weiterer Meilenstein in der Entwicklung der Weltraumfahrt. Es ist ein bemanntes Laboratorium im Raum, in dem speziell ausgebildete Wissenschaftler während der gesamten Mission arbeiten können. Wissenschaftliche Experimente unterschiedlichster Art können durchgeführt werden, immer unter der Aufsicht von Experten, die in erster Linie Wissenschaftler und erst in zweiter Linie Astronauten sind. Spacelab bietet ihnen die Möglichkeit, unter physikalischen Bedingungen zu arbeiten, die sich in irdischen Laboratorien nicht herstellen lassen.

Spacelab hat seinen Testflug erfolgreich bestanden. Man kann ihm eine gute Zukunft voraussagen. Es ist daher an der Zeit, ein Buch über dieses neue Element der Raumfahrt zu schreiben, was David Shapland und Michael Rycroft hiermit getan haben. Das Buch entspricht dem neuesten Stand und ist authentisch. Es enthält Beiträge der auf Spacelab 1 vertretenen Wissenschaftler, und es bringt dem Leser diese überaus wichtige Mission nahe. Ich selbst fühle mich geehrt, diese Einführungsworte beitragen zu dürfen.

Patrick Moore

Patrick Moore
Wissenschaftsjournalist

GELEITWORT

Der erste Spacelab-Flug im Jahr 1983 war der Höhepunkt eines ehrgeizigen Projektes, das in Europa konzipiert und dort, in Zusammenarbeit mit den USA, weiterentwickelt wurde.

Nach den erfolgreichen Apollo-Missionen zum Mond untersuchte die NASA die Möglichkeit, eine Raumstation im Weltall zu errichten. In den Jahren 1971/1972 ging man dann dazu über, sich auf ein anderes Projekt zu konzentrieren: den Bau einer Raumfähre (Shuttle), die es ermöglichen sollte, Nutzlast ins All und wieder sicher zur Erde zurück zu transportieren. Die NASA legte den europäischen Behörden (ESRO und ELDO) nahe, sich an diesem neuen Programm zu beteiligen. Das führte zur Entwicklung des Spacelab, eines Weltraumlaboratoriums, das als Nutzlast nach dem 'Schlüssel-Schloß-Prinzip' in die Raumfähre integriert werden sollte. 1973 wurde ein Vertrag zwischen NASA und ESRO abgeschlossen und unverzüglich mit der Arbeit begonnen.

Spacelab ist eines der wichtigsten und teuersten Weltraumprogramme der Europäer, was allein schon aus den Gesamtkosten (800 Millionen Dollar) zu ersehen ist. Außer Schweden entschieden alle europäischen Mitgliedstaaten der Europäischen Weltraumbehörde ESA, sich am Projekt zu beteiligen. Später entschloß sich auch noch Österreich, als assoziiertes Mitglied mitzuwirken. Die relativen finanziellen Beiträge der einzelnen Länder sehen folgendermaßen aus: Die Bundesrepublik Deutschland deckte mit 54,9% den Hauptanteil der Kosten, Italien übernahm 15,6%, Frankreich 10,3% und England 6,5%. Als Ergebnis einer großangelegten Ausschreibung wurde entschieden, daß VFW-Fokker/ERNO in Bremen als Hauptauftragnehmer mit dem Projekt betraut werden sollte. Zehn weitere europäische Firmen sind als Zulieferer beteiligt.

Eines der Hauptprobleme lag darin, daß das Spacelab parallel zum amerikanischen Shuttle entwickelt werden mußte, so daß es galt, Spezifikationen für die Vereinbarkeit beider Systeme festzulegen. In einigen Fällen wurde es notwendig, vom ursprünglichen Entwurf des Raumlabors abzuweichen, was zur Folge hatte, daß man weitere zwei Jahre und zusätzliche Geldmittel (40% mehr als erwartet) benötigte, um das Projekt zu vollenden.

Aber auch bei der Entwicklung der Raumfähre ergaben sich Verzögerungen, und am Ende stand Spacelab rechtzeitig für den ersten Flug an Bord des Shuttle zur Verfügung. Im kommenden Jahrzehnt wird Spacelab sicherlich drei- bis viermal jährlich mit Hilfe der Raumfähre ins All gebracht werden, selbstverständlich jedesmal mit anderer Nutzlast.

Die erste Spacelab-Nutzlast, zur Hälfte amerikanisch, zur Hälfte europäisch, umfaßte mehr als 70 Experimente aus verschiedensten Wissenschaftsbereichen, wobei Weltraummedizin und Materialwissenschaften sicherlich diejenigen Bereiche sind, die den größten Nutzen aus Spacelab ziehen können. Für Europa bedeutet Spacelab nicht nur einen großen Erfolg, sondern auch den Beginn der bemannten Raumfahrt.

Die Vereinigten Staaten haben sich bereits entschieden, mit dem Bau der ersten Raumstation zu beginnen. Diese soll 1992/93 im Weltraum errichtet werden. Die Europäer hoffen, auch an diesem neuen Projekt mitwirken zu können. Dabei würde sich die bei der Entwicklung von Spacelab gesammelte Erfahrung sicherlich als äußerst nützlich erweisen. Es steht zu erwarten, daß in naher Zukunft ein Übereinkommen zwischen NASA und ESA über diese Zusammenarbeit beim Bau der Raumstation abgeschlossen wird.

Als der für Spacelab verantwortliche Direktor der ESA begrüße ich die Entscheidung von Cambridge University Press, dieses Buch zu veröffentlichen, da es nicht nur die Herausforderung, die die Entwicklung des Spacelab mit sich gebracht hat, treffend darstellt, sondern zudem verdeutlicht, wie wir unsere wissenschaftlichen Kenntnisse mit Hilfe von Spacelab erweitern können.

Michel Bignier
Direktor der Abteilung Space Transportation Systems,
Europäische Weltraumbehörde (ESA)

VORWORTE

Als ich 1971 in den Dienst der ESA trat, wurde ich damit beauftragt zu untersuchen, welchen Beitrag Europas Raumfahrtindustrie zum Apollo-Nachfolgeprogramm leisten könnte. Aufgrund der Ergebnisse dieser Untersuchung sowie weiterer Überlegungen wurde entschieden, das 'Sortie Can' zu entwickeln, das später in Spacelab umbenannt wurde.

Die Grundidee war, den Weltraum allen Experimentatoren als Laboratorium zu erschließen. Schon in den ersten Projektstudien wurde darauf geachtet, daß die Laboreinrichtung bei möglichst vielen Experimenten ohne wesentliche Veränderungen im Spacelab benutzt werden konnte. 1972 arbeitete ich mit einem hochqualifizierten Team der Bremer Firma ERNO zusammen, um Konzepte zu entwickeln, die den Anforderungen der Wissenschaftler genügten. Das Resultat ist der bekannte modulare Aufbau von Spacelab.

Nicht alle unsere damaligen Ideen konnten verwirklicht werden. Die hohen Startkosten, die strengen Sicherheitsvorschriften bei der bemannten Raumfahrt sowie die nötigen Aufwendungen für die Dokumentation führten zu Abstrichen. Allein die Größe von Spacelab bringt hohe Kosten mit sich. Um die Kapazität von Spacelab voll auszuschöpfen, sind mehr als vier Tonnen an wissenschaftlichen Geräten nötig.

Spacelab erschließt der Forschung im Weltraum neue Möglichkeiten; allerdings müssen die Kosten gesenkt werden, vor allem durch rationellere Versuchsplanung. Alle Betroffenen müssen bereit sein, höhere Risiken einzugehen, denn der Preis für Sicherheit ist hoch. Spacelab ebnet für Europa den Weg zur bemannten Weltraumfahrt, einem Gebiet mit größten Erwartungen für die Zukunft.

Dr. Rycroft und ich haben in diesem Buch versucht, Spacelab und seine Verwendungsmöglichkeiten in leicht verständlicher Weise vorzustellen. Es ist geschrieben für den Steuerzahler, der das Projekt finanziert hat und letztendlich von seiner Nutzung auch profitieren soll.

D.J.S.
Juni 1984

Mein Interesse an der Weltraumfahrt reicht bis in meine Studentenzeit zurück. Daher zögerte ich keinen Moment, als ich 1977 die Stellenanzeige für einen Nutzlastspezialisten in der Zeitschrift ***Nature*** fand. Ich handelte nach dem Sprichwort 'Wer nicht wagt, der nicht gewinnt' und bewarb mich für die Stelle. Mein Alter stimmte, und meine Körpergröße lag mit fast 190 cm gerade noch unterhalb der angegebenen oberen Grenze.

Ein erstes Anstellungsgespräch fand vor einer ausgesuchten Expertenkommission statt, medizinische und psychologische Tests folgten. Nur einen Monat später, ich nahm gerade an einer wissenschaftlichen Konferenz in den Vereinigten Staaten teil, erfuhr ich hocherfreut und ein wenig überrascht per Telex, daß ich einer von fünf Kandidaten sei, die England für die weitere Auswahl bei der ESA benennen werde. Mit 52 anderen europäischen Kandidaten nahm ich an zwei Auswahlverfahren in der Zentrale der ESA in Paris teil. Leider schaffte ich jedoch nur das erste.

Seitdem habe ich die Spacelab–Entwicklung aufmerksam verfolgt. Der erste Start der amerikanische Raumfähre im Jahre 1981 beeindruckte mich sehr und führte zu dem Entschluß, dieses Buch mit zu schreiben. Dabei war besonders die Zusammenarbeit mit David Shapland eine lohnende Erfahrung für mich. Seine Spacelab–Kenntnisse und meine mehr wissenschaftlichen Beiträge ergänzten sich hervorragend. Abschließend möchte ich jedem, der zum Zustandekommen dieses Buches beigetragen hat, an dieser Stelle herzlich danken.

M.J.R.
Juni 1984

DANKSAGUNG

Die Autoren danken der ESA und der NASA für die großzügige Bereitstellung vieler Fotografien in diesem Buch. In diesem Zusammenhang gilt besonderer Dank: Willem van der Blas, Elizabeth Laurentin, Martin-Pierre Hubrecht und Simon Vermeer von der ESA sowie Edward Harrison, Debbie Rahn und Richard Underwood von der NASA. Weitere Abbildungen steuerten dankenswerterweise bei: Aeritalia (S.28); M. Ackerman (S.163); Alabama Space & Rocket Center (S.11); B. Bayliss (S.90, 91); R. Beaujean (S.138); I. Berry (S.95, 104); J. Bodechtel (S.92); British Aerospace (S.23); Centro Ricerche Fiat (S.147); CNES (S.170, 176); A. Cogoli (S.150); G. Courtès (S.136); L. Culhane (S.81); DFVLR (S.162); Dornier Systems (S.158, 159); L. Frank (S.85); A. Gabriel (S.159); M. Gadsden (S.20); J. Harvey (S.81); M. Herse (S.139); Hunting G. & G. (S.90); Inmarsat (S.15); C. Keeling (S.19); M. Mackowski (S.171); Macmillan Journals Ltd (S.70); MBB/ERNO (S.29, 32, 42, 45, 97, 98, 99, 129, 144, 174, 175); McDonnell Douglas (S.47); L. Napolitano (S.147); National Remote Sensing Centre (S.24); J. Newton (S.78); R. Nitsche/ A. Eyer (S.145); G. Newkirk (S.82); Odetics Inc. (S.132); Rockwell International (S.52); Sacramento Peak Observatory (S.82); Thomson – CSF (S.41); Transart (S.25); TRW Systems (S.39); UK Schmidt Telescope Unit, Edinburgh (S.77).

Des weiteren ist die große Unterstützung, die die Autoren durch Gordon Bolton, Ian Pryke und Marilynne Taylor erhielten, hervorzuheben.

Schließlich möchten die Autoren allen ihren Kollegen, Wissenschaftlern, Ingenieuren und anderen Beteiligten auf beiden Seiten des Atlantik danken. Es sind einfach zu viele, um sie alle beim Namen zu nennen. Aber ohne ihre Hilfe und Unterstützung hätte ***Spacelab – Forschung im Weltraum*** nicht entstehen können.

Kurzgefaßte Geschichte der Raumfahrt

Das Wort 'Weltraum' ruft bei jedem von uns unterschiedliche Vorstellungen hervor; der eine denkt an Science-Fiction-Filme wie ***2001 – Odyssee im Weltraum***. Der andere sieht wissenschaftliche Tatsachen vor sich: die Landung des Menschen auf dem Mond oder Raketen, die Satelliten auf die berechnete Umlaufbahn bringen.

Bis ins 15. Jahrhundert hinein beherrschte das ptolemäische Weltbild die Wissenschaft. Es erklärte die Erde zum stillstehenden Mittelpunkt, den Sonne, Mond, Planeten und Sterne umkreisen. Als dann im Jahre 1543 Nikolaus Copernicus (1473–1543) sein Werk ***De Revolutionibus*** veröffentlichte, wurde die Menschheit mit einer neuen, revolutionären Theorie konfrontiert: Er behauptete, die Erde sei auch nur ein Planet unter vielen, und alle zusammen umkreisten die Sonne in einer bestimmten Umlaufbahn.

Dann gelang es Galileo Galilei (1564–1642) mit dem gerade erst erfundenen Teleskop, Planeten zu beobachten und Sonnenflecken wie auch Jupiter-Monde zu entdecken – neue Belege für die Behauptung, daß die Erde nicht das einzige Zentrum von Bewegung im Kosmos sein kann. Johannes Kepler (1571–1630) stellte die Grundgesetze der Planetenbewegung auf. Er kam zu dem Schluß, daß alle Planeten in elliptischen Umlaufbahnen um die Sonne kreisen. Sir Isaac Newton (1642–1727) bekräftigte diese Theorie noch, indem er sein universelles Gravitationsgesetz formulierte. Alle diese wissenschaftlichen Leistungen legten die Grundlagen für die moderne Astronomie und die Entwicklung der Weltraumfahrt.

1 DAS WELTALL, DIE JÜNGSTE HERAUSFORDERUNG

'Es ist schwierig zu sagen, was möglich ist und was nicht, denn der Traum von gestern ist die Hoffnung von heute und kann zur Wirklichkeit von morgen werden.'

Dr. Robert H. Goddard

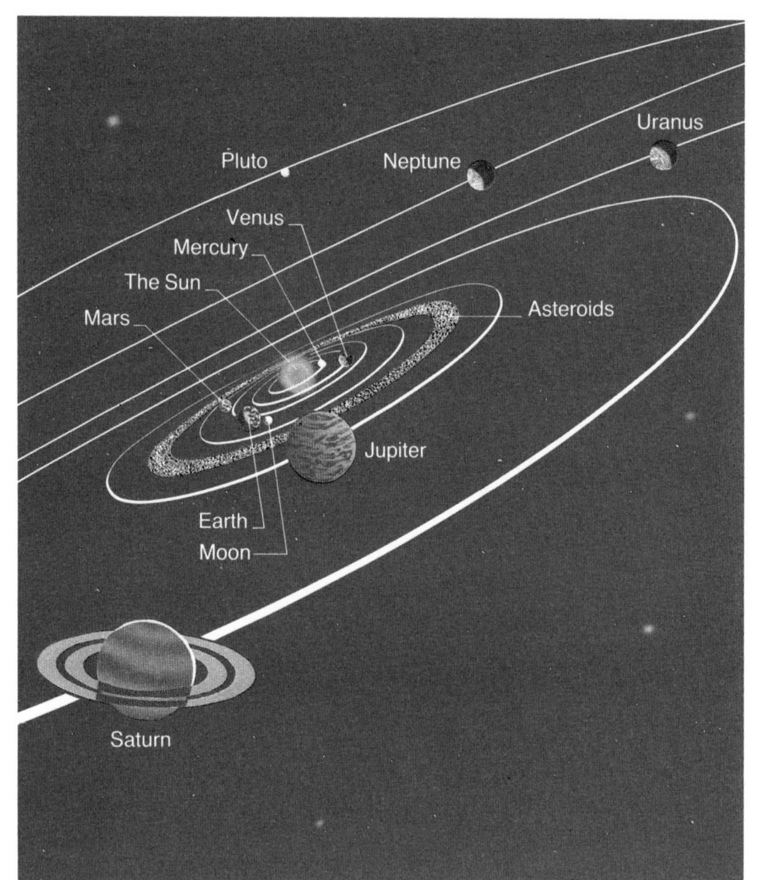

Die Planeten des Sonnensystems bewegen sich in elliptischen Bahnen um die Sonne. (The Sun). Unser eigener Planet – die Erde (Earth) – ist etwa 150 Millionen km von der Sonne entfernt. Merkur (Mercury), Venus und Mars haben, ähnlich wie die Erde, felsige Oberflächen. Die Riesenplaneten Jupiter und Saturn sind gasförmig. Die äußeren Planeten Uranus, Neptun (Neptune) und Pluto haben extrem kalte Oberflächen. (Moon: Mond, Asteroids: Asteroiden.)

Die eigentliche Geschichte der Raumfahrt beginnt allerdings erst mit Konstantin Ziolkowskij (1857–1935), der die erste Abhandlung über Raketen schrieb, die mit flüssigem Wasserstoff und Sauerstoff angetrieben werden. Hermann Oberth (geb. 1894) diskutierte 1923 in seinem Buch ***Die Rakete zu den Planetenräumen*** einige der Probleme des Raketenantriebs und des Aufenthalts im Weltraum. Unabhängig davon beschäftigte sich Robert Goddard (1882–1945) mit den Grundlagen der Raketentechnik, und ihm gelang es als Erstem, 1926 eine Flüssigkeitsrakete (angetrieben durch Benzin und flüssigen Sauerstoff) zu konstruieren. Wernher von Baun (1912–1977) darf als einer der erfolgreichsten Raketeningenieure unserer Zeit angesehen werden. Er entwickelte die V-2-Rakete, und unter seiner Leitung wurde der erste amerikanische Satellit in eine Umlaufbahn um die Erde gebracht.

Robert Goddard in seiner Werkstatt in New Mexiko.

Auch wenn die entscheidende Vorarbeit in Westeuropa geleistet wurde, so waren es doch die USA und die Sowjet-Union, die letzlich die Weltraumfahrt verwirklichten. Die Welt hielt den Atem an, als die Sowjet-Union am 4. Oktober 1957 den ersten von Menschenhand gebauten Raumflugkörper in eine Umlaufbahn um die Erde brachte. Dieser künstliche 'Mond' wurde – einer Anregung Ziolkowskijs folgend – Sputnik genannt, was auf deutsch Reisegefährte oder Weggenosse bedeutet. Wenig später, im Januar 1958, schickten die USA den Satelliten Explorer 1 in die Umlaufbahn. Er hatte Instrumente an Bord, mit denen es gelang, Strahlungsgürtel ausfindig zu machen. Hierbei handelt es sich um Zonen hochenergetischer Ionen und Elektronen, die oberhalb der Erdatmosphäre vom Magnetfeld der Erde wie in einer magnetischen Flasche eingeschlossen und festgehalten werden. Heute sind diese Strahlungsgürtel in Anerkennung ihres Entdeckers als Van-Allen-Gürtel bekannt. Schließlich wurde noch im Jahr 1958 die amerikanische Raumfahrtbehörde NASA gegründet.

Der Sowjet-Union gelang es am 12. April 1961, den ersten Menschen ins All zu schießen. Es war Jurij Gagarin, der nach einmaliger Umkreisung der Erde wohlbehalten zurückkehrte. John F. Kennedy setzte daraufhin der NASA das Ziel, noch vor Ende der sechziger Jahre, einen Menschen auf den Mond zu schicken. Im Februar 1962 leistete John Glenn als erster Amerikaner im All hierfür die Vorarbeit: dreimal umkreiste er in seinem Raumfahrzeug Freedom 7 die Erde.

Die Sowjet-Union verzichtete auf die Landung eines Menschen auf dem Mond und bediente sich zur Erforschung der Mondoberfläche eines ferngesteuerten Fahrzeugs namens Lunochod. Die Russen setzten ihr Sojus-System ausschließlich dazu ein, Kosmonauten zu ihrer die Erde umkreisen-

William Pickering, James van Allen und Wernher von Braun halten stolz den ersten amerikanischen Satelliten, Explorer 1, in die Höhe. Sie bahnten den Weg für den Einsatz von Raketen in der Forschung.

den Raumstation Saljut zu befördern. Nach längeren Aufenthalten in der Station kehrten die Kosmonauten mit Hilfe des gleichen Transportsystems zur Erde zurück. In der Zwischenzeit machten auch die Amerikaner Fortschritte mit ihren Weltraumprogrammen und steigerten sich von Mercury, einer Ein-Mann-Kapsel, über Gemini für zwei Personen bis zum Drei-Mann-Apollo-Raumschiff, das erst mehrmals in der Erdumlaufbahn getestet wurde, bevor es im Juli 1969 zu seiner ersten Reise zum Mond startete.

Seit dem ersten Flug des Sputnik sind mehr als tausend Satelliten in eine Umlaufbahn um die Erde gebracht worden. Besonders durch die Satellitenserien Cosmos, Intercosmos und Explorer hat die wissenschaftliche Forschung im erdnahen Weltraum bedeutende Fortschritte gemacht. Die Erforschung des Mondes war das Ziel des amerikanischen Apollo- und des sowjetischen Luna-Programms. Mittlerweile haben Raumsonden die Planeten Merkur, Venus, Mars, Jupiter und Saturn, die alle unserem Sonnensystem angehören, erforscht. Im Januar 1986 wird Uranus von der amerikanischen Sonde Voyager 2 erreicht werden. Auf ihrer Weiterreise durchs All wird die Sonde 1989 in die Nähe von Neptun gelangen.

Der Mensch hat also gelernt, wie man mit Hilfe von Raketen die Schwerkraft überwinden und das All erforschen kann.

Diese spektakuläre Aufnahme des Planeten Saturn wurde von der Raumsonde Voyager 1 gemacht. Sie hatte zuvor den anderen Riesenplaneten, Jupiter, erkundet. Inzwischen hat Voyager 1 das Sonnensystem verlassen.

Schwerkraft

Im Jahre 1665 soll Isaac Newton ein Apfel auf den Kopf gefallen sein, was ihn dazu veranlaßte, darüber nachzudenken, warum nicht auch der Mond auf die Erde fällt, da doch die gleiche Kraft, die den Apfel zum Fallen bringt, auf den Mond einwirken muß, nämlich die Schwerkraft. Daraufhin versuchte er, eine allgemein anwendbare Theorie für die Schwerkraft zu entwickeln. Die präzise Formulierung litt jedoch zunächst unter dem Fehlen eines adäquaten mathematischen Formelsystems, so daß Newton zunächst noch die Differentialrechnung erfinden mußte. Schließlich gelang es ihm im Jahre 1687 die ***Principia*** zu veröffentlichen, die ein allgemeingültiges Gravitationsgesetz enthalten. Dieses Gesetz gibt die Kraft F an, mit der sich zwei Körper der Massen M und m anziehen, wenn sie in einem Abstand r voneinander entfernt sind: $F=GMm/r^2$, wobei G die Gravitationskonstante ist. Um die Anziehungskraft zwischen Erde und Apfel zu berechnen, wird für M die Masse der Erde, für m die Masse des Apfels und für r der Abstand zum Erdmittelpunkt, R_E, eingesetzt. Die Beschleunigung, die alle Körper an der Erdoberfläche erfahren, ist 9,8 Meter pro Sekunde in der Sekunde, das heißt, der Apfel wird beim freien Fall zur Erde in jeder Sekunde seine Geschwindigkeit um 9,8 Meter pro Sekunde vergrößern. Diese Beschleunigung hat die gleiche Wirkung wie eine zur Erde hin gerichtete Kraft der Größe mg. Mit anderen Worten, das Gewicht des Apfels beträgt mg.

Wenn man umgekehrt einen Apfel senkrecht nach oben wirft, wird sich seine Geschwindigkeit aufgrund der Schwerkraft gleichmäßig verringern. Er wird immer langsamer steigen, zum Stillstand kommen und zur Erde zurückfallen, dies alles in etwa einer Sekunde. Durch das Werfen wird auf den Apfel eine nach oben gerichtete Kraft ausgeübt. Die Größe dieser Kraft bestimmt die Höhe, die er erreichen wird, bevor er zur Erde zurückfällt. Theoretisch kann er mit solcher Kraft geschleudert werden, daß er die Erdanziehung überwindet und im Weltraum verschwindet. Diese Entweichgeschwindigkeit ist freilich sehr hoch und beträgt $\sqrt{(2\, g\, R_E)}$ oder 11,2 Kilometer pro Sekunde, wobei R_E wiederum der Abstand von der Erdoberfläche zum Erdmittelpunkt ist. Man beachte, daß die Entweichgeschwindigkeit unabhängig von der Masse m und daher für jedes Objekt gleich ist, egal, ob es sich um ein Atom oder eine Rakete handelt.

Um nun eine Rakete in eine Umlaufbahn um die Erde zu bringen, genügt es, sie auf eine etwas kleinere Geschwindigkeit zu beschleunigen. Dabei kann man die Umdrehungsgeschwindigkeit der Erde mit ausnützen. Gäbe es keinen zu überwindenden Luftwiderstand, dann wäre sogar ein Abschuß in horizontaler Richtung am vernünftigsten. In der Umlaufbahn wird die auftretende Fliehkraft durch die Erdanziehung kompensiert. Durch Gleichsetzen dieser beiden Größen berechnet man für die Umlaufgeschwindigkeit eines erdnahen Satelliten $\sqrt{(g\, R_E)}$ oder 7,9 Kilometer pro Sekunde. Die Luftreibung wird erst in Höhen oberhalb 200 Kilometern hinreichend klein, so daß stabile Satellitenbahnen erst ab solchen Höhen erreicht werden. Für erdnahe Satelliten ist Abbremsung durch Luftwiderstand jedoch nie ganz auszuschließen, und nur durch gelegentliche Kurskorrekturen läßt sich ein Wiedereintritt in die Erdatmosphäre auf Dauer verhindern.

Das in diesem Buch und in den meisten wissenschaftlichen Arbeiten benutzte Einheitensystem ist das 'Système Internationale' (SI). Es hat als Basiseinheiten das Meter, das Kilogramm und die Sekunde.

Die europäische Rakete Ariane beim Start in Kourou, Französisch-Guayana. Sie eignet sich besonders gut für den Transport von Satelliten in geostationäre Umlaufbahnen.

Satellitenbahnen

Die Umlaufbahnen von Satelliten sind kreisförmig oder elliptisch. Die Raumfähre fliegt normalerweise auf einer kreisförmigen Bahn. Im Falle einer elliptischen Umlaufbahn nennt man den erdfernsten Punkt Apogäum, den erdnächsten Punkt Perigäum.

Die Zeit, die ein Satellit für eine Erdumrundung benötigt, hängt von der Geometrie der Umlaufbahn ab. Die Umlaufzeit beträgt zum Beispiel für eine kreisförmige Bahn in 300 Kilometer Höhe nur 90 Minuten. In dieser Zeit dreht sich die Erde unter dem Satelliten um 22,5° in östlicher Richtung, so daß der Satellit bei aufeinanderfolgenden Umläufen verschiedene Gebiete der Erde überfliegt.

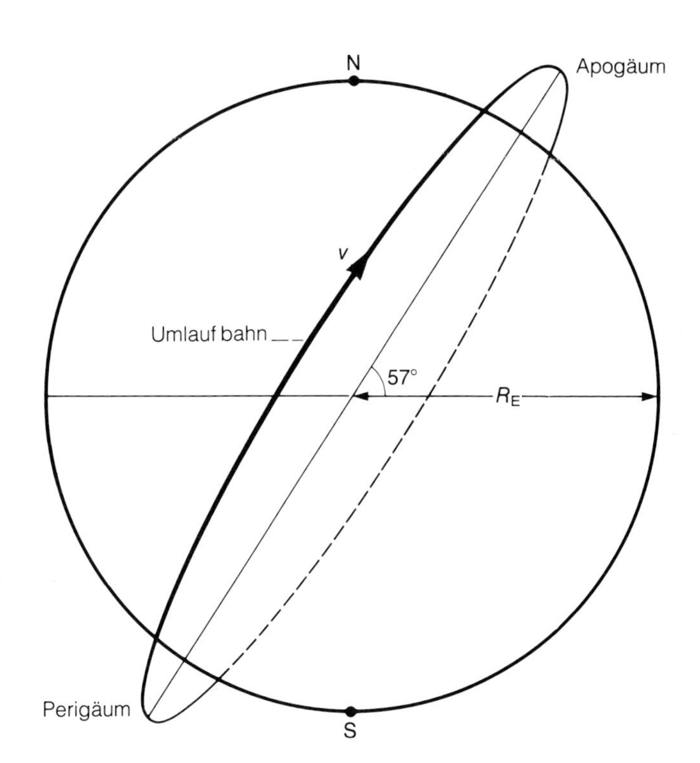

Veranschaulichung der Geometrie einer elliptischen Satellitenbahn um die Erde. Der Neigungswinkel beträgt hier 57° und ist gleich dem der Umlaufbahn von Spacelab-1.

- Für eine kreisförmige Umlaufbahn der Höhe h beträgt die Umlaufzeit:

  $$2\pi (R_E + h)/v$$

- Wenn die kinetische Energie $\frac{1}{2}(mv^2)$ einer Rakete größer ist als die potentielle Energie der Schwerkraft der Erde, mgR_E, dann überwindet die Rakete das Gravitationsfeld der Erde. Hierzu muß also ihre Geschwindigkeit gleich der Entweichgeschwindigkeit v_e sein oder diese übertreffen:

  $\frac{1}{2}(mv_e^2) = mgR_E$, so daß:

  $$v_e = \sqrt{(2gR_E)}$$

- Die Zentrifugalkraft, die auf einen Satelliten in einer kreisförmigen Umlaufbahn vom Radius R_E wirkt, ist mv^2/R_E. Sie ist gleich der Gravitationskraft mg:

  $mv^2/R_E = mg$, so daß:

  $$v = \sqrt{(gR_E)}$$

  Die resultierende Kraft, die auf ein Objekt im Inneren eines umlaufenden Satelliten wirkt, ist Null. Es herrscht Schwerelosigkeit.

Die Gravitationskraft wird mit zunehmendem Erdabstand kleiner, denn sie ist umgekehrt proportional zum Quadrat des Abstandes vom Erdmittelpunkt. Dementsprechend nimmt auch die Umlaufgeschwindigkeit mit größerwerdender Distanz ab. In einer Höhe von 35 800 km beträgt die Umlaufzeit 24 Stunden. Ein in dieser Höhe in der Äquatorebene ostwärts umlaufender Satellit bewegt sich synchron mit der Erde und scheint für einen Beobachter auf der Erde im Raum stillzustehen.

Satelliten in einer solchen synchronen, geostationär genannten Bahn erweisen sich als äußerst nützlich. Zum Beispiel ist der Wettersatellit Meteosat der ESA über dem Atlantik auf einer solchen Bahn stationiert. Er übersieht dort die Wetterentwicklung, die Europa in ein, zwei Tagen beeinflussen wird. Auch für Nachrichtensatelliten ist die geostationäre Umlaufbahn ideal. Mit Hilfe von nur drei Inmarsat-Satelliten wird zum Beispiel fast der gesamte Erdball für den Funkverkehr von Schiff zu Schiff oder von Küste zu Schiff abgedeckt. Nur Gebiete oberhalb von 75° nördlicher oder südlicher Breite lassen sich nicht erfassen, da von dort der geostationäre Satellit wegen der Erdkrümmung nicht sichtbar ist, die verwendeten Radiowellen im UHF-Bereich sich aber nur wie Licht geradlinig ausbreiten. Die geostationäre

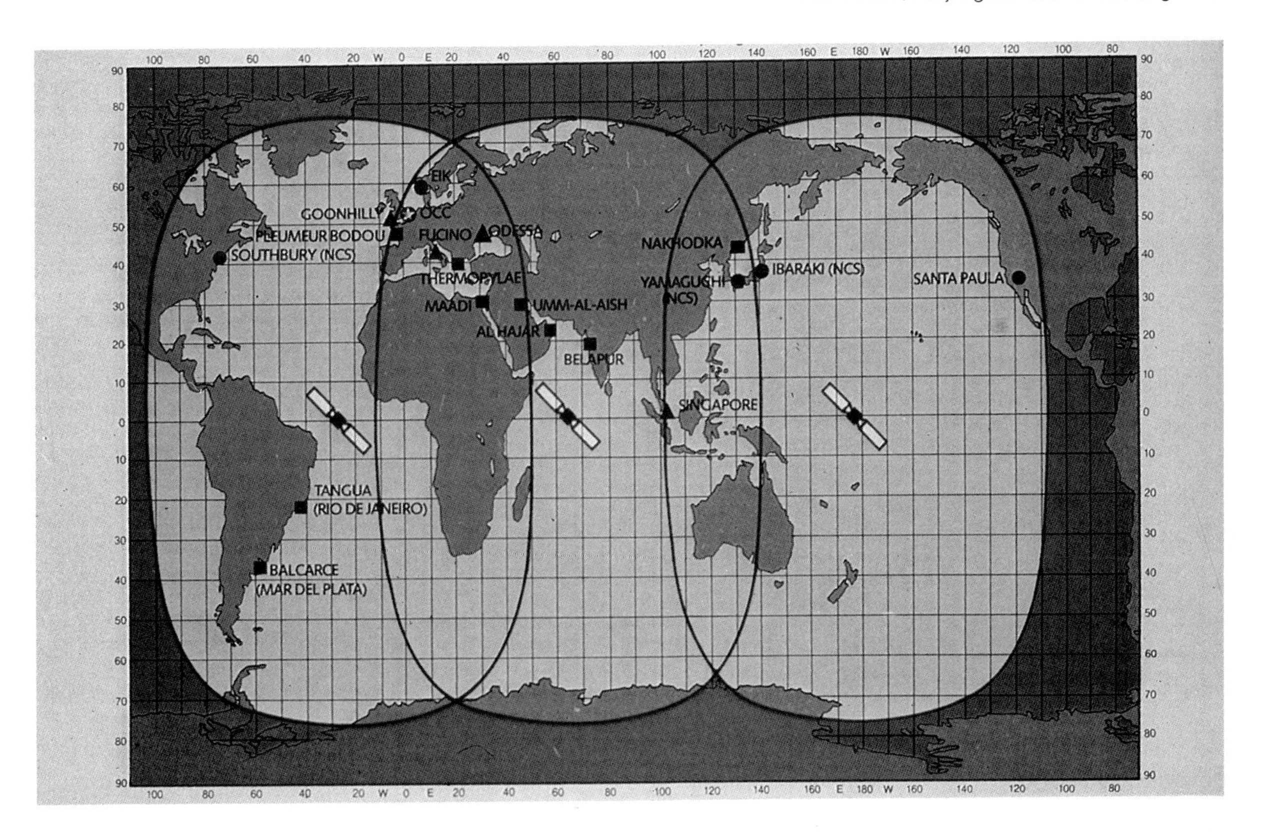

Die drei Inmarsat-Satelliten übersehen von der geostationären Umlaufbahn aus den Atlantik, den Indischen Ozean und den Pazifik, erfassen also die am stärksten befahrenen Schiffahrtsstraßen der Welt. Die verschiedener Symbole weisen auf Bodenstationen hin, die - verschiedenen Zeiten gebaut wurden.

Umlaufbahn ist nicht ganz stabil und unterliegt Störkräften, die von Sonne und Mond ausgehen. Von Zeit zu Zeit müssen daher kleine Kurskorrekturen mit Hilfe von Bordtriebwerken vorgenommen werden, um den Satelliten auf seiner geostationären Position zu halten.

Im allgemeinen liegen jedoch Satellitenbahnen nicht in der Äquatorebene, sondern bilden einen Neigungswinkel (Inklinationswinkel) mit dieser Referenzebene. Erfolgt der Start in Richtung der Erdrotation, lassen sich bis zu 0,4 Kilometer pro Sekunde an Startgeschwindigkeit gewinnen. Um die Erdrotation optimal beim Start auszunützen, muß die Inklination der angestrebten Umlaufbahn die gleiche sein wie die geographische Breite des Startplatzes. Anderenfalls wird zusätzlicher Treibstoff gebraucht, um die Inklination der Bahn zu verändern.

Ein Satellit in einer Umlaufbahn mit einer Inklination von genau 90° und einer typischen Höhe von 300 km überfliegt den Nord- und Südpol der Erde genau 16mal pro Tag. Er schneidet den Äquator alle 45 Minuten und jeweils an Punkten, die – wegen der Erdumdrehung – von Umlauf zu Umlauf 22,5° weiter nach Westen liegen. Die bisherigen Erläuterungen berücksichtigen noch nicht die Tatsache, daß die Erde nicht streng kugelförmig, sondern leicht abgeplattet ist. In der Tat ist der Erdradius zum Äquator um 20 km länger als der Radius in Polrichtung. Diese Abflachung der Erdkugel ist der Grund dafür, daß ein Satellit in einer Bahnhöhe von 300 km und bei einer Inklination von 97° den Äquator jeweils zur gleichen Ortszeit schneidet. Diese sogenannte sonnensynchrone Umlaufbahn erweist sich als besonders nützlich für Erdbeobachtungssatelliten, bei denen es darauf ankommt, über Wochen und Monate Aufnahmen bei gleichem Sonneneinfall zu machen. Beispiele für Beobachtungen dieser Art sind landwirtschaftliche und kartographische Studien sowie Messungen der von der Erdatmosphäre in den Weltraum abgestrahlten Energie.

Dieses Bild wurde vom geostationären Satelliten Meteosat aufgenommen, der in 36 000 km Höhe am Schnittpunkt zwischen Äquator und Greenwich-Meridian postiert ist und von dort das Wetter in Europa und Afrika beobachtet. Das Foto wurde nachträglich mit Farbtönen versehen.

Der Schub einer Rakete wird in SI-Einheiten in Newton (N) ausgedrückt, jedoch oft auch in kg. Um kg in Newton umzurechnen, muß man mit g – der Erdbeschleunigung – multiplizieren, deren Wert am Erdboden 9,8 beträgt.

Der Satellitenstart

In einem Raketenmotor wird Treibstoff nach Vermischung mit Sauerstoff verbrannt. Dabei wird in der Brennkammer heißes Gas unter hohem Druck erzeugt, das mit hoher Geschwindigkeit durch eine Düse entweicht. Hierdurch wird die Rakete in entgegengesetzter Richtung beschleunigt. Die zu entwickelnde Schubkraft muß größer sein als das Gewicht der aufgetankten Rakete einschließlich Nutzlast. Mit zunehmender Flugzeit verbrennt mehr und mehr Treibstoff. Der dadurch auftretende Massenverlust bewirkt eine ständig zunehmende Beschleunigung. Bei Brennschluß erreicht die Rakete eine Endgeschwindigkeit, die von der Austrittsgeschwindigkeit des Antriebsgases aus der Düse abhängt. Die Endgeschwindigkeit wird auch vom Logarithmus des Massenverhältnisses (Quotient aus Startmasse und Masse nach Brennschluß) bestimmt. Nehmen wir eine realistische Gasaustrittsgeschwindigkeit von 2,5 km pro Sekunde an, so darf das Massenverhältnis den Wert 25 nicht unterschreiten, damit noch eine Endgeschwindigkeit von 8 km pro Sekunde erreicht wird. Berücksichtigt man zusätzlich Erdanziehung und Luftwiderstand, ergibt sich ein notwendiges Massenverhältnis von 50, das heißt, 98% der Startmasse muß Treibstoff sein. Es ist unmöglich, eine solche Rakete zu bauen. Schon eine Konstruktion mit einem Massenverhältnis von 4 (Masse von Rakete und Nutzlast wären 25% der Gesamtmasse beim Abschuß) ist nur schwer zu realisieren und erfordert hohe technische Geschicklichkeit.

Wie kann man dann einen Satelliten auf die Umlaufbahn bringen? Nur mit einer Mehrstufenrakete! Das Prinzip ist einfach zu erklären: Nach Erreichen von einigen zehn Kilometern Höhe wird die leergebrannte erste Stufe abgeworfen und dann eine zweite Stufe gezündet, die nun eine bedeutend kleinere Masse zu beschleunigen hat, wobei jetzt der Nutzlastanteil relativ hoch ist. Zum Erreichen der endgültigen Umlaufgeschwindigkeit für die Nutzlast ist meistens noch eine dritte Stufe erforderlich.

In der Umlaufbahn wird die Bewegung eines Satelliten noch durch den geringen Luftwiderstand der oberen Atmosphäre beeinflußt. Bei jedem Perigäumsdurchgang tritt eine leichte Abbremsung auf, so daß das folgende Apogäum etwas niedriger ist als das jeweils vorhergehende. Insgesamt wird dadurch die Umlaufbahn mehr und mehr kreisförmig. Das Abbremsen des Satelliten kann durch Einsatz von Hilfstriebwerken kompensiert werden. Geschieht das nicht, wird der Satellit immer tiefer in die Atmosphäre eintauchen. Der dabei auftretende Verlust an Bewegungsenergie wird in Reibungswärme umgesetzt, die äußere Oberfläche des Satelliten erhitzt sich dabei stark und kann schmelzen und verdampfen. Es besteht jedoch auch die Gefahr, daß ein Satellit beim Wiedereintritt in die Erdatmosphäre auseinanderbricht, da die auftretenden Abbremskräfte die Erdanziehungskraft um den Faktor 10 übersteigen können. Jeder aerodynamische Auftrieb in dieser Phase kann den Wiedereintrittsprozeß verlangsamen und die Hitzeentwicklung vermindern. Auf diese Weise läßt sich verhindern, daß ein Raumflugkörper beim Wiedereintritt in die Atmosphäre zerstört wird.

Die Polargebiete der Erde haben großen Einfluß auf das globale Klima. Dies gilt insbesondere für die Antarktis, einem ausgedehnten und ständig mit Eis bedeckten Kontinent.

Die Erdatmosphäre

Alle Lebewesen auf der Erde atmen Luft. Diese besteht zu 21% (Volumenanteilen) aus Sauerstoff und zu 78% aus chemisch reaktionsträgem Stickstoff. Die Edelgase Helium, Neon, Argon und Krypton sind in kleineren Mengen beigemischt. Wieviel Wasserdampf die Luft enthält, hängt von der Temperatur und den örtlichen Gegebenheiten ab. Unter den Spurengasen, deren Konzentration in ppm (parts per million = Zahl der Spurengasteilchen pro 1 Million Luftmoleküle) gemessen wird, ist Kohlendioxid das häufigste. Es wird von Pflanzen aufgenommen und mittels der Photosynthese in Sauerstoff umgewandelt. Die derzeitige Konzentration von Kohlendioxid in der Atmosphäre ist 340 ppm. Allerdings nimmt diese Konzentration ständig zu, hervorgerufen durch den weltweiten Anstieg von Kohle-und Ölverbrennung sowie durch das Abholzen ganzer Wälder, vor allem in den Tropen. War die Konzentration von Kohlendioxid im Jahre 1850 noch 260 ppm, so erwartet man, daß sie in der Mitte des 21. Jahrhunderts auf 500 ppm angewachsen ist. Eine solche Entwicklung könnte aufgrund des Treibhauseffekts einen Temperaturanstieg in der Atmosphäre von mindestens 2° Celsius zur Folge haben. Eine solche Erwärmung würde die polaren Eiskappen teilweise zum Schmelzen bringen, zu einem katastrophalen Anstieg des Meeresspiegels und letztlich zu globalen Klimaveränderungen führen.

Die atmosphärischen Bestandteile unterliegen der Schwerkraft. Der Luftdruck am Boden wird durch die darüber befindliche vertikale Luftsäule bestimmt und beträgt ungefähr 1 kg pro cm^2 oder 1 bar bzw. 1000 millibar. Der Luftdruck hängt von der Anzahl der Moleküle in einer Volumeneinheit sowie von der Temperatur ab, ausgedrückt in Kelvin (K). Die Kelvin-Temperaturskala nimmt nur positive Werte an, ihr Nullpunkt ist der absolute Temperaturnullpunkt. Sie kann in in die Celsius-Skala umgewandelt werden, indem man 273 Grad vom jeweiligen Kelvin-Wert subtrahiert.

Mit zunehmender Höhe nimmt der Atmosphärendruck und die Dichte der Moleküle ab. In einer Höhe von 5 km beträgt er nur noch die Hälfte des Wertes am Erdboden. Bei Anstieg um weitere 5 km halbiert sich der Druck erneut usw., in anderen Worten: der Druck nimmt exponentiell mit der Höhe ab. Ungefähr dreiviertel der Erdamosphäre ist in den unteren zehn Kilometern enthalten. Dieser Teil der Atmosphäre heißt Troposphäre. In ihm spielt sich das Wetter ab. Ungefähr 99% der Erdatmosphäre liegen unterhalb von 30 km. Die vertikale Ausdehnung der Erdatmosphäre ist also viel kleiner als der Erdradius.

In den Atmosphärenschichten, in denen Sonnenenergie absorbiert wird, ist die Temperatur relativ hoch. Die meiste Sonnenenergie wird jedoch vom Boden absorbiert, wodurch die darüberliegende Luft miterwärmt wird. Diese steigt als Folge des Auftriebes hoch und dehnt sich aus. Hierbei nimmt der Druck ab und die Temperatur sinkt: zwischen fünf und zehn Grad pro Kilometer. Aus diesem Grund ist die Luft auf Bergen kälter als auf dem Niveau des Meeresspiegels. Schon ein Kilometer über dem Erdboden ist die Luft normalerweise soweit abgekühlt, daß Wasserdampf kondensiert und sich Wolken bilden. Winzige Wassertröpfchen entstehen und wachsen durch Zusammenstoß mit anderen Tröpfchen zu Regentropfen. Schnee bildet sich, wenn die Temperatur in der Wolke wie am Boden unterhalb des Gefrierpunktes von Wasser (0°C) liegt. Die Abnahme der Temperatur mit der Höhe ist auch die Ursache dafür, daß die Luftschichtung in der Troposphäre instabil ist. Die Troposphäre ist eine turbulente und oft sturmgeplagte Region.

Die obere Grenze der Troposphäre heißt Tropopause. Über ihr liegt die Stratosphäre. In Höhen zwischen 20 und 50 km wird die UV-Strahlung der Sonne von Sauerstoffmolekülen (O_2) stark absorbiert. Dabei werden einige Moleküle in Atome zerlegt, die sich mit O_2 zu Ozon (O_3) verbinden. Ozon absorbiert besonders stark im ultravioletten Bereich und trägt so zur weiteren Aufheizung bei. Obwohl nur eines von einer Million Luftteilchen als Ozon vorliegt, ist es diese Schicht, die die Fauna und Flora der Erde vor den schädlichen UV-Strahlen der Sonne schützt. Der durch die Absorption bedingte Temperaturanstieg unterdrückt Turbulenzen und macht die Ozon-Schicht zur stabilen Zone. Aus diesem Grund fliegen die modernen Jets möglichst in einer Höhe von zwölf Kilometern, gerade oberhalb der Tropopause. Massenaustausch zwischen Troposphäre und Stratosphäre findet wegen der fehlenden Turbulenz nur im beschränkten Ausmaß statt, und nur durch gewaltige Vukanausbrüche wie die des mexikanischen Vulkans El Chichón im März 1982 können Staubteilchen mit so hoher Energie in die Höhe geschleudert werden, um aus der Troposphäre in die Stratosphäre zu gelangen.

Oberhalb der Stratosphäre liegt die Mesosphäre. Sie ist wie die Troposphäre eine instabile Zone, weil wiederum die Temperatur mit der Höhe abnimmt. Die bei weitem kälteste Zone der Atmosphäre befindet sich am oberen Rand der Mesosphäre und heißt Mesopause. Erstaunlicherweise ist die Mesopause in Polnähe im Sommer am kältesten, so daß sich dann in dieser Höhe dünne Wolkenschichten bilden. Es sind sogenannte nachtleuchtende Wolken, da sie sichtbar sind, wenn sie von der tiefstehenden Sonne beleuchtet werden.

Noch höher liegt die Thermosphäre. Die energiereichste Strahlung der Sonne, die Röntgenstrahlung, wird von dieser obersten Schicht der Atmosphäre absorbiert. In dieser Höhe von ungefähr 90 km ist die Luftdichte auf ein Millionstel ihres Wertes auf Meeresniveau abgefallen. Die Röntgenstrahlen bewirken die Ionisierung der Thermosphäre, d.h. sie produzieren elektrisch geladene Teilchen, Ionen und Elektronen. Das entstehende ionisierte Gas wird Plasma genannt. Es beeinflußt die Ausbreitung von Radiowellen. Die Thermosphäre stimmt daher in ihrer Ausdehnung in etwa mit der Ionosphäre – so werden die ionisierten Schichten der Hochatmosphäre genannt – überein. Die Magnetosphäre reicht in noch größere Höhen. Sie ist durch die Ausdehnung des Magnetfeldes der Erde begrenzt. Das Magnetfeld bestimmt die Bewegung von energetischen Elektronen und Ionen in den Van-Allen-Gürteln. Im Gegensatz zu den geladenen Teilchen werden neutrale Gaspartikel nicht vom Magnetfeld der Erde beeinflußt. Sie finden sich in geringer Konzentration in der Exosphäre, der Übergangszone zum erdnahen Weltraum, die auf die Thermosphäre folgt.

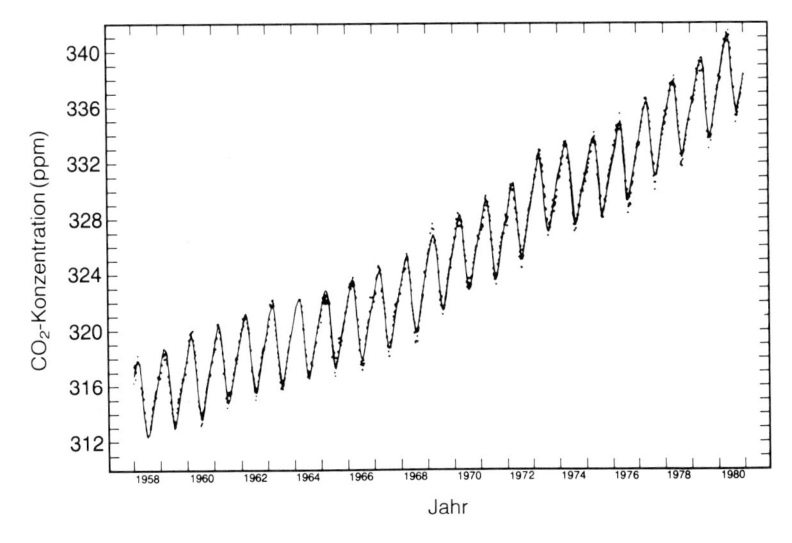

Die Konzentration von Kohlendioxid in der Atmosphäre, wie hier auf Hawaii gemessen, steigt ständig (Angabe in parts per million). Die überlagerten jahreszeitlichen Schwankungen werden der Photosynthese von Pflanzen, die auf der Insel wachsen, zugeschrieben.

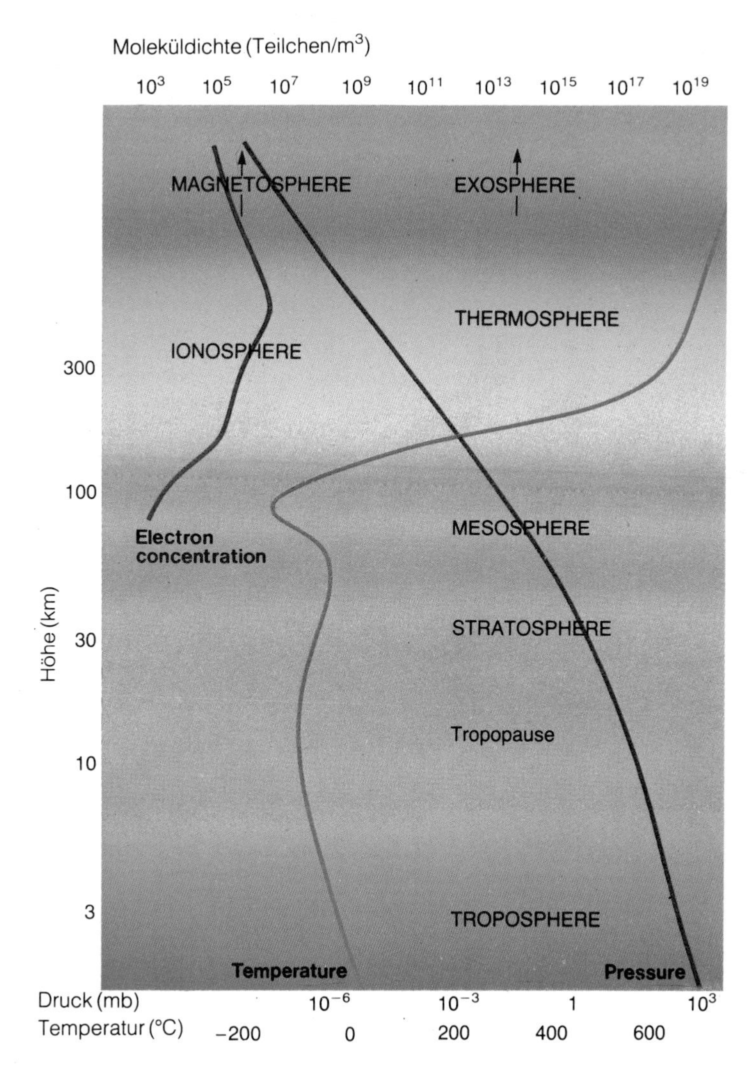

Der Luftdruck und die Dichte der Atmosphäre nehmen stetig mit der Höhe ab (grüne Linie). Die Elektronendichte (blau) und die Temperatur (rot) ändern sich ebenfalls in Abhängigkeit von der Höhe, allerdings in komplizierterer Weise. Die kalten Atmosphärenschichten sind hier blau dargestellt, warme in Orange und sehr heiße Regionen in Rot.

Nachtleuchtende Wolken über der Stadt Aberdeen. Es wird angenommen, daß sie aus kleinen Eiskristallen bestehen, die sich im Sommer in der Mesopause in 85 km Höhe bilden. Mit 180 Kelvin ist die Mesopause die kälteste Atmosphärenschicht.

Das elektromagnetische Spektrum

Die meiste von der Sonne und den Sternen ausgehende Strahlung wird in den oberen Atmosphärenschichten absorbiert und ist deswegen am Erdboden nicht wahrnehmbar. Es gibt nur zwei sogenannte 'Fenster', Wellenbereiche, in denen Strahlung ungehindert durch die Atmosphäre zur Erde gelangt. Eines liegt im sichtbaren Wellenbereich und reicht von Blau bis zum nahen Infrarot. Das andere 'Fenster' ist für Radiowellen durchlässig. Diese haben eine Wellenlänge, die um den Faktor 10^6 bis 10^9 größer ist als die des gelben Lichtes.

Strahlung kann auch durch ihre Frequenz charakterisiert werden. Im Vakuum sind Wellenlänge (λ) und Frequenz (f) der elektromagnetischen Strahlung durch die Formel $f=c/\lambda$ miteinander verbunden, wobei c die Lichtgeschwindigkeit im Vakuum ist. Sie beträgt 3×10^8 Meter pro Sekunde. Die Frequenz von gelbem Licht mit einer Wellenlänge von 6×10^{-7} Metern beträgt 5×10^{14} Schwingungen pro Sekunde oder 5×10^{14} Hertz. Die Grenzfrequenzen des Radiofensters liegen bei einer Million Hertz (oder einem Megahertz) und einer Milliarde Hertz (oder einem Gigahertz). Das Radiofenster erstreckt sich also vom Hochfrequenzbereich (HF) über den Höchstfrequenzbereich (VHF) bis zum Ultrahochfrequenzbereich (UHF).

Aus diesem Grund breiten sich frequenzmodulierte (FM) Radio- und Fernsehsignale, die im Wellenbereich um 100 Megahertz ausgestrahlt werden, in den Weltraum aus, wo sie möglicherweise von anderen intelligenten Lebewesen empfangen werden können, sofern diese über hinreichend empfindliche Empfangsgeräte verfügen. Die Existenz der beiden atmosphärischen Fenster erlaubt optische und radioastronomische Beobachtungen des Universums vom Erdboden aus. Beobachtungen bei allen anderen Wellenlängen sind nur möglich, wenn sich die entsprechenden Instrumente in Satelliten oberhalb der absorbierenden Zonen befinden.

Abkürzungen großer und kleiner Zahlen

	Zehnerpotenzen	***Vorsilben***
Tausend (1000)	10^3	Kilo
Million (1 000 000)	10^6	Mega
Milliarde (1 000 000 000)	10^9	Giga
ein Tausendstel (1/1000)	10^{-3}	Milli
ein Millionstel (1/1000 000)	10^{-6}	Mikro
ein Milliardstel (1/1000 000 000)	10^{-9}	Nano

Nicht die gesamte von der Sonne und dem Universum auf die Erde gerichtete Strahlung erreicht den Erdboden. Die Atmosphäre hat nur zwei Durchlässigkeitsbereiche, sogenannte Fenster, eines für sichtbares Licht und eines für Radiowellen. Die gesamte übrige Strahlung wird mehr oder weniger stark in den verschiedenen Atmosphärenschichten absorbiert oder reflektiert.

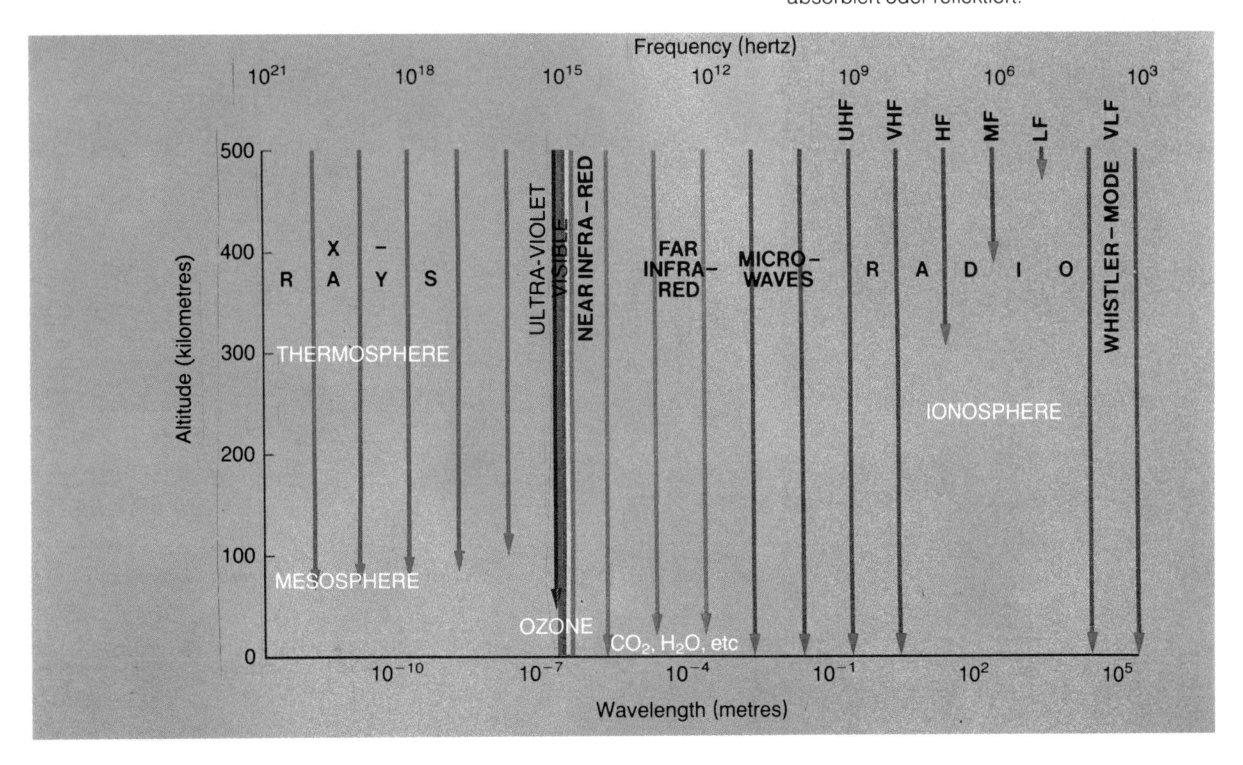

Der Nutzen der Weltraumforschung für die Menschheit

Neugier und Forscherdrang sind die Hauptmotive für die Weltraumforschung. Der Mensch strebt danach, seine Existenz mit der des Sonnensystems und des Universums in einen realen Zusammenhang zu bringen. Es liegt in seiner Natur, die im All ablaufenden Prozesse zu erforschen und deren Gesetzmäßigkeiten so weit wie möglich zu verstehen. Oberhalb der stark absorbierenden Atmosphäre ist es dem Menschen mit Hilfe hochempfindlicher Instrumente möglich, das überwältigend große Weltall in allen Wellenlängen des elektromagetischen Spektrums zu erforschen.

Der Spektralbereich, in dem ein Körper die meiste Energie abstrahlt, hängt von seiner Temperatur ab. Objekte mit einer Temperatur von einer Million Kelvin emittieren vornehmlich im Bereich der Röntgenstrahlung, also mit Wellenlängen von etwa drei Nanometern. Die Sonnenoberfläche, deren Temperatur 6000 Kelvin beträgt, strahlt im sichtbaren Bereich. Dagegen emittieren relativ kalte interstellare Gas-und Staubwolken, in denen sich Sterne bilden, hauptsächlich im Infrarotbereich, bei einer Wellenlänge von 30 Mikrometern. Die Temperatur in solchen Wolken beträgt nur 100 Kelvin. Strahlung mit einer Temperatur von nur drei Kelvin ist ebenfalls im Weltraum entdeckt worden. Sie hat ihren Ursprung in der abrupten Entstehung des Universums, einem Vorgang, der etwa 20 Milliarden Jahre zurückliegt. Moderne Theorien über diesen sogenannten Urknall besagen, daß das Universum anfangs auf ein sehr kleines Volumen beschränkt war und

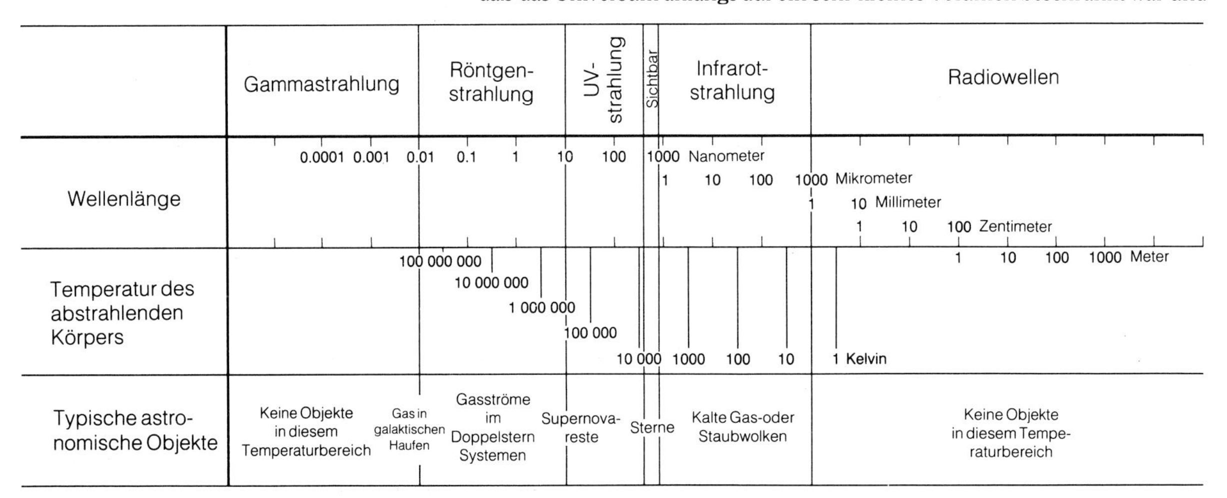

Die verschiedenen Himmelskörper besitzen unterschiedliche Temperaturen. Je höher ihre Temperatur, desto höher ist die Frequenz (beziehungsweise: desto kürzer ist die Wellenlänge) der von ihnen emittierten Strahlung.

eine Temperatur von 10^{13} Kelvin besaß. Seit dem Urknall hat sich das Universum ständig ausgedehnt und dabei abgekühlt.

Die Menschheit muß danach trachten, die physikalischen Vorgänge auf dem Planeten Erde, in seinen Ozeanen und in seiner Atmosphäre zu verstehen. Nur aufgrund von detailliertem Wissen wird es möglich sein, Beobachtungen richtig zu interpretieren und fundierte Voraussagen zu machen. Beispielsweise würden exakte Wettervorhersagen zu einer besseren Planung in der Landwirtschaft führen und somit von großem Nutzen sein. Sie würden es dem Menschen gestatten, seine täglichen Aktivitäten besser zu planen und aufeinander abzustimmen. Von globaler Bedeutung ist ferner die fortschreitende Verschmutzung der Atmosphäre. Das Einbringen von Substanzen in die Atmosphäre kann verheerende Folgen für das Klima auf der Erde haben. Schon kleinere Klimaänderungen würden sich auf unsere Lebensgewohnheiten auswirken. Der Einfluß von Flugzeugabgasen und Treibgasen aus Sprühdosen auf den atmosphärischen Ozongehalt muß untersucht und verstanden werden, damit einer möglichen Zerstörung der schützenden Ozonschicht entgegengewirkt werden kann. In diesem Zusammenhang ist es auch wichtig, die Auswirkungen von Sonneneruptionen (Flares) auf unsere direkte Umgebung zu erforschen.

Mit Hilfe der Weltraumforschung sollte es möglich sein, magnetische Stürme vorauszusagen, die von Zeit zu Zeit durch Sonneneruptionen hervorgerufen werden und immer in Verbindung mit helleuchtenden Polarlichtern (Aurorae) auftreten. Diese sind am nächtlichen Himmel in Höhen oberhalb 100 km mit bloßem Auge zu erkennen. Sie treten nur in hohen Breiten auf und werden im Norden Aurora Borealis (Nordlicht), im Süden Aurora Australis (Südlicht) genannt. Während dieser Vorgänge verändert sich das Magnetfeld der Erde, wodurch Spannungen und Ströme in ausgedehnten metallischen Leitungssystemen wie Hochspannungskabel, Telefonleitungen oder Erdölleitungen aus Stahl induziert werden. Dann sind ernste Versorgungsstörungen möglich: Transformatoren können beschädigt und Fernmeldeleitungen unterbrochen werden, Sicherungen durchbrennen, sowie Schäden an Ölleitungen auftreten. Auch die Suche nach Bodenschätzen, bei der empfindliche Magnetometer zum Einsatz kommen, wird durch magnetische Stürme verhindert.

Die ionisierten Schichten der oberen Atmosphäre sowie die daran anschließende Magnetosphäre sind das einzige uns zugängliche natürliche Plasmalaboratorium. Hier können Versuche durchgeführt werden, die auf der Erde nicht möglich sind. Die dabei gewonnenen Erkenntnisse in der Plasmaphysik lassen Schlüsse auf physikalische Vorgänge im gesamten Universum zu, denn etwa 99% der im Kosmos befindlichen Materie liegt als Plasma vor, und nicht im festen, flüssigen oder gasförmigen Aggregatzustand, wie es auf der Erde der Fall ist. Ferner ist zu bedenken, daß es nur durch Plasmaforschung gelingen kann, die kontrollierte Kernfusion zu erreichen, mit der die Energieversorgung der Menschheit auf Dauer gesichert wäre.

Satelliten müssen vor der in den Van-Allen-Gürteln auftretenden Partikelstrahlung geschützt werden. Besonders ihre elektronischen Schaltkreise sind in hohem Grade störungsanfällig gegenüber energiereichen geladenen Teilchen. Geostationäre Satelliten treffen von Zeit zu Zeit auf besonders dichte und hinreichend heiße Plasmawolken, die hohe elektrostatische Aufladungen ihrer Außenflächen hervorrufen. Die Schaltkreise müssen auch vor schädlichen Auswirkungen solcher Effekte geschützt werden.

Geostationäre Satelliten haben sich unter anderem in der Telekommunikation (Telefon, Telex, Datenübertragung) bewährt. Sie versorgen ganze Kontinente mit Fernsehprogrammen und erlauben ständige Wetterüberwachung vom Weltraum aus. Als mögliche Zukunftsentwicklung wird die Stationierung von Kraftwerken auf geostationären Umlaufbahnen angesehen. Solarzellen mit einer Fläche von etwa 50 km^2 würden zunächst elektrische Energie erzeugen, die dann in Mikrowellenenergie umgesetzt und über eine Richstrecke zur Erde übertragen werden könnte. Der auf die Erde auftreffende Mikrowellenstrahl hätte einen Durchmesser von sieben Kilometer und eine Energieflußdichte von 100 Watt pro Quadratmeter; das entspräche etwa sieben Prozent der Flußdichte der Sonnenenergie an der Erdoberfläche. Allerdings wurden Bedenken geäußert, daß dieser Mikrowellenfluß die oberen Schichten der Atmosphäre aufheizen könnte.

Der europäische Nachrichtensatellit ECS, der im Juni 1983 von einer Ariane-Rakete in die geostationäre Umlaufbahn befördert wurde.

Geheimnisvolle Nordlichterscheinung in Nordschweden. Sie entsteht beim Auftreffen von Elektronen hoher Energie auf die oberen Atmosphärenschichten in einer Höhe von 110 km.

Satelliten können auch zur Fernerkundung der Erdoberfläche eingesetzt werden, sowohl über Land wie über dem Meer. Für Beobachtungen dieser Art steht der sichtbare und der infrarote Wellenlängenbereich zur Verfügung. Anwendungen finden sich in der Landwirtschaft, der Kartographie, beim Fischfang, in der Forstwirtschaft, der Geologie, der Geophysik, der Hydrologie, Meteorologie, Ozeanographie und bei Untersuchungen der Luft – und Umweltverschmutzung. Satelliten können auch Radargeräte unterschiedlicher Größe und Leistung mitführen, mit denen sich viele geophysikalische Untersuchungen vornehmen lassen. Eine geeignete Anordnung mehrerer Satelliten in polarer Umlaufbahn kann als Navigationssystem für Schiffe und Flugzeuge dienen.

Im Weltraum lassen sich Experimente auf den Gebieten der Biologie, der Medizin und der Materialwissenschaften unter Schwerelosigkeit durchführen. Beispielsweise kann das Verhalten von Flüssigkeiten untersucht werden, Kristalle ohne Fehlstellen könnten gezüchtet oder Enzyme und Hormone größter Reinheit synthetisiert werden. Dabei ist die Anwesenheit eines Menschen an Bord eines Raumfahrzeuges von großem Nutzen, auch weil sich an ihm selbst Untersuchungen durchführen lassen.

Die dem Menschen angeborene Wißbegierde ist bisher durch die Erforschung des Weltraums nur teilweise befriedigt worden. Sein Intellekt wird bei jeder neuen Aufgabe gefordert. Die Raumfahrttechnologie bringt auch indirekten Nutzen mit sich. Die Entwicklung hochwertiger elektronischer Geräte für die Raumfahrt findet, meist schon noch kurzer Zeit, ihren Niederschlag in der Verbesserung von Geräten des täglichen Gebrauchs.

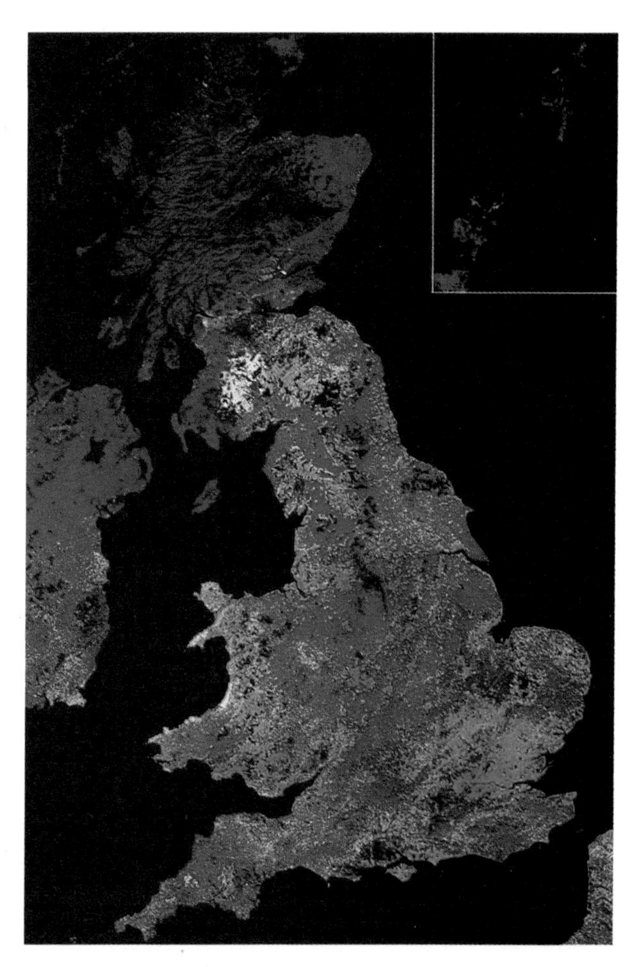

Aus Satellitenaufnahmen, die in verschiedenen Spektralbereichen gemacht werden, lassen sich viele Informationen über die Beschaffenheit der Erdoberfläche entnehmen. Das vorliegende Bild zeigt die britischen Inseln. Die Kontraste wurden durch zusätzliches Einfärben verdeutlicht.

Das Spacelab-System

SPACELAB-MADE IN EUROPE

'Spacelab, Europas Beitrag zum Shuttle-Programm, ist das Produkt einer großartigen Leistung. Es ist außerdem das größte kooperative Raumfahrt-projekt, das bisher durchgeführt wurde.'
George Bush,
Vizepräsident der Vereinigten Staaten von Amerika

Spacelab ist ein Laboratorium, in dem Wissenschaftler Experimente im Weltraum durchführen können. Es gestattet ihnen, gewöhnliche Laborgeräte im Weltraum einzusetzen, und zwar in einer Art und Weise, wie das mit herkömmlichen, unbemannten Satelliten nicht möglich ist. Spacelab ist so konstruiert, daß es die folgenden wesentlichen Anforderungen erfüllt:

(i) Es ermöglicht, Instrumente auch großer Masse und großen Volumens aufzunehmen und in den Weltraum zu transportieren.
(ii) Stromversorgung und Temperaturkontrolle für diese Ausrüstung werden bereitgestellt.
(iii) Die nötigen Hilfsmittel, um die Experimente ferngesteuert durchzuführen und deren Ergebnisse übermittelt zu bekommen, sind vorhanden.
(iv) Auch spezielle Hilfsgeräte stehen zur Verfügung, z.B. Luftschleusen und Ausrichtungssysteme für Instrumente.
(v) Ein Rechnersystem mit entsprechender Software steuert die Subsysteme, die Experimente und den Datenfluß.
(vi) Schließlich muß Spacelab trainierte Wissenschaftler an Bord nehmen können, die die Subsysteme und Experimente übersehen und – falls nötig – in Experimente eingreifen und defekte Geräte reparieren können.

Dieser Einrichtungen kann sich der Experimentator fast in der gleichen Weise bedienen, wie er es von seinem eigenen Laboratorium her gewohnt ist.

Spacelab ist ein geräumiges und gut ausgerüstetes Laboratorium; es ist viel größer als die Apollo- und Mercurykapseln und technisch wesentlich weiterentwickelt als es Skylab vor 10 Jahren war. Während für Skylab bereits im Weltraum bewährte Apparaturen einfach zusammengestellt wurden, ist Spacelab das erste vollständig durchkonstruierte Weltraum–Laboratorium.

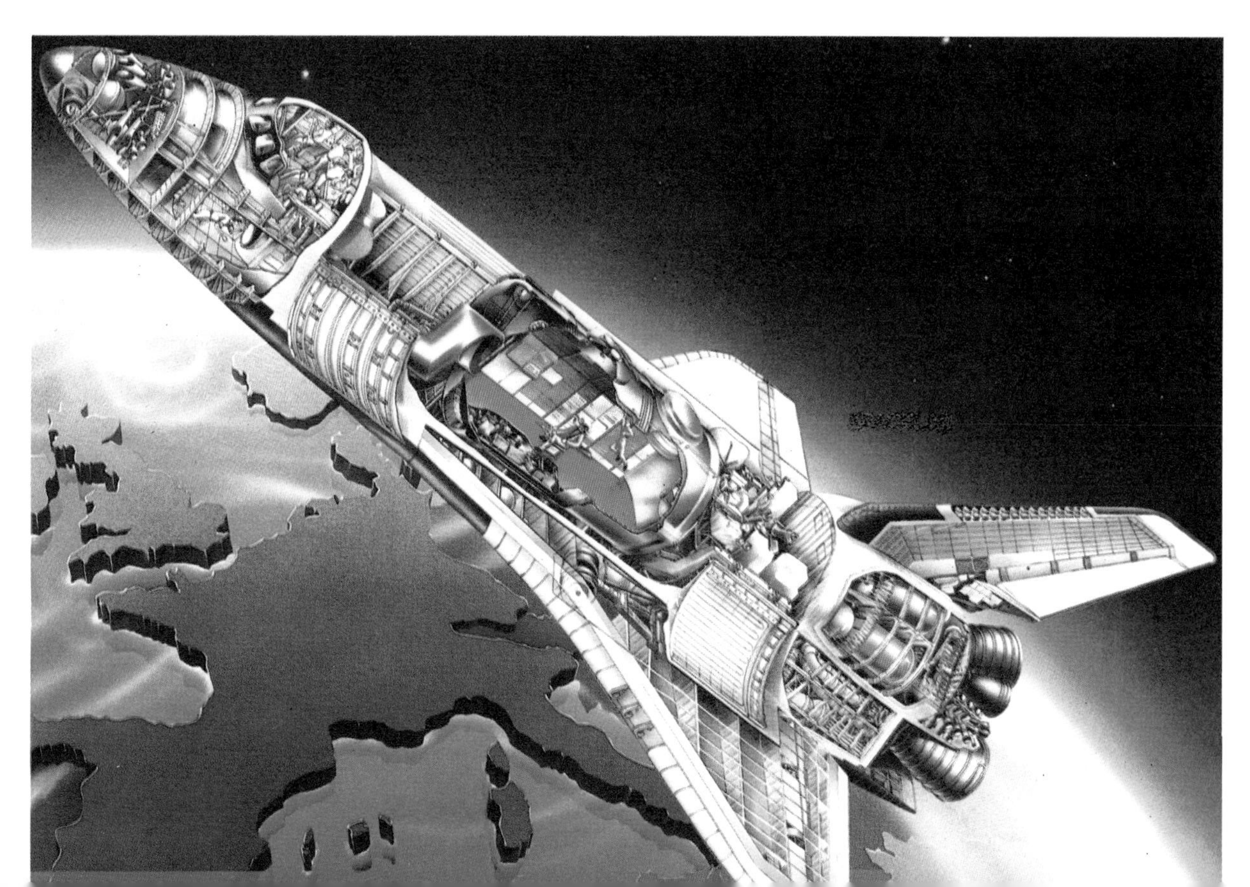

Spacelab ist modular aufgebaut und besteht aus zwei wesentlichen Teilen – dem bewohnbaren Element (Modul) und der sogenannten Palette. Die Größe beider Elemente kann den verschiedensten Missionen angepaßt werden. Das Modul ist zylindrisch und hat einen Durchmesser von vier Metern. Es setzt sich aus jeweils 2,70 m langen Segmenten zusammen, die zwischen Endflanschen angeordnet sind. Je nach der Anzahl der verwendeten Segmente spricht man von einem langen oder kurzen Modul. Seine Länge beträgt 4,30 Meter bzw. 7 Meter. Das Modul ist dem Laderaum der Raumfähre angepaßt, wo es am Boden und an den Seitenstreben befestigt wird.

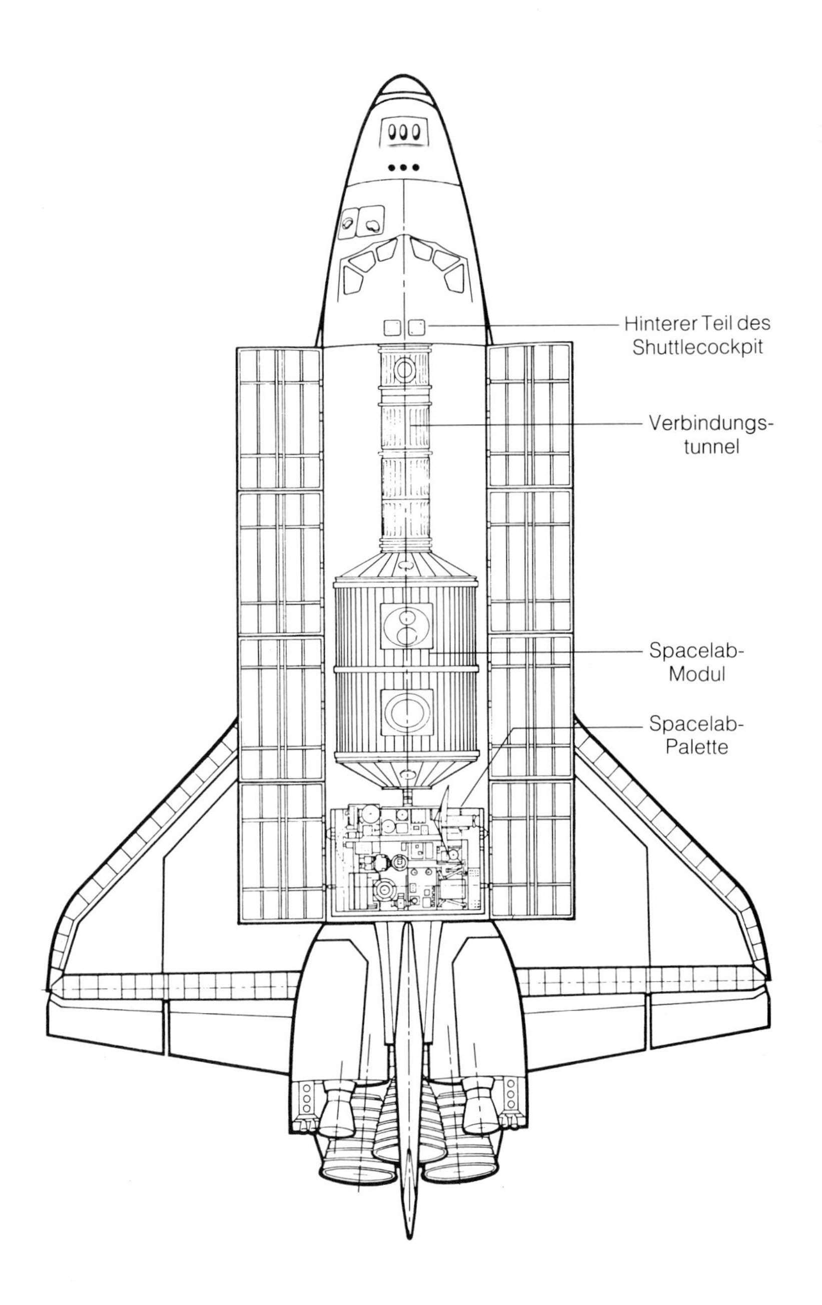

Maßstabgetreue Zeichnung der Spacelab-1-Konfiguration im Laderaum des Shuttle. Der Laderaum ist 18,3 m lang und 4,6 m breit.

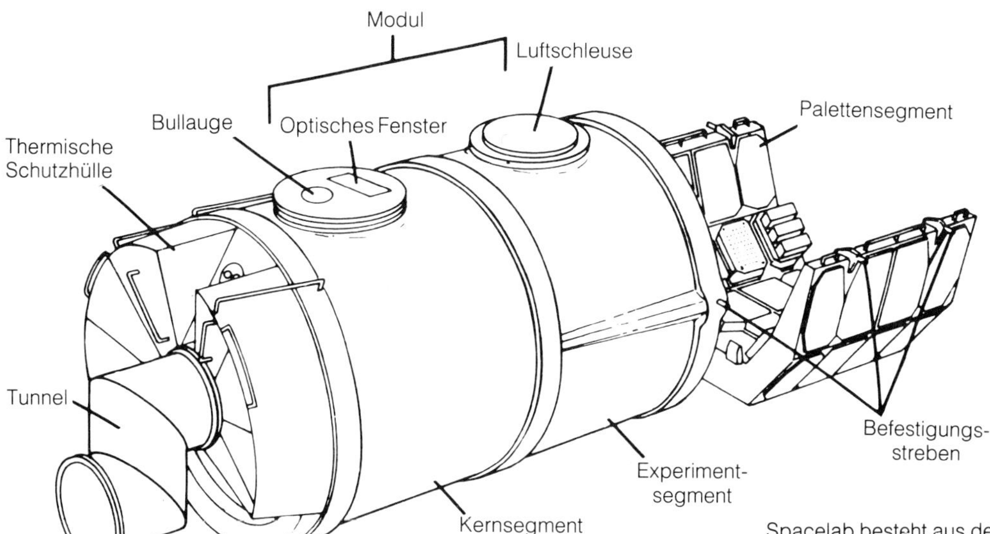

Spacelab besteht aus dem Laborteil (dem Modul), in dem Wissenschaftler ohne unbequeme Raumanzüge arbeiten können, und dem Beobachtungsteil (der Palette), auf dem Meßgeräte offen dem Weltraum ausgesetzt sind.

Beim kurzen Modul wird nur ein einzelnes Segment verwendet, das sog. Kernsegment. Es enthält die wichtigen Spacelab-Subsysteme und bietet daneben Raum für notwendige Laboreinrichtungen. Insgesamt kann es bis zu acht Kubikmeter an wissenschaftlichen Instrumenten aufnehmen. Falls für die Experimente noch mehr Raum erforderlich ist, kann zu dem Kernsegment ein weiteres Segment hinzugefügt werden. Dieses Segment steht ausschließlich für Experimente zur Verfügung und bietet weitere 14,6 m^3 Platz für Gerätschaften. Diese sind in normierte 48 cm breite Gestelle (Racks) eingebaut oder werden auf dem Boden in der Mitte des Moduls festgeschraubt. Alle Verankerungen und Verbindungen zu den Geräten sind weitgehend normiert. Die Schnittstellen zwischen den Subsystemen von Spacelab und den wissenschaftlichen Experimenten sind in einem detaillierten Handbuch festgelegt.

Die Mannschaftsräume der Raumfähre sind durch einen Tunnel von einem Meter Durchmesser mit dem Spacelab-Modul verbunden. Sowohl im Tunnel wie auch im Modul wird eine angenehme Temperatur und Luftfeuchtigkeit aufrecht erhalten, wobei die Luft aus einer normalen Mischung von Sauerstoff und Stickstoff besteht. Die Crew kann daher normal bekleidet ihrer Arbeit nachgehen. Raumanzüge werden nicht benötigt.

Ein Teil der wissenschaftlichen Arbeiten kann auch im hinteren Teil des Shuttlecockpits verrichtet werden, wo ebenso wie im Spacelab Bedienungsgeräte für den Computer zur Verfügung stehen. Zwischen Spacelab, dem Cockpit der Raumfähre und den im Bodenkontrollzentrum anwesenden Wissenschaftlern besteht über Intercom bzw. Funk ständiger Sprechkontakt. Ein eingebautes Fernsehsystem bietet darüber hinaus die Möglichkeit, die Apparaturen auch optisch zu überwachen.

Die Palette ist ebenfalls modular aufgebaut, sie setzt sich aus Segmenten zusammen, die drei Meter lang und vier Meter breit sind. Sie können einzeln, in Zweier- oder Dreierformation verwendet werden. Der Querschnitt der Palette ist U-förmig.

Aufgrund seiner modularen Konstruktion kann Spacelab äußerst flexibel eingesetzt werden. Die drei Hauptkonfigurationen – Modul ohne Palette, Modul mit Palette oder Palette ohne Modul – können jeweils durch unterschiedliche Kombinationen der Anzahl von Modul- und Palettensegmenten variiert werden.

In der Anordnung, in der nur Palettenteile verwendet werden, sind die wesentlichen Subsysteme, wie Computer und andere datenverarbeitende

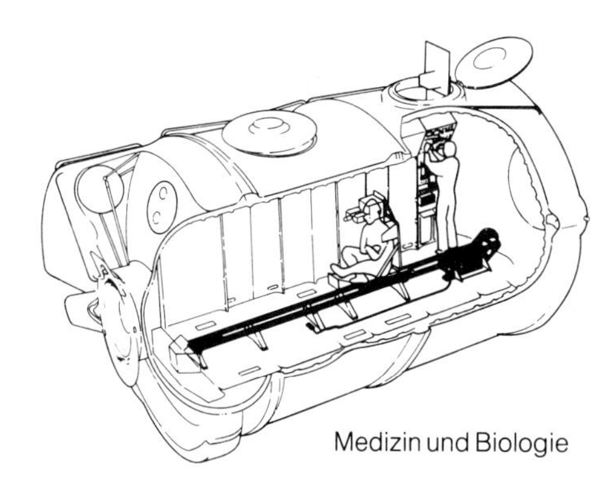

Medizin und Biologie

Eine Konfiguration, die nur aus dem Modul besteht (oben), eignet sich besonders gut für medizinische Experimente. Die Palette ohne Modul (unten) kommt bei rein astronomisch ausgerichteten Flügen zum Einsatz.

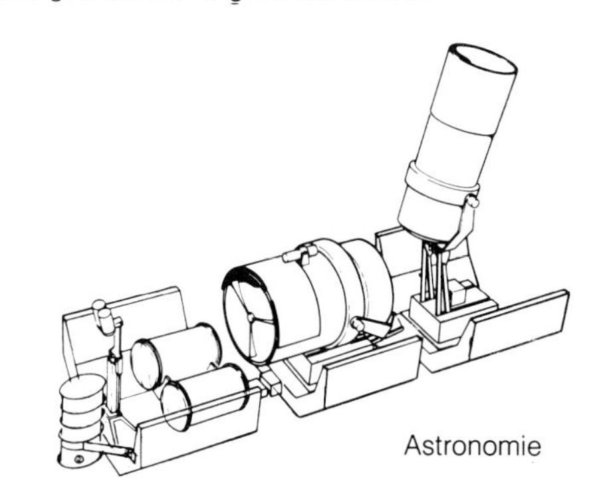

Astronomie

Das Spacelab-Modul im Hintergrund (mit wärmeisolierenden Folien umhüllt) und zwei noch weitgehend unbestückte Paletten.

Geräte (die sich normalerweise im Kernsegment des Moduls befinden) im sog. Igloo untergebracht. Hierbei handelt es sich um einen abgeschlossenen, unter Druck stehenden und temperatur-kontrollierten Behälter, der einen Durchmesser von 1,1 m besitzt und an der vordersten Palette befestigt ist. Die außen auf der Palette montierten wissenschaftlichen Geräte lassen sich vom Modul aus, vom hinteren Teil des Shuttlecockpits und auch vom Bodenkontrollzentrum aus steuern. Um größere Defekte zu beheben, haben die Astronauten die Möglichkeit, die Palette in Raumanzügen aufzusuchen.

Beim Einpassen des Spacelab in die Raumfähre muß auf die richtige Lage des Schwerpunktes geachtet werden, damit Wiedereintritt in die Atmosphäre, Gleitflug und Landung sicher erfolgen können. Spacelab muß daher so weit wie möglich im hinteren Teil des Laderaums montiert werden.

Das Gesamtgewicht von Spacelab einschließlich seiner Nutzlast darf 14500 kg nicht überschreiten, damit eine sichere Landung gewährleistet ist. Schwerere Nutzlasten können zwar mit Spacelab gestartet werden, müssen dann aber im Weltraum abgestoßen und zurückgelassen werden. Obwohl das Gewicht des Gesamtsystems von der genauen Konfiguration abhängt, gibt die folgende Tabelle Anhaltspunkte hinsichtlich der Anteile der einzelnen Elemente zum Gesamtgewicht (in kg):

Die äußere Hülle des Moduls ist zylindrisch und aus einer Aluminium-Legierung gefertigt. Oben sind die Ausschnitte für die Luftschleuse und das Fenster zu erkennen.

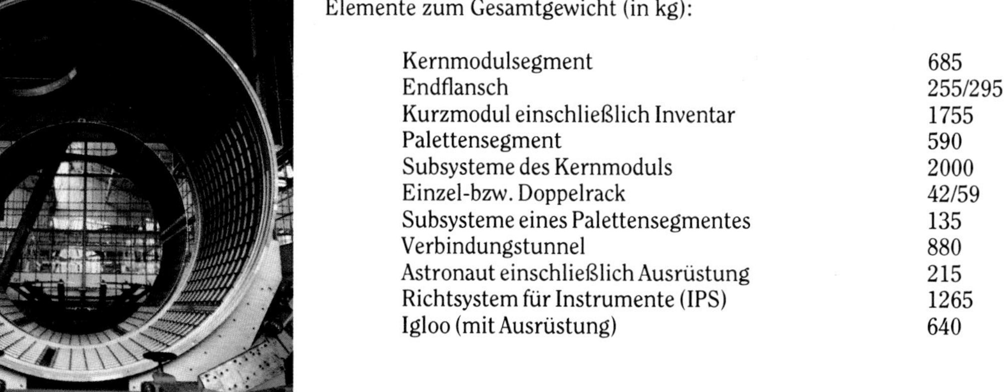

Element	Gewicht
Kernmodulsegment	685
Endflansch	255/295
Kurzmodul einschließlich Inventar	1755
Palettensegment	590
Subsysteme des Kernmoduls	2000
Einzel-bzw. Doppelrack	42/59
Subsysteme eines Palettensegmentes	135
Verbindungstunnel	880
Astronaut einschließlich Ausrüstung	215
Richtsystem für Instrumente (IPS)	1265
Igloo (mit Ausrüstung)	640

Bei der Spacelab-Konfiguration, die ausschließlich aus Paletten besteht, müssen die wesentlichen Untersysteme in einem Druckbehälter – Igloo genannt – untergebracht werden. Die Abbildung zeigt, wie das noch offene Igloo an der Palette befestigt ist.

Während der Endmontage von Spacelab in den Fabrikhallen der Firma ERNO, Bremen, konnten die großen Teile nur mit Kränen bewegt werden. Hier wird gerade ein Modul von einer Stelle der Fabrikhalle zu einer anderen gehievt.

(Unten) Instrumente, die direkt dem Weltraum ausgesetzt werden müssen, werden auf Paletten montiert. Fünf dieser Elemente, die jeweils 3 m lang sind, lassen sich im Laderaum des Shuttle unterbringen.

Spacelab – Leistungsdaten für Experimente

	Modulversion	***Palettenversion***
Nutzlastgewicht (kg)	bis zu 4900 (langes Modul)	bis zu 8000
Volumen für Experimentgerätschaften (m^3)		
unter Druck	7,6 (kurz) 22,2 (lang)	
im Vakuum	← etwa 33,5 pro Palette →	
Verfügbare Palettenoberfläche (m^2)	← etwa 17 pro Palette →	
Elektrische Leistung (28 Volt DC oder 115/200 Volt 400Hz AC)		
Mittelwert (kW)	3–4	4–5
Spitzenwert (kW)	8–9	10
Gesamtwert (kWh)	etwa 400	etwa 600
Temperaturkontrolle (kW)		
Atmosphäre im Modul	2,7	–
Kühlung für Einschübe im Racks	4,5	–
Experimentwärmetauscher	4	4
Kühlplatte (50cm × 40cm)	1	1–8
Experimentcomputer	← 64 000 Worte à 16 bit im Kernspeicher →	
mit CPU	← 320 000 Operationen pro Sekunde →	
Datenübertragung		
in Echtzeit über das Q-Band des Shuttle	← bis zu 50 Millionen bits pro Sekunde →	
Aufzeichnungsgeschwindigkeit	← bis zu 32 Millionen bits pro Sekunde →	
Speicherkapazität (HDRR)	← 38 000 Millionen bits →	
Sichtbarmachung von Daten		
Sichtgerät	999-Zeichen, 3-Farben-Darstellung auf 12-inch-Schirm	Ähnliche Geräte im hinteren Teil des Cockpits
Eingabegerät	Alphanumerische und 25 Funktionstasten	
Experimentausrichtungssystem (IPS) auf Palette montiert	← Ausrichtungsgenanigkeit Bogensekunden in drei Achsen, für Nutzlasten bis zu 3000 kg Gewicht und 3m Durchmesser →	

Der mechanische Aufbau des Spacelab

Das Modul besteht aus einer speziellen Aluminiumlegierung. Es ist druckbeständig und kann wie ein modernes Flugzeug einen Druck von einer Atmosphäre (1 Bar) aushalten, d.h. die Besatzung atmet die gleiche Luft, wie sie es von der Erde her gewohnt ist.

Beim Entwurf des Moduls wurde darauf geachtet, daß man sowohl auf der Erde wie auch im All effektiv in ihm arbeiten kann. Im Weltraum gibt es zwar kein Oben und Unten, doch ermöglicht die Anordnung der Gerätschaften im Spacelab ein Mindestmaß an Orientierung. Fußlaschen und Haltegriffe, die überall im Modul angebracht sind, bieten der Mannschaft in der Schwerelosigkeit festen Halt. Auch außen am Modul gibt es diese Vorrichtungen, um auch dort, falls nötig, während des Fluges Arbeiten verrichten zu können.

Die Gestelle (Racks) im Modul sind so ausgelegt, daß man ohne weiteres gängige Laborgeräte darin unterbringen kann. Es gibt Einzel- und Doppelracks, die 56 bzw. 105 cm breit sind und eine Tiefe von 76 cm haben. Sie werden am Boden und an der Decke befestigt und haben oben eine Form, die sich den Konturen von Spacelab anpaßt. In ihnen können 290 bzw. 580 kg an wissenschaftlichen Geräten untergebracht werden. Jedes Rack hat separate Zuführungen für Kühlluft, Stromversorgung sowie für die Ein- und Ausgabe von Daten. Sowohl im Kernsegment als auch in einem Experimentiersegment lassen sich auf jeder Seite jeweils zwei Doppelracks und ein Einzelrack aufstellen; ein langes Modul kann insgesamt 12 Racks aufnehmen. Das vordere Doppelrack auf beiden Seiten des Kernmoduls enthält die elektronischen Subsysteme von Spacelab und einen Arbeitsplatz für die Besatzung.

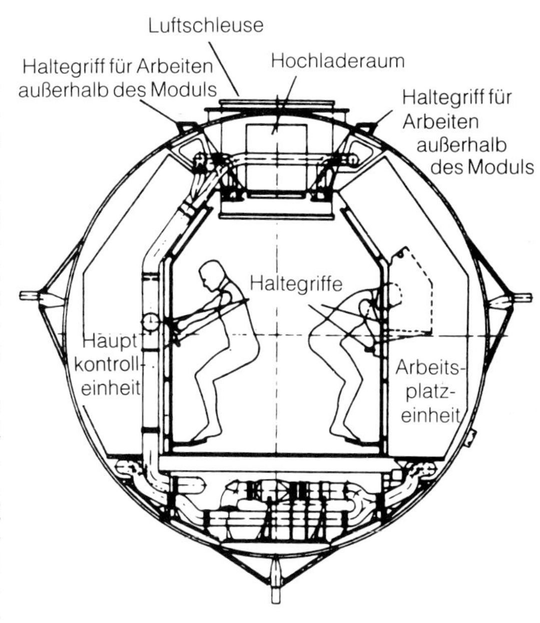

Das Spacelab-Modul ist so dimensioniert, daß die Geräte übersichtlich angeordnet sind und sich problemlos von der Mannschaft bedienen lassen.

Die Racks von Spacelab sind so ausgelegt, daß sie Standardeinschübe einer Breite von 19 Inch (48 cm) aufnehmen. Die Abbildung zeigt einen Satz fertiger Racks vor dem Einbringen ins Modul.

Die Abbildung zeigt ein halb eingerichtetes Modul mit Arbeitskonsole (links) und Kontrollrack (rechts). Lärmerzeugende Geräte, wie zum Beispiel Ventilatoren, werden unter dem Fußboden untergebracht.

Dieser Arbeitsplatz besteht aus Ablagefächern, einem kleinen Aktenschrank, Schreibgeräten und Abfallbehältern. Auch sind dort Geräte wie Schraubenschlüssel, Schraubenzieher und Zangen vorhanden, so daß eventuelle Schäden an Subsystemen und Instrumenten behoben oder sogar Satelliten repariert werden können, die zu diesem Zweck vorübergehend an Bord genommen werden. Schlaufen und elastische Bänder sind überall im Modul, vor allem am Arbeitstisch, angebracht, um damit Werkzeuge und Papier in der Schwerelosigkeit festzuhalten.

Die Beleuchtung innerhalb des Moduls wird von der Besatzung bedient. Sie läßt sich stufenlos regeln und sogar ganz abschalten, wenn mit empfindlichem Fotomaterial gearbeitet wird, oder wenn schwach beleuchtete Sichtgeräte abzulesen sind. Eine Notbeleuchtung ist ebenfalls vorgesehen, die sich beim Ausfall der Hauptstromversorgung automatisch einschaltet.

Das im vorderen Teil des Kernsegmentes angebrachte Doppelrack enthält eine Kontrolleinheit, von der aus die Spacelab-Subsysteme überwacht werden, sowie ein Bildschirmgerät zur Sichtbarmachung von experimentellen Daten. Diese Kontrolleinheit und ihre Anzeigegeräte sind so gestaltet, daß die wichtigsten und die am häufigsten gebrauchten Bedienungsvorrichtungen bequem erreichbar sind. Hierzu wurde die natürliche Haltung, die ein Mensch in der Schwerelosigkeit einnimmt, in Wassertankversuchen und anhand von Fotografien der Skylab-Mission ermittelt.

Im Doppelrack neben dem Kontrollrack können spezielle Kühlvorrichtungen installiert werden. Hierbei handelt es sich entweder um wassergekühlte Platten oder um konventionelle Wärmetauscher, die über einen Wasserkreislauf die Wärme abführen.

Das Kernsegment hat zwei Fenster, von denen eines aus hochqualitativem, optisch fehlerfreiem Glas besteht. Ebenso ist eine Entlüftungsleitung installiert, die mögliche Abgase von Experimenten in den Weltraum abführt. Weiterhin findet man einen speziellen Behälter zum Aufbewahren von Filmmaterial; er ist mit Schaumgummi ausgekleidet und enthält luftbefeuchtende Chemikalien. Die darin aufgehobenen Filme sind vor der schädlichen Strahlung der Van-Allen-Gürtel geschützt. Lärmerzeugende Geräte wie Ventilatoren und Pumpen sind unter dem Fußboden des

Hier sind Techniker damit beschäftigt, den Durchfluß von Kühlluft durch die Racks einzustellen. Diese Art der Gerätekühlung ist auch in Laboratorien auf der Erde gebräuchlich.

(Oben) Installierung der Luftschleuse. Dieses Untersystem wird benötigt, um Geräte während des Fluges aus dem Modul in den Weltraum zu befördern. Die Luftschleuse ist 1 m lang und hat einen Durchmesser von 1 m. Sie enthält Vorrichtungen wie Stromversorgung, Beleuchtung und Anschlüsse für Datenübertragungsleitungen.

(Links) Das Innere des Moduls; alle Geräte sind eingebaut und flugbereit. Die Aufnahme verdeutlicht die großzügige Auslegung des Innenraums. Man erkennt links das Datensichtgerät neben anderen speziellen Einschüben, sowie an der Decke ein Stück der Luftschleuse. Auffällig sind auch die gelben Haltegriffe, an denen sich die Astronauten unter Schwerelosigkeit entlanghangeln oder festhalten können.

Moduls angebracht.

Am oberen Teil des Experimentiersegmentes befindet sich die Luftschleuse, mit der es möglich ist, Instrumente, die zunächst im Modul untergebracht waren, während des Fluges dem Weltall direkt auszusetzen. Sie werden auf eine spezielle Platte montiert, die maximal 100 kg tragen kann. Nach Beendigung des Experimentes bringt man die Instrumente durch die Luftschleuse in das Modul zurück.

In der bemannten Weltraumfahrt wird vor allem auf Sicherheit großen Wert gelegt. Aus diesem Grunde ist für Spacelab ein spezielles Warnsystem entwickelt worden, das die Besatzung akustisch und optisch auf mögliche Gefahrensituationen aufmerksam macht. Rauchdetektoren sowie tragbare Feuerlöscher und Sauerstoffflaschen sind weitere wesentliche Bestandteile des Sicherheitssystems.

Die U-förmigen Palettensegmente besitzen eine relativ einfache Konstruktion und können bis zu 3000 kg an wissenschaftlichem Instrumentarium aufnehmen. Dieses Instrumentarium ist nach Öffnen der Ladeklappen des Shuttles direkt dem Weltraum ausgesetzt. Der Hauptrahmen jedes Palettensegments ist mit speziellen wabenförmigen Tafeln überdeckt. Insgesamt kommen auf jedes Segment 24 dieser Tafeln, die pro Quadratmeter ein Gewicht bis zu 50 kg tragen können. Schwerere Geräte müssen an eigens dafür vorgesehenen Versteifungspunkten, von denen es bis zu 24 in jedem Segment gibt, befestigt werden.

Jedes Palettensegment enthält separate Stromversorgungs- und Datenanschlüsse. Ebenso sind Kühlplatten, die mit einem Freon-Kreislauf verbunden sind, in der Palette integriert. Somit kann ein Experiment auf einer Palette genauso durchgeführt werden wie unter Vakuumbedingungen im Laboratorium. Die Steuerung der Experimente erfolgt durch die Besatzung, und zwar mit Hilfe von Eingabegeräten vom Kernsegment aus oder vom hinteren Teil des Shuttle-Cockpits.

Systeme zur Regulierung der klimatischen Bedingungen im Spacelab

Im Spacelab lassen sich für bis zu vier Besatzungsmitglieder klimatische Bedingungen schaffen, wie sie auf der Erde an einem schönen Sommertag vorherrschen. Die Luft, die aus einem Gemisch von Sauerstoff und Stickstoff besteht, wird auf einer Temperatur von 22° C konstant gehalten. Ein spezieller Wärmetauscher sorgt für eine relative Luftfeuchtigkeit von ungefähr 50%. Bei zu hoher Luftfeuchtigkeit wird das überschüssige Wasser in einer Zentrifuge von der Luft abgetrennt. Das Shuttle liefert den gasförmigen Sauerstoff, Spacelab selbst enthält einen Versorgungstank für gasförmigen Stickstoff. Druck und Zusammensetzung der Luft werden durch ein komplexes Regelsystem überwacht. Lithiumhydroxid (LiOH), dem ein wenig Aktivkohle zugefügt ist, benutzt man dazu, den Kohlendioxidgehalt der Luft zu regulieren und Luftverunreinigungen zu beseitigen. Die für das körperliche Wohlbefinden notwendige Luftzirkulation ist mit Hilfe von Ventilatoren auf einen Wert zwischen 5 und 12 m pro Minute eingestellt.

Ein weiteres Subsystem hat dafür zu sorgen, daß Experimente und Geräte an Bord in einem vorbestimmten Temperaturbereich betrieben werden. Diese Temperaturregelung ist besonders für solche Teile notwendig, die dem Weltraum ausgesetzt sind und ohne diese Kontrollvorrichtungen auskühlen bzw. unter direkter Sonneneinstrahlung zu stark erhitzt würden. Dabei ist es technisch gesehen schwieriger, Wärme abzuführen als zuzuführen. Die Kühlmittel Luft, Wasser oder Freon geben die überschüssige Wärme an das Shuttlesystem weiter, wo sie über großflächige Radiatoren auf der Innenseite der Ladeklappen in den Weltraum abgestrahlt wird.

Dieses Diagramm zeigt das Temperaturkontrollsystem (ECS) von Spacelab, das aus vier Kreisen besteht. Der Kabinenkreis sorgt für ein angenehmes Klima im Modul.

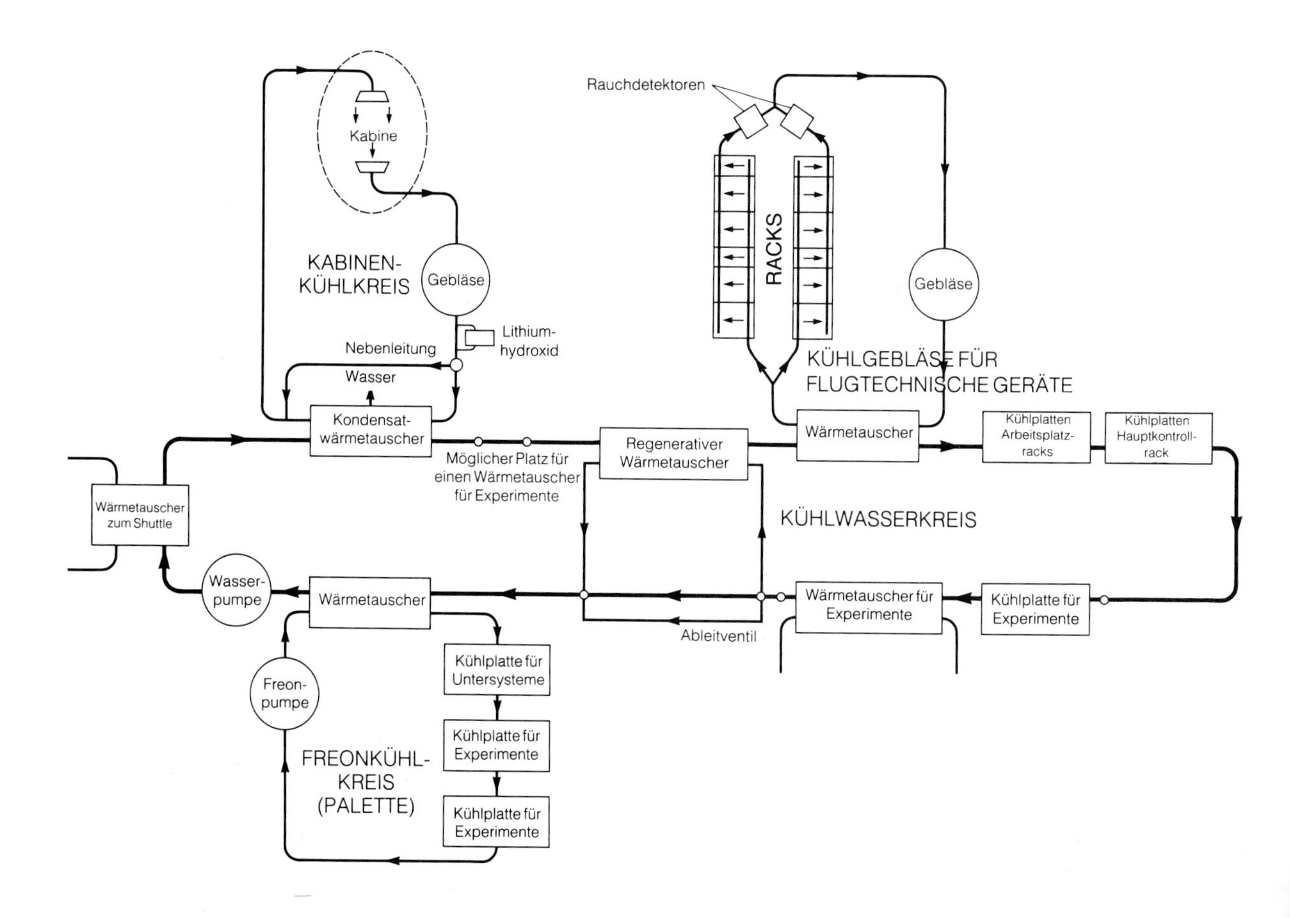

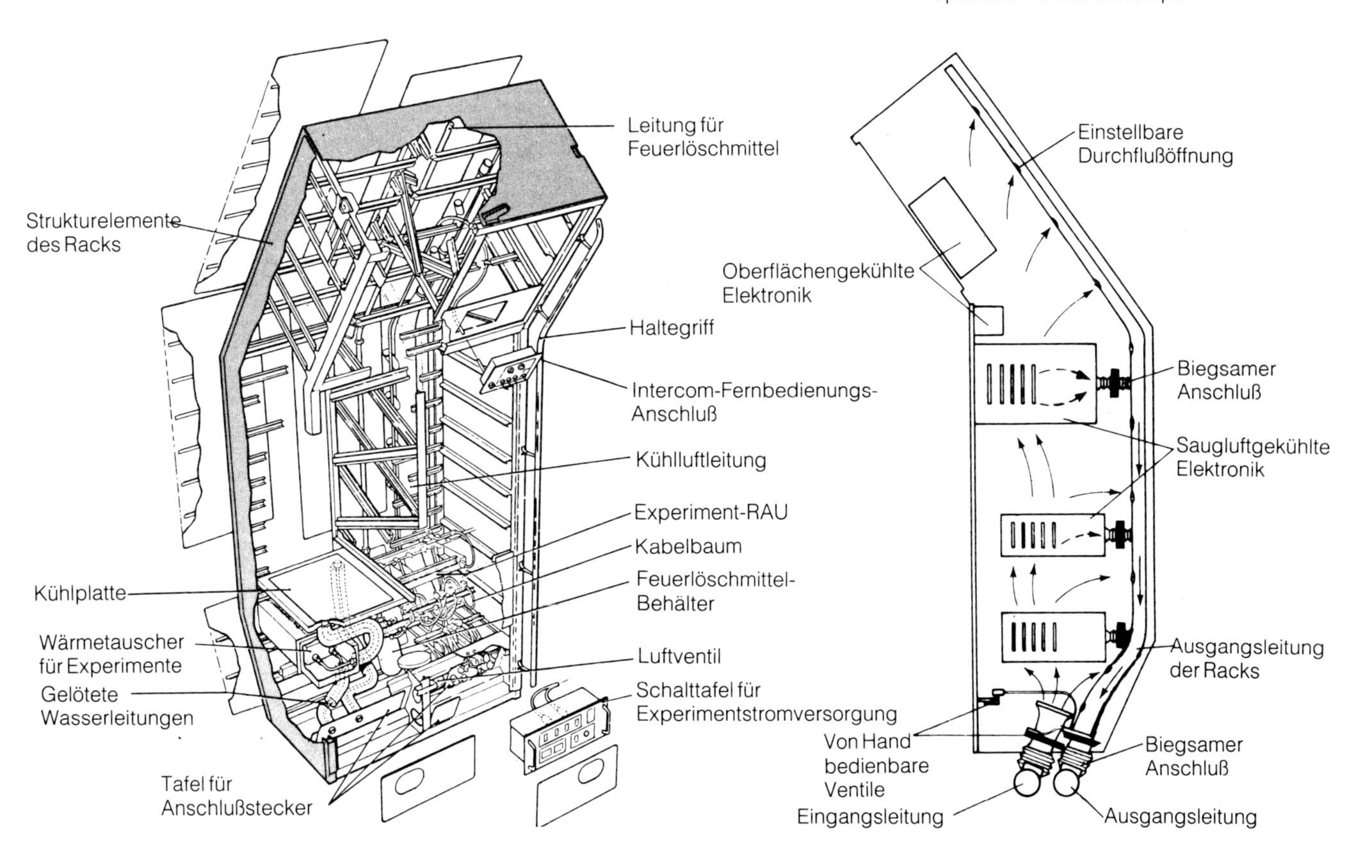

In jedem Rack werden die Einschübe luftgekühlt, was im rechten Teil der Abbildung schematisch dargestellt ist. Im Kernsegment ist ein Rack mit einer Kühlplatte beziehungsweise einem Wärmetauscher ausgerüstet, so daß auch Geräte mit hohem Energieverbrauch im Modul betrieben werden können.

Im Inneren des Moduls wird Luft zum Abführen der von der Besatzung und den Subsystemen erzeugten Wärme verwendet. Ebenso werden Experimente und elektronische Geräte in den Racks durch Luft gekühlt, die in einem Wärmetauscher die aufgenommene Wärme an einen Wasserkreislauf abgibt. Der erforderliche Luftdurchsatz wird durch Ventile geregelt, die normalerweise schon vor dem Flug auf einen Nominalwert justiert worden sind. Da die meisten Laborgeräte ohnehin luftgekühlt sind, brauchen sie für einen Spacelab-Flug nicht dahingehend modifiziert zu werden. Kühlung durch direkten Kontakt zwischen Apparatur und einem Wärmetauscher ist im Modul ebenfalls möglich. Hierbei darf der Wärmetauscher nur mit Wasser betrieben werden. Wegen einer möglichen Gefährdung der Besatzung darf man Freon im Modul nicht verwenden.

Auf der Palette, wo Luftkühlung unmöglich ist und Wasserleitungen einfrieren würden, muß Freon als Kühlmittel dienen. Das Freon-Kühlsystem kann bis zu acht genormte Kühlplatten versorgen. Unter bestimmten Bedingungen läßt sich auch ein Freon-Wärmetauscher einsetzen, der allerdings nicht zur Standardausrüstung gehört und demzufolge zusätzlich angeschlossen werden muß. Schließlich sei noch erwähnt, daß Wärme auch durch Schmelzen von Wachs abgeführt werden kann.

Die Kühlsysteme von Spacelab vermögen im Dauerbetrieb 8,5 Kilowatt an Wärme abzuführen, Spitzenleistungen von 12,4 Kilowatt über 15 Minuten sind in Abständen von drei Stunden möglich. Das Gesamtsystem von Spacelab und Nutzlast strahlt ständig Wärme in den Weltraum ab und muß daher vor Unterkühlung geschützt werden. Es wird jedoch andererseits von der Sonne und in viel geringerem Ausmaß auch von der Erde erwärmt. Die dabei mögliche Überhitzung muß gleichfalls vermieden werden. Neben der oben beschriebenen aktiven Temperaturregelung kann die Temperatur auch durch Wahl der Oberflächeneigenschaften beinflußt werden, d.h. durch sogenannte passive Temperaturregelung.

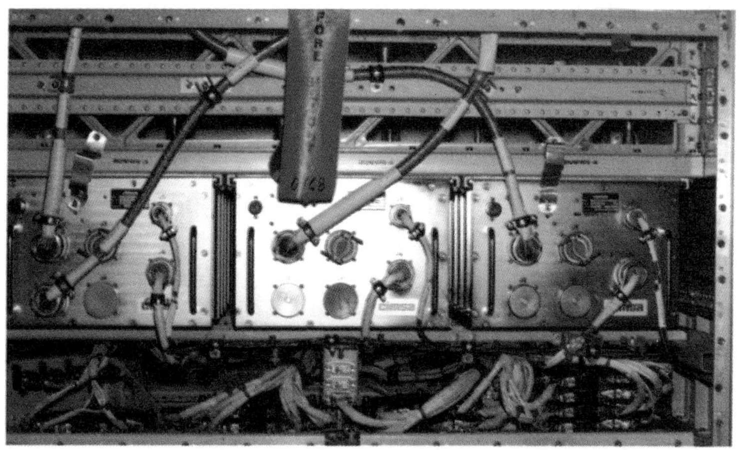

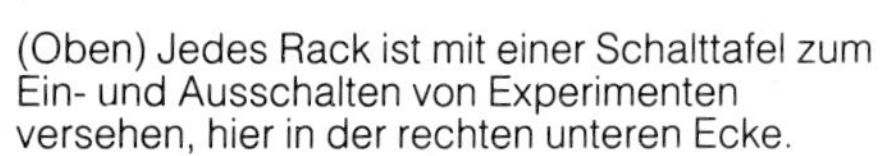

(Oben) Jedes Rack ist mit einer Schalttafel zum Ein- und Ausschalten von Experimenten versehen, hier in der rechten unteren Ecke.

(Oben rechts) Dieses Bild verdeutlicht die Komplexität des elektrischen Stromverteilungssystem von Spacelab. In der Bildmitte erkennt man die drei Bordrechner vom Typ CIMSA.

(Rechts) Ein Blick auf die Gerätschaften, die unter dem Fußboden montiert sind und größtenteils zur Klimaanlage gehören. Im Hintergrund erkennt man die Racks – fertig zum Einfahren ins Modul. Dieses Ein- und Ausfahren erleichtert den Zugang zu den Experimenten und vereinfacht die Be- und Entladung der Racks.

Das elektrische Versorgungssystem

Die Mehrzahl der Experimente benötigt elektrischen Strom. Im Spacelab geschieht die Stromversorgung genauso wie in einem irdischen Laboratorium. Die Brennstoffzellen des Shuttle erzeugen Elektrizität aus der Vereinigung von Sauerstoff und Wasserstoff. Jede Zelle hat eine Leistung von 7 Kilowatt bei einer Betriebsspannung von 28 Volt. Für Zeitabschnitte von bis zu 15 Minuten können die Zellen eine fast zweimal so große Leistung abgeben. Der vom Shuttle gelieferte Gleichstrom kann im Spacelab in Gleich- und Wechselstrom verschiedener Spannungen umgewandelt werden. Wie bei Flugzeugen üblich, arbeitet die Wechselstromversorgung mit einer Frequenz von 400 Hertz. Sogenannte Inverter setzen den Wechselstrom auf 115 Volt für Einphasenbetrieb und 200 Volt für Dreiphasenbetrieb um.

Die Stromversorgung der Experimente und Subsysteme erfolgt durch ein weitverzweigtes Kabelnetz, das bis in die Racks und Paletten reicht. Die Stromversorgung der Experimente wird durch computergesteuerte Relais (Experiment Power Distribution Boxes: EPDBs) geschaltet. Auf jeder Palette gibt es ein solches Relais. Im Experimentiersegment sind zwei, im Kernsegment ist ein EPDB untergebracht. An der Vorderseite eines jeden Experimentracks befindet sich eine spezielle Stromschalttafel, an der die gewünschte elektrische Leistung manuell eingestellt werden kann. Auf der Palette sind die EPDBs direkt mit den Experimenten verbunden.

Die Stromversorgung reicht bis zu Experimenten, die auf dem Boden des Moduls bzw. in der Luftschleuse und am optischen Fenster installiert sind. Zusätzlich steht im hinteren Teil des Shuttle-Cockpits ein Stromversorgungsgerät von 750 Watt für Spacelab-Experimente zur Verfügung. Schließlich muß auch noch Strom an das interne Beleuchtungssystem des Moduls und das bereits erwährnte Warnsystem geliefert werden. Für den Notfall ist ein separates Aggregat vorgesehen, das bis zu 400 Watt Leistung erbringen kann. Während Start und Landung ist die Leistungsaufnahme von Spacelab minimal (ungefähr ein Kilowatt), da die meisten Experimente und Subsysteme in diesen Phasen der Mission abgeschaltet sind.

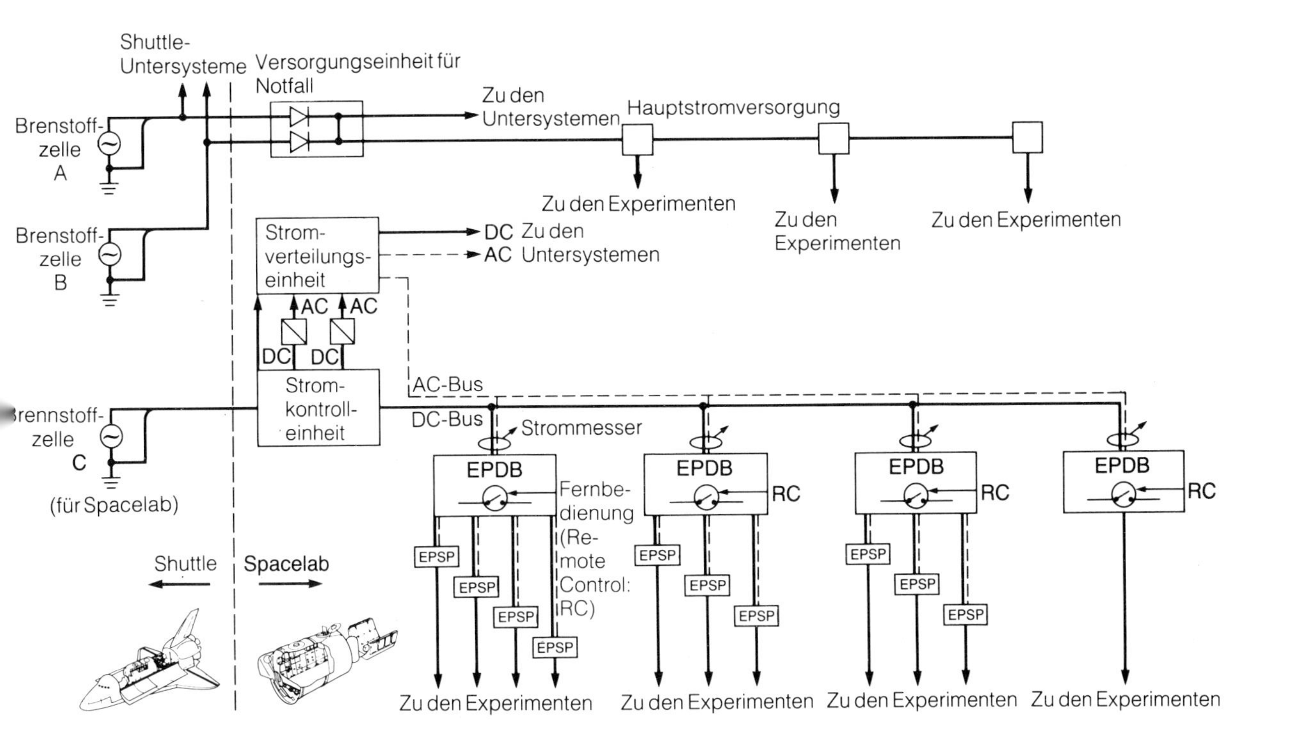

Die Brennstoffzellen des Shuttle speisen das Stromversorgungssystem von Spacelab. Das Verteilersystem versorgt die einzelnen Experimente mit der benötigten Spannung. (AC: Wechselstrom; DC: Gleichstrom; EPDB: Einheit, die die Experimente mit Strom versorgt; EPSP: Einheit, die die Experimente an- und abschaltet; RC: Fernsteuerung).

Die für eine Mission zur Verfügung stehende Energie hängt von der Menge des an Bord gespeicherten Wasserstoffes und Sauerstoffes ab. Jeder Brennstoffzelle ist eine bestimmte Menge dieser Stoffe zugeordnet, und die Gesamtheit von Brennstoffzelle und Brennstoffen wird als Energieversorgungspaket (energy kit) bezeichnet. Zusätzliche Leistung steht zur Verfügung, wenn weitere energy kits mitgeflogen werden. Dies ist allerdings nur bei entsprechender Reduzierung des Nutzlastgewichts machbar. Ein einzelnes Energiepaket liefert normalerweise 840 Kilowattstunden und wiegt 740 kg.

Die Datenübertragung vom Spacelab aus

Eine schnelle Datenübertragung vom Spacelab zur Bodenstation ist für die Experimentatoren von großer Bedeutung. Wissenschaftler wie Ingenieure benötigen zunächst Informationen über das einwandfreie Funktionieren ihrer Instrumente, d.h. die aktuellen Betriebsdaten. Diese lassen sich in wichtigen Fällen ohne wesentliche Zeitverzögerung, in 'Echtzeit', zum Boden übertragen. Sie können aber auch an Bord gespeichert und dem Experimentator später überspielt bzw. nach der Landung zur Verfügung gestellt werden.

Bei der Übertragung der Echtzeitdaten wird das weltweite Empfangs- und Kommunikationssystem (Space Tracking and Data Network: STDN) der NASA sowie das mehrere Satelliten umfassende Datenübertragungssystem (Tracking and Data Relay Satellite System: TDRSS) verwendet. Beide Systeme arbeiten im S-Band, d.h. bei einer Frequenz von zwei bis vier Gigahertz. Für besonders hohe Datenflüsse kann das TDRSS auch im Q-Band zwischen 13 und 16 Gigahertz betrieben werden. Das STDN bewältigt nur verhältnismäßig kleine Datenmengen: Vom Shuttle zur Erde fließen die Daten mit 192 000 Bits pro Sekunde, der umgekehrte Datenfluß von der Erde zum Shuttle beträgt 72 000 Bits pro Sekunde. Bedeutend höhere Datenflüsse bis zu 50 Millionen Bits pro Sekunde können über die Richtfunkstrecke des TDRSS gesendet werden, und zwar als Digital- oder Fernsehdaten. Für das TDRSS

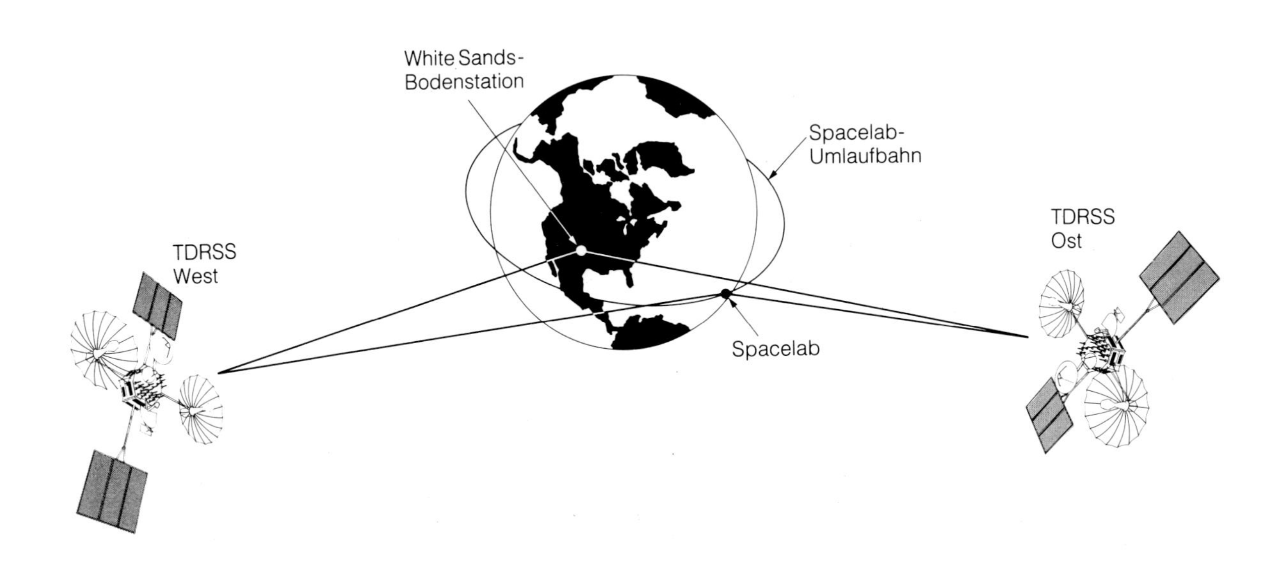

Satelliten des TDRSS bewerkstelligen den Funkverkehr zwischen Spacelab und der Bodenkontrollstation. Mit zwei dieser Satelliten läßt sich nahezu die gesamte Umlaufbahn von Spacelab abdecken.

Die Bodenantennen des TDRSS stehen in White Sands in New Mexico. Dieses System soll das veraltete Kommunikationssystem der NASA ablösen, dessen Bodenstationen weltweit verteilt sind.

befindet sich die Bodenstation in White Sands/New Mexico, von wo aus die anfallenden Daten direkt zum Bodenkontrollzentrum in Houston/Texas weitergeleitet werden können. Es ist auch möglich, Daten in White Sands auf Magnetband zu speichern.

Für die erste Mission von Spacelab waren von der NASA zwei geostationäre TDR-Satelliten vorgesehen, von denen einer bei 41° westlicher Breite über dem Atlantik und der andere bei 171° westlicher Breite über dem Pazifik stationiert werden sollte. In dieser Konfiguration wäre es möglich gewesen, 85% der gesamten Spacelab-1-Mission in Echtzeit zu verfolgen. Ein TDR-Satellit hat ein Gewicht von 2100 kg, er sollte zehn Jahre lang arbeiten. Er ist mit zwei großen steuerbaren Antennen von jeweils 4,9 m Durchmesser sowie drei kleineren Antennen versehen. Seine Sonnenpaneele sind 17 m breit und erzeugen 1,8 Kilowatt an elektrischer Leistung. Die Satelliten sind in drei Richtungen stabilisiert und werden vom Shuttle aus gestartet.

Wenn die Verbindung zwischen Shuttle und TDR-Satellit durch die Erdabschattung unterbrochen ist, besteht die Möglichkeit, die anfallenden Daten auf einem Magnetbandgerät hoher Aufzeichnungsgeschwindigkeit (bis zu 32 Millionen Bits pro Sekunde) und Kapazität (etwa 30 Gigabits) zu speichern. Mehr oder weniger als Reserveeinheit steht im Shuttle noch ein weiteres Aufzeichnungsgerät zur Verfügung (seine Kapazität beträgt 3,4 Gigabits, die maximale Aufzeichnungsgeschwindigkeit 1000 Bits pro Sekunde). Für das Auswechseln der Magnetbänder ist die Besatzung zuständig.

Die vom TDRSS und vom STDN anfallenden Daten werden zum Nutzlastüberwachungszentrum (Payload Operations Control Center: POCC) nach Houston überspielt, wo die anwesenden Wissenschaftler die Daten ihrer Experimente in Echtzeit auf Sichtgeräten darstellen können. Ferner können die Wissenschaftler von hier aus über Funk mit der Besatzung sprechen und den Fortgang ihrer Experimente auf dem Bildschirm verfolgen. Sowohl TDRSS- wie auch STDN-Daten laufen über das Telekommunikationssystem des Shuttle. Datenfluß, Datenwiedergabe und Aufzeichnung werden von einem speziell entwickelten Kontrollsystem (Command and Data Management Subsystem: CDMS) gesteuert.

Das CDMS besteht aus zwei Teilen. Niedrige Datenflüsse (bis zu 60 000 Bits pro Sekunde) werden von einer ersten Einheit, DPA (Data Processing Assembly) genannt, übernommen. Für höhere Datenmengen kommt eine zweite Einheit, die HRDA (High Rate Data Assembly), zum Einsatz. Befehle an die Experimente können entweder über die DPA oder weitere Subsysteme, RAUs (Remote Acquisition Unit: Fernsteuerungseinheit) genannt, erteilt werden. Jede RAU übermittelt nicht nur Daten von und zu einem Experiment, sondern dient auch als Zeitgeber und überwacht Ein- und Ausschaltvorgänge. Ein komplexes Kabelnetz übernimmt die Verteilung bzw. die Zusammenführung der Daten im Spacelab. Es ist in zwei Verbundsysteme unterteilt, von denen eines die Daten der Experimente, das andere die der Subsysteme übernimmt. Experiment- und Subsystemdaten werden in

Diese Abbildung eines TDR-Satelliten zeigt zwei große nachführbare Richtantennen, eine Dreißig-Elemente-S-Band-Antenne und mehrere kleine Antennen zur Datenübertragung in drei verschiedenen Frequenzbändern (S, C und K).

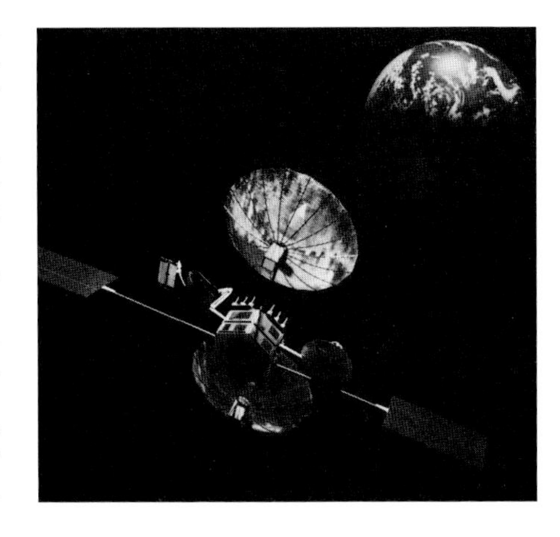

Hier wird der TDR-A-Satellit mit eingeklappten Antennen und auf die IUS-Rakete montiert in einem Spezialbehälter zur Startrampe befördert, wo diese Konfiguration dann in den Laderaum von Challenger für den STS-6-Flug eingebaut wird.

periodischen Abständen von der zuständigen RAU über ein spezielles Ein- und Ausgabegerät (Input/Output-Einheit) weitergeleitet. Die Ein-/Ausgabe -Einheit überwacht das Zusammenspiel zwischen den Experimenten, den Subsystem-Computern und dem CDMS. Letzteres bereitet die Daten entweder für die Übertragung zum Boden, die Sichtbarmachung an Bord oder die Speicherung auf. Die Prozesse laufen automatisch ab oder unter Einflußnahme der Astronauten.

Die von der Mannschaft benutzten Eingabegeräte ähneln gewöhnlichen Schreibmaschinentastaturen. Alphanumerische und spezielle Funktionstasten dienen zur Eingabe von Programmen oder Instruktionen in die Computer. Das angeschlossene Sichtgerät kann Zahlen und Buchstaben in Grün, Gelb und Rot wiedergeben und so die Überwachung erleichtern.

Die Kapazität des HRDA-Zweiges läßt sich entweder für 16 Multiplexkanäle bis zu Raten von jeweils 16 Millionen Bits pro Sekunde oder für einen Direktkanal mit einer Übertragungsrate von 50 Millionen Bits pro Sekunde verwenden. In beiden Fällen können die Daten sowohl in Echtzeit übermittelt

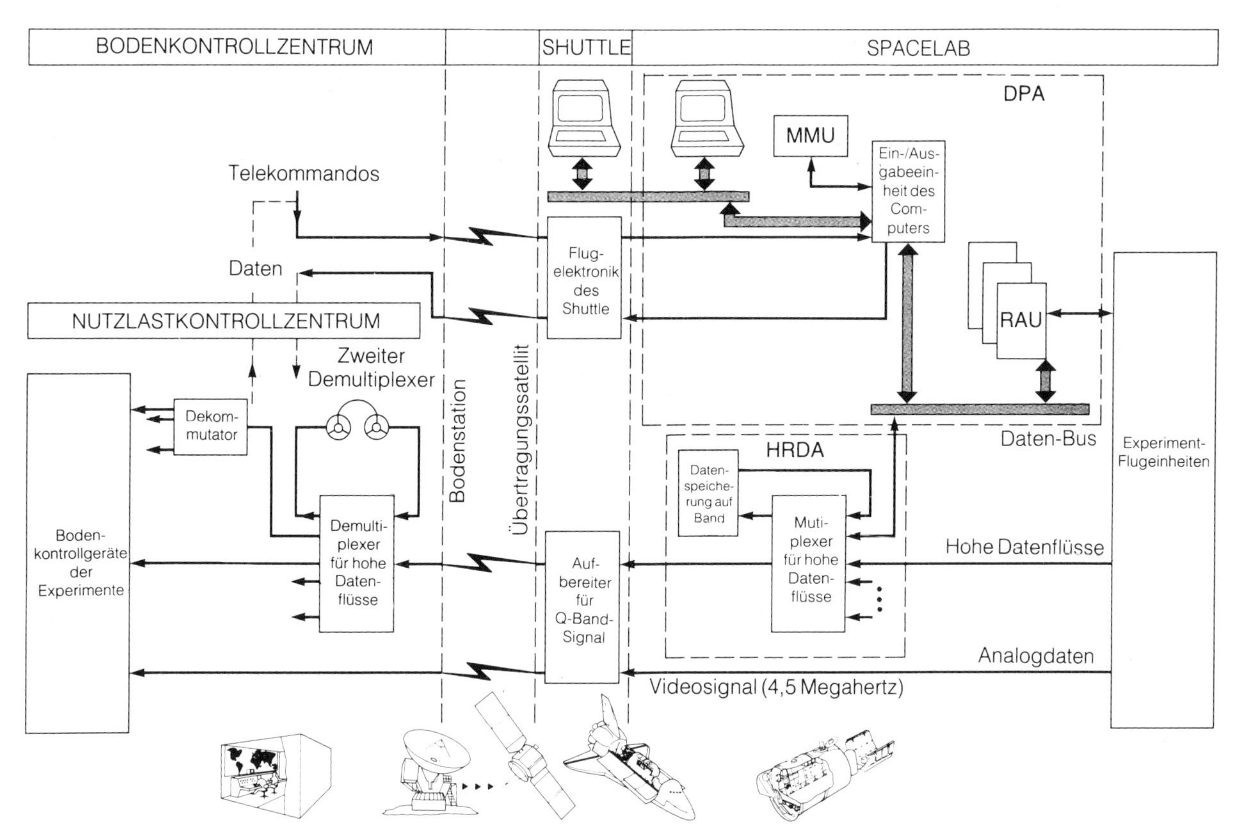

(Oben) Schematische Darstellung des Datenflusses eines typischen Spacelab-Experiments über das CDMS-System, das Übertragungssystem des Shuttle und den TDR-Satelliten bis ins Bodenkontrollzentrum.

als auch auf Magnetband (High Data Rate Recorder:HDRR) gespeichert werden; die maximale Übertragungsrate liegt bei 50 Millionen Bits pro Sekunde, und die Aufzeichnungsgeschwindigkeit kann maximal 32 Millionen Bits pro Sekunde betragen. Nach Empfang in der Bodenstation werden die Daten aus 16 verschiedenen Quellen wieder voneinander getrennt; sie können nach weiterer Aufarbeitung im Bodenkontrollzentrum sichtbar gemacht werden.

Spacelab hat drei identische Computer an Bord: einen für die Subsysteme, einen für die Experimente und einen als Reserveeinheit. Hierbei handelt es sich um Allzweckmodelle vom Typ CIMSA-125-MS mit angeschlossenem 64-K-Speicher für 16-Bit-Wörter.

Für jeden Computer sind spezielle Programme entwickelt worden, die aus einer Menge kodierter Instruktionen bestehen. Sie werden vor dem Start in einen Massenspeicher (Mass Memory Unit: MMU) eingegeben. Es handelt sich hierbei um ein Magnetbandgerät, das dann während des Fluges die jeweils erforderlichen Programme in den zuständigen Computer einliest. Die gesamte Software sowie alle erforderlichen Datentabellen und gewünschten Ablaufsequenenzen werden im Zusammenhang mit Programmen für die Durchführung einzelner Experimente und deren Integration in das gesamte Projekt erstellt. Es ist klar, daß die Bedienung und das Verstehen der Datensysteme einen wesentlichen Bestandteil des Astronautentrainings ausmachen muß.

Das übergeordnete Betriebssystem, das die Standardfunktionen wie etwa die Datensammlung über die Experiment-RAUs steuert, heißt ECOS (Experiment Computer Operating System). Es enthält speziell für die Experimente bestimmte Unterprogramme, ECAS genannt (Experiment Computer Application Software). Im Gegensatz zum ECOS, das bei jedem Flug zum Einsatz kommen kann, ist jedes ECAS auf ein spezielles Experiment zugeschnitten. Die wichtigste Funktion des ECAS ist die automatische Kontrolle des jeweiligen experimentellen Ablaufs. Mit Hilfe von ECAS wird

(Unten) Das graphische Sichtgerät und das Eingabesystem, mit deren Hilfe die Nutzlastspezialisten Daten von Experimenten abrufen und wiedergeben können. In 22 Zeilen können maximal 999 Symbole dargestellt werden. In einem Spacelab-Modul stehen normalerweise zwei solcher Geräte zur Verfügung.

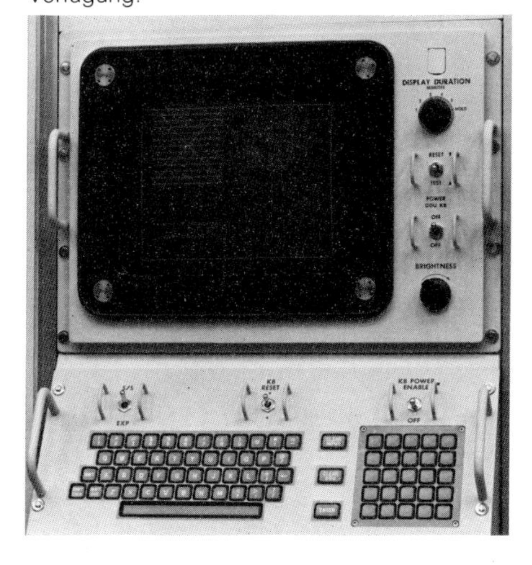

Abbildung mehrerer RAUs, Einheiten, die den Datenfluß von und zu den Experimenten oder den Untersystemen kontrollieren. Hierzu gehören Ein- und Ausschaltimpulse, genaue Zeitinformation sowie die eigentlichen Meßdaten. Eine RAU hat eine Größe von 17×12×18 cm und ist auf eine Kühlplatte montiert. Rechts sieht man drei dieser Einheiten auf einer einzelnen Kühlplatte, ganz links zwei weitere und eine Stromverteilungsdose. In der Mitte erkennt man zwei noch unbesetzte Kühlplatten.

der Besatzung jede auftretende Störung des Experiments angezeigt. ECAS kann auch dazu verwendet werden, gewünschte Shuttleorientierungen vorzuprogrammieren und Beobachtungspunkte wie z.B. Sternkoordinaten festzulegen.

Es hat viel Zeit gekostet, das in diesem Abschnitt beschriebene zentralisierte Datenverarbeitungssystem zu entwickeln. In Anbetracht der stets fortschreitenden Mikrocomputerentwicklung kann nicht ausgeschlossen werden, daß in Zukunft auch ein dezentralisiertes System eingeführt wird. So sind z.B. für die deutsche D-1-Mission separate Prozessoren vorgesehen, die Gruppen von zusammengehörenden Experimenten betreiben.

Das Spacelab-Programm

Unmittelbar nach dem zweiten Weltkrieg beschränkten sich die Weltraumaktivitäten Europas auf kleinere Projekte im nationalen Rahmen oder in Zusammenarbeit mit den USA. Erst Anfang der sechziger Jahre fanden sich die europäischen Länder zusammen und diskutierten, wie sie die ihnen zur Verfügung stehenden Mittel gemeinsam für die Weltraumforschung einsetzen könnten. Hieraus entstand die europäische Weltraumforschungsbehörde (European Space Research Organisation: ESRO). Diese wurde im Jahre 1975 mit der europäischen Behörde für Raketenentwicklung (European Launches Development Organisation: ELDO) fusioniert, und es entstand die europäische Weltraumbehörde (European Space Agency: ESA). Die gegenwärtigen Mitgliedsländer der ESA sind: Belgien, Dänemark, Frankreich, Bundesrepublik Deutschland, Irland, Italien, Niederlande, Spanien, Schweden, Schweiz und Großbritannien. Außerdem sind Österreich und Norwegen assoziierte Mitgliedsländer, und auch Kanada nimmt an verschiedenen Projekten teil.

Die Weltraumforschung in Europa war zunächst ganz wissenschaftlich orientiert und führte Untersuchungen mit unbemannten Satelliten durch. Später wurde auch mit der Entwicklung von Anwendungssatelliten für die Meteorologie und Nachrichtenübermittlung begonnen. Mit dem Spacelabprojekt begann Europas Teilnahme an der bemannten Raumfahrt.

Im Jahre 1969 wurde die europäische Weltraumbehörde von der NASA eingeladen, an der Entwicklung eines neuen Raumtransportsystems (Space Transportation System: STS) mitzuwirken. Im Namen ihrer Mitgliedsländer akzeptierte die ESA dieses Angebot. Nach Erwägung aller Möglichkeiten und in Anbetracht bestehender politischer und technischer Interessen wurde entschieden, in Europa ein bemanntes Weltraumlabor, das dem Laderaum des Shuttle angepaßt war, zu entwickeln. Die Idee, das

Spacelab zu bauen, wurde im Jahre 1971 geboren. Es waren jedoch noch eine Reihe von Studien erforderlich, bevor 1973 ein endgültiger Entwurf vorlag. Gebaut wurde Spacelab in der zweiten Hälfte der siebziger Jahre und schließlich 1982 der NASA übergeben.

Als kooperatives Projekt warf Spacelab eine Reihe neuer und herausfordernder Organisationsprobleme auf. Auf höchster Regierungsebene wurde ein Vertrag, das sogenannte Memorandum of Understanding (MOU), zwischen NASA und ESA geschlossen. Es wurde im September 1973 in Washington D.C. vom Generaldirektor der damaligen ESRO und dem Chef der NASA unterzeichnet und legt die Verantwortlichkeiten der beiden teilnehmenden Weltraumbehörden fest. Aufgrund dieses Memorandums hat die ESA die folgenden Verantwortlichkeiten:

(i) Entwurf, Entwicklung und Bau von Spacelab und der zugehörigen Bodenausrüstung.
(ii) Die Schaffung einer industriellen Infrastruktur in Europa, die den Bau weiterer Einheiten ermöglicht.
(iii) Die Bereitstellung von Wartungsingenieuren, um die NASA bei den ersten Flügen zu unterstützen.

Die NASA übernahm die folgenden Verpflichtungen:

(i) Die Leistung technischer Unterstützung, sofern erforderlich.
(ii) Die Organisation des Spacelabeinsatzes im Rahmen des STS-Projektes.
(iii) Die Entwicklung bestimmter Komponenten, wie zum Beispiel des Verbindungstunnels und eines Spacelab-Simulators.

Feierliche Unterzeichnung des ESA/NASA-Abkommens über das Spacelab-Programm in Washington D.C. durch Dr. A. Hocker (Generaldirektor der ESRO) ganz links und Dr. J.C. Fletcher (Generaldirektor der NASA) ganz rechts. In der Mitte Minister C. Hanin (Vorsitzender des europäischen Weltraumrates) und K. Rush (stellvertretender Außenminister der USA).

In der Folgezeit wurde Spacelab in Europa entworfen, entwickelt und gebaut, und zwar ausschließlich mit europäischen Geldmitteln. Die ESA hatte die Programmverantwortlichkeit und vertrat Europa in allen Diskussionen mit der NASA. Letztere gewährte ihrerseits wertvolle technische Beratung und Unterstützung. Unter der Leitung der Firma MBB-ERNO, Bremen wurde ein industrielles Konsortium aus über 40 europäischen Firmen gebildet. MBB-ERNO als Hauptauftragnehmer standen zehn weitere Unternehmer zur Seite, die wiederum durch zahlreiche europäische Zulieferfirmen unterstützt wurden.

Der Ablauf des Spacelab-Programms von seiner Konzeption in den frühen siebziger Jahren bis zum Flug von Spacelab-1 im Jahre 1983. (KSC: Kennedy Space Center).

	1971	1972	1973	1974	1975	1976	1977	1978	1979	1980	1981	1982	1983	1984
HAUPTEREIGNISSE		Konzepterstellung		Kontraktabschluß mit der Industrie		Vorläufige Entwurfsüberprüfung		Endgültige Entwurfsüberprüfung		Ingenieurmodell zum KSC	Erste Flugeinheit zum KSC	Zweite Flugeinheit zum KSC	Erster Spacelabflug	
Studien														
Entwurf und Entwicklung														
Herstellung														
Zusammenbau														

Die Gesamtkosten für Entwurf, Entwicklung und Bau beliefen sich auf 760 Millionen Rechnungseinheiten (etwa 750 Millionen US-Dollar). Es blieb den teilnehmenden Ländern selbst überlassen, die Höhe ihrer finanziellen Beteiligung festzulegen. Den größten Beitrag zur ESA leistete die Bundesrepublik Deutschland.

Es wird erwartet, daß die zukünftige Nutzung von Spacelab auf internationaler Basis erfolgt, und zwar mit Experimenten, die von Europa und den USA bereitgestellt werden, aber auch von Ländern wie Japan und Indien kommen können, die am Spacelab-Projekt gar nicht beteiligt sind. Dabei ist der finanzielle Aufwand für die Experimente in den Entwicklungskosten von Spacelab selbst nicht eingeschlossen.

Die ersten Spacelab-Studien (Studien der Phase A und Phase B) wurden von drei verschiedenen europäischen Industriekonsortien, COSMOS, MESH und STAR durchgeführt. Jedes dieser Konsortien besteht aus Zusammenschlüssen von Industriefirmen aller ESA-Mitgliedstaaten. Aufgrund der hohen finanziellen Beteiligung der Bundesrepublik Deutschland war es klar, daß als Hauptauftragnehmer eine deutsche Firma ausgewählt werden sollte. Das MESH- und das COSMOS-Konsortium wurden dann auch jeweils von einer deutschen Firma angeführt, und zwar entwickelte ERNO für MESH und MBB für COSMOS jeweils ein individuelles Spacelab-Konzept, für das auch die Entwicklungs- und Baukosten abgeschätzt wurden. Aufgrund dieser Vorstudien genehmigte der ESA-Rat im August 1973 eine Vorlage des Generaldirektors, Spacelab in dem abgesteckten finanziellen Rahmen zu verwirklichen. Der Entwicklungsauftrag wurde an das von ERNO geleitete Konsortium vergeben. Die spätere Fusion von ERNO und MBB führte dazu, daß letztlich wieder beide Firmen am Bau von Spacelab beteiligt waren.

Bei der Weltraumbehörde ESA wurde ein Spacelab-Programmrat eingerichtet, der die Durchführung und insbesondere die Finanzierung des

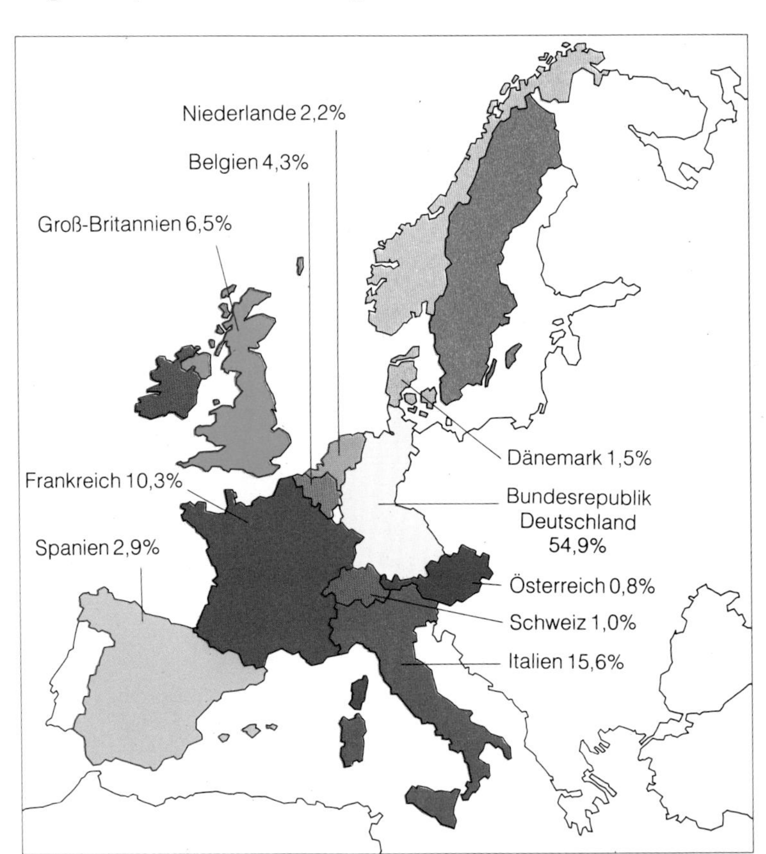

Zum Spacelab-Programm trugen die beteiligten Länder je nach finanziellen Möglichkeiten und Interesse bei. Neun Mitgliedsländer der ESA und ein assoziiertes Land nahmen teil. Die Aufteilung der Gesamtkosten ist aus dem Diagramm ersichtlich.

(Links) Die vielen Einzelteile von Spacelab wurden in den Werkshallen der Firma ERNO, Bremen, zusammengefügt. Auf der linken Seite erkennt man das sogenannte Ingenieurmodell, das bei anfänglichen Tests und Vorbereitungen benutzt wurde. Die eigentliche Flugeinheit ist rechts im Bild. Im Vordergrund das Igloo und mehrere Racks, die bereits mit Elektronik bestückt sind.

Industrielle Auftragnehmer von Spacelab und ihre Verantwortlichkeit

Hauptauftragnehmer:
MBB–ERNO (ehemals VFW–Fokker/ERNO)
Projektführung • Systementwicklung • Qualitätsüberwachung • Integration und Test von Attrappen • Ingenieur-und Flugmodell

Unterauftragsnehmer:
Aeritalia (Italien) *Modul*

British Aerospace Dynamics Group (England) *Palette*

Fokker (Niederlande) *Luftschleuse und allgemeine Zusatzgeräte für die Nutzlast*

Matra (Frankreich) *Datenverarbeitungssystem*

AEG–Telefunken (Deutschland) *Stromverteilungssystem*

Dornier Systems (Deutschland) *Luftversorgungssystem*

Bell Telephone (Belgien) *Zusatzgeräte für elektrische Tests am Boden*

SABCA (Belgien) *Igloo und Versorgungsbrücke*

Kampsax (Dänemark) *Computer-Software*

Sener (Spanien) *Zusatzgeräte für mechanische Tests am Boden*

(Unten) Spacelab wurde von Bremen aus mit einer Lockheed-C5A-Galaxy-Frachtmaschine zum Kennedy Space Center in Florida geflogen.

Der stellvertretende US-Präsident George Bush begrüßt den Generaldirektor der ESA, Erik Quistgaard, während einer Feier anläßlich der Ankunft Spacelabs im Kennedy Space Center. Weitere prominente Teilnehmer waren James Beggs (Generaldirektor der NASA, links), Johannes Ortner (Vorsitzender des Spacelab-Programmrates) und Richard Smith (Direktor des Kennedy Space Center).

Projektes zu überwachen hatte. Zu den Aufgaben dieses Rates gehörte unter anderem, dem Generaldirektor der ESA und dem für die Fertigung von Spacelab zuständigen Programmdirektor entsprechende Weisungen bei organisatorischen und finanziellen Fragen zu geben. Der Rat hielt seine Sitzungen in Abständen von drei bis vier Monaten ab. Im technologischen Zentrum der ESA, dem ESTEC in Noordwijk in den Niederlanden, wurde eine Projektgruppe von etwa 100 Wissenschaftlern und Ingenieuren mit einen Projektleiter an der Spitze eingerichtet. Aufgabe dieses Teams war es, das tagtägliche Managment der industriellen Fertigung zu übernehmen und für die Zusammenarbeit der ESA mit den industriellen Konsortien zu sorgen.

Die Zusammenarbeit mit der NASA wurde durch Einberufung einer gemeinsamen Arbeitsgruppe, JSLWG genannt (Joint Spacelab Working Group), sichergestellt. Diese Gruppe setzte sich aus jeweils fünf Mitgliedern von ESA und NASA zusammen. Als Vorsitzende dieser Gruppe fungierten ein ESA- und ein NASA-Direktor. Die Hauptaufgabe der JSLWG bestand darin, die Interessen beider Behörden im Sinne des Memorandum of Understanding zu koordinieren. Sitzungen der Gruppe fanden ungefähr alle zwei Monate statt. Bei diesen Gelegenheiten erörterten Wissenschaftler und Techniker beider Behörden wichtige Programmpunkte und deren Ausführung.

Ursprünglich war die Lieferung der Spacelab-Flugeinheit für 1979 und der erste Start für 1980 vorgesehen. Es ergaben sich jedoch auf beiden Seiten Verzögerungen, so daß die Übergabe von Spacelab erst 1982 erfolgte. Definitionsgemäß besteht eine Flugeinheit aus einem langen Modul und fünf Paletten. Die tatsächliche Auslieferung erfolgte in zwei Phasen, wobei zunächst das Modul und eine Palette im Dezember 1981, und erst im Juli 1982 die übrigen Paletten und das Igloo geliefert wurden. Zu jeder Einheit gehört die entsprechende Software, sowie Ersatzteile und Zusatzmaterial, wie zum

Spacelab in der Montage- und Testhalle des Kennedy Space Center, im Vordergrund das Modul der Flugeinheit, dahinter das Ingenieurmodell, rechts zwei Paletten.

Beispiel mechanische Hilfsgeräte und elektrische Testgeräte. Schon im Dezember 1980 war das Ingenieurmodell geliefert worden, das technisch der Flugeinheit gleichwertig ist, jedoch weniger strengen Tests unterzogen worden war. Anhand des Ingenieurmodells wollte man die nötige Erfahrung für den Umgang mit der späteren Flugeinheit sammeln.

Entwurf und Entwicklung von Spacelab nahmen den größten Teil der siebziger Jahre in Anspruch. Während dieser Zeit erledigten alle beteiligten Firmen die ihnen zugeteilten Arbeiten. Die dabei produzierten Einheiten wurden bei der Firma MBB-ERNO abgeliefert, dort erfolgte die Endmontage und Überprüfung der Gesamteinheit. Zu diesem Zweck war eigens eine 1125 m^2 große Montagehalle in Bremen gebaut worden. Im Rahmen des Entwicklungsprogramms wurden verschiedene Prototypen erstellt, wie zum Beispiel hölzerne Attrappen, um den mechanischen Aufbau zu veranschaulichen, sowie ein Modell der Stromversorgung, um die Anschlüsse und die Programme zur Steuerung zu überprüfen. Ein weiteres Modell war erforderlich, um die Subsysteme einschließlich der Kabelführung und der Kühlkreisläufe zu testen. Schließlich wurde noch das Ingenieurmodell gebaut, an dem die nötige technische Erfahrung für die Fertigung der Flugeinheit gewonnen werden konnte. Das Ingenieurmodell ist ein wichtiger Bestandteil des Spacelab-Programms. Funktionsmäßig entspricht es der Flugeinheit und erfüllt alle Anforderungen, die an diese gestellt werden. Es hat nicht nur den Weg für einen reibungslosen Bau von Spacelab geebnet, sondern war auch eine große Hilfe vor dem Start in den USA, bei Fragen der Anpassung an das Shuttle und beim Training von Bodenpersonal und Besatzung.

Während der gesamten Entwicklungsphase mußten zuvor festgelegte Leistungsdaten und Anforderungen an die Abstimmung der Untereinheiten aufeinander streng befolgt werden. Dabei waren vor allen Dingen die festgelegten Spezifikationen der Schnittstellen zwischen Spacelab und Shuttle genau einzuhalten. Hierfür war ein umfangreiches Dokumentationssystem erforderlich. Es enthielt einen genauen Gesamtplan für das Entwicklungsprogramm und ergänzende Pläne für Unterbereiche wie Projektkontrolle, Entwurf, Sicherheit, Tests, Software-Entwicklung, Herstellung und Beschaffung. Eine umfangreiche Dokumentation über die Schnittstellen sämtlicher Untersysteme mußte ebenfalls erstellt werden. Technische Spezifikationen wurden zunächst auf Systemebene vorgenommen und dann für die Untersysteme in allen Einzelheiten ausgearbeitet. Obwohl eine solche Dokumentation oft als zu kostspielig und psychologisch ungeschickt abgestempelt wird, kann doch kein Zweifel darüber bestehen, daß die nötige Konstruktionskontrolle und eine fehlerlose Projektführung nur auf diese Weise sichergestellt werden kann.

Um eine effektive Kontrolle zu gewährleisten und mögliche Probleme frühzeitig zu erkennen, wurden eine Reihe von Zusammenkünften vereinbart, bei denen der jeweilige Projektabschnitt analysiert wurde. Dabei standen zunächst Betrachtungen über Anforderungen der Experimente an das System und eine Analyse der Schnittstellen von Spacelab und Shuttle im Vordergrund. Später wurde dann der vorläufige Entwurf genehmigt und schließlich grünes Licht für die Fertigung gegeben. An diesen Zusammenkünften nahmen Repräsentanten von ESA und NASA sowie Ingenieure der einzelnen Industriekonsortien teil.

Von allen Beteiligten forderte das Spacelab-Programm Hingabe und harte Arbeit, es brachte aber auch einige Enttäuschungen mit sich. Immer wieder traten technische Schwierigkeiten auf, die gelöst werden mußten, und die die ursprüngliche Planung gefährdeten. Das Endergebnis war jedoch mit Spacelab ein Produkt, das wegen seiner Qualität und ausgereiften Technik von der NASA sehr hoch eingestuft wurde. Am 13. Januar 1983 bestätigte man in Washington, daß Spacelab alle gestellten Anforderungen erfülle und damit zum festen Element des Raumtransportsystems der NASA werden könne.

Wie im Memorandum of Understanding vorgesehen, wurde die erste Spacelab-Einheit als Geschenk an die NASA übergeben, allerdings mit der

Der von der Firma McDonnell Douglas hergestellte Tunnel, der Spacelab vom Shuttle aus zugänglich macht.

Das offizielle Emblem des von ESA und NASA gemeinsam durchgeführten Spacelab-Programms symbolisiert die internationale Kooperation und Astronauten bei der Arbeit im Spacelab.

Bedingung, daß alle zukünftigen Einheiten und Ersatzteile in Europa gekauft werden müssen. In der Tat hat die NASA inzwischen ein zweites Spacelab in Europa bestellt. Mit diesem Auftrag werden 200 Millionen Dollar in die europäische Industrie fließen.

Die wichtige Rolle, die die NASA bei diesem so erfolgreichen kooperativen Projekt gespielt hat, sollte nicht vergessen werden. Das Marshall Spaceflight Center (MSFC) in Huntsville, Alabama hatte die leitende Funktion bei der Überwachung des gesamten Spacelab-Programms, vor allen Dingen beim wechselseitigen Anpassen von Spacelab und Shuttle an den Schnittstellen. Darüberhinaus war die NASA jederzeit bereit, ihr fundiertes Know-how in der Weltraumtechnologie zur Verfügung zu stellen. Weitere Institutionen, die zum Erfolg beitrugen, waren das Zentralbüro der NASA in Washington, das organisatorische Entscheidungen traf, das Kennedy Space Center in Florida, wo die Startvorbereitungen stattfanden, und das Johnson Space Center in Texas, das die Koordination des Fluges übernahm. Die NASA stellte auch Hardware zur Verfügung, darunter den sechs Meter langen Tunnel, der die Verbindung zwischen Shuttle und Spacelab herstellt, Demultiplexer für die Entschlüsselung der zur Erde gesendeten Daten, das Instrumentarium für den Flugtest von Spacelab, Anlagen für die Ausbildung der Besatzung und schließlich noch Software für die Testprogramme. Auf diese Weise stellten ESA und NASA gemeinsam sicher, daß dieses internationale Projekt fortschrittlicher Technologie harmonisch durchgeführt und erfolgreich abgeschlossen werden konnte.

Die Realisierung des Spacelab-Programms hat der ESA und der europäischen Raumfahrtindustrie wertvolle Erfahrung bei der Durchführung großangelegter internationaler Projekte vermittelt. Die Technologien, die dabei in Europa entwickelt wurden, werden für zukünftige Projekte in der bemannten und unbemannten Raumfahrt von großem Nutzen sein. Der Grundstein für noch größere Projekte, an denen wiederum viele Nationen teilnehmen können, ist mit Spacelab gelegt.

MIT DEM SHUTTLE INS ALL

Das neue Raumtransportsystem der NASA

Das Shuttle-Programm eröffnet der Menschheit eine Vielzahl neuer Möglichkeiten. Es macht ihr den Weltraum leichter zugänglich und zu einer vertrauten Umgebung. Mit Hilfe des Space Shuttle können Raumflugkörper in Erdumlaufbahnen zwischen 200 und 600 km Höhe gebracht werden. Im Weltraumjargon bezeichnet man eine solche Umlaufbahn als LEO (Low Earth Orbit). Die Möglichkeit, mit ein und demselben Raumfahrzeug mehrmals in den Weltraum zu starten und zur Erde zurückzukehren, macht das Shuttle zum Hauptbestandteil des neuen Raumtransportsystems STS (Space Transportation System) und zu einem nicht mehr wegzudenkenden Werkzeug für die Zukunft. Das STS-Gesamtsystem umfaßt neben dem Shuttle auch Spacelab und zusätzliche Raketenstufen. Letztere dienen dazu, Satelliten vom Shuttle aus in Umlaufbahnen größerer Höhen und unterschiedlicher Neigungswinkel zu befördern. Das TDRSS-Datenübermittlungssystem (TDRSS: Tracking and Data Relay Satellite System) und seine Bodenstationen sind ebenfalls Bestandteile des STS-Systems.

'Mit dem ersten Flug des Space Shuttle hat sich der Vorhang zu einem neuen Zeitabschnitt aufgetan, der die Weltraumforschung in den Vereinigten Staaten im kommenden Jahrzehnt und vielleicht sogar bis ans Ende unseres Jahrhunderts prägen wird.'

Adlai Stevenson

Erster Start des Space Shuttle im April 1981 vom Kennedy Space Center in Florida.

Um Satelliten vom Shuttle aus in höhere Umlaufbahnen zu bringen, stehen zwei verschiedene Raketenstufen zur Verfügung: für leichtere Satelliten PAM (Payload Assist Module), für schwerere IUS (Inertial Upper Stage). Diese Hilfsraketen sind fest mit den jeweiligen Satelliten verbunden und werden mit Hilfe eines Abwurfgerätes oder von einem Hebearm aus der Ladeluke des Shuttle in den Weltraum gebracht. Erst in sicherer Entfernung vom Shuttle wird dann der Raketenmotor gezündet. Auf diese Weise lassen sich Satelliten in die geostationäre Umlaufbahn befördern, die in einer Höhe von ungefähr 35 800 km liegt und interessante Anwendungsmöglichkeiten bietet. In dieser Höhe ist die Umlaufgeschwindigkeit des Satelliten gleich der Umdrehungsgeschwindigkeit der Erde, d.h. der Satellit scheint für einen Beobachter auf der Erde im Raum stillzustehen. Die TDR-Satelliten zum Beispiel sind auf dieser Umlaufbahn stationiert; sie fungieren als Schaltstation zwischen Shuttle und Bodenkontrollzentrum.

Das STS-System hat sich für Start und Betrieb von Raumfahrzeugen als äußerst kostengünstig erwiesen. Die von ihm ins All beförderten Satelliten dienen entweder wissenschaftlichen oder technologischen Zwecken. Spacelab dagegen mit seinen Wissenschaftsastronauten an Bord ist eine grundlegend andere Nutzlast. Spacelab ist dem Laderaum des Shuttle angepaßt; es bleibt während des gesamten Fluges mit der Raumfähre verbunden und wird somit zum Weltraumlaboratorium, man könnte sogar von einer zeitweiligen Raumstation sprechen.

Das STS-System wird in den achtziger und neunziger Jahren und möglicherweise noch zu Beginn des 21. Jahrhunderts benutzt werden. Spacelab ist ein fester Bestandteil dieses Systems und wird schon allein deshalb auch in Zukunft in der bemannten Weltraumfahrt eine bedeutende Rolle spielen.

Wiederverwendbare Raumtransporter

In der Vergangenheit wurden Satelliten ausschließlich von 'Wegwerfraketen' gestartet. Dabei gehen die einzelnen Raketenstufen und Hitzeschilde im Raum verloren. Im Gegensatz dazu sind die Hauptbestandteile des Shuttle so entworfen, daß sie unbeschädigt aus dem Weltraum zurückkehren und wiederverwendbar sind. Ein und dieselbe Raumfähre kann bis zu einhundertmal benutzt werden. Sie wird senkrecht wie eine Rakete gestartet und landet bei der Rückkehr im Gleitflug. Die zur Starthilfe verwendeten Feststoffraketen können nach Abwurf und Landung am Fallschirm aus dem Meer geborgen, überholt und wieder mit Brennstoff gefüllt werden. Nur der Außentank, der den für den Start erforderlichen flüssigen Treibstoff enthält, geht verloren.

Spacelab ist ebenfalls wiederverwendbar und kann bis zu 50 Flüge durchführen. Nach Rückkehr zur Erde tauscht man die wissenschaftlichen Instrumente für den nächsten Flug aus oder überholt sie. Auf diese Weise lassen sich völlig neue Forschungsaufträge verwirklichen bzw. bereits erfolgte Untersuchungen mit modifizierter Apparatur wiederholen. Spacelab bietet ferner die Möglichkeit, Gegenstände wie Filme, Magnetbänder, Materialproben und andere Substanzen auf die Erde zurückzubringen, die dann für weitere wissenschaftliche Untersuchungen bereitstehen.

Ein weiterer Vorteil der Rückführbarkeit liegt klar auf der Hand: Teure Gerätschaften werden nicht im Raum zurückgelassen. Auch hierdurch lassen sich die Startkosten im Vergleich zu denen mit Wegwerfraketen senken. Die wesentlichen Vorteile des Shuttlesystems gegenüber herkömmlichen Trägern liegen also in seiner Flexibilität und Wiederverwendbarkeit.

Die Raumfähre

Eines der Hauptmerkmale der Raumfähre (Space Shuttle) ist ihre Vielseitigkeit. Sie kann schwere, voluminöse Nutzlasten befördern, und zwar aufgrund ihrer Wiederverwendbarkeit kostengünstiger als herkömmliche Systeme. Das Gesamtsystem beim Start (die sog. Startkonfiguration) umfaßt neben der eigentlichen Fähre den riesigen Außentank sowie zwei Feststoffraketen. Der Außentank enthält flüssigen Sauerstoff und Wasserstoff zum Betreiben der Hauptmotoren in der Startphase. Die Feststoffraketen sorgen für weitere Schubkraft während der ersten zwei Minuten des Fluges. Das Startgewicht beträgt insgesamt zwei Millionen kg (2000 t). Die Gesamthöhe der Startkonfiguration mißt 56 m – das enstpricht der halben Höhe der im Apollo-Programm verwendeten Saturn-5-Rakete. Mit dem Shuttle läßt sich maximal 30 000 kg Nutzlast in eine 200 bis 400 km hohe kreisförmige Umlaufbahn um die Erde befördern. Diese Maximalleistung ist allerdings nur im Falle eines nach Osten gerichteten Starts vom Kennedy Space Center in Cape Canaveral/Florida möglich. Das Shuttle könnte demnach ohne weiteres einen beladenen Lastwagen in eine Erdumlaufbahn bringen. Als zweiter Shuttle-Startplatz wird zur Zeit die Vandenberg Air Force Base in Kalifornien ausgebaut. Von hier lassen sich polare Umlaufbahnen erreichen. Da in diesem Fall die Umdrehungsgeschwindigkeit der Erde beim Start nicht ausgenutzt werden kann, beträgt die maximal zulässige Nutzlast nur 18 000 kg.

Das Herz der Startkonfiguration ist das 85 Tonnen schwere wiederverwendbare Shuttle. Es wird vom Unternehmen Rockwell International gebaut, hat ungefähr die Größe und das Gewicht eines DC-9-Flugzeugs und bietet bis zu acht Besatzungsmitgliedern Platz. Obwohl die Fähre wie eine Rakete gestartet wird, hat sie die Form eines Flugzeuges (Länge 31,7 m, Flügelspannweite 24 m). Die Landung erfolgt im Gleitflug, wobei aerodynamische Steuereinrichtungen sowie kleine Hilfsraketen benutzt werden. Der Laderaum ist 18 m lang und hat einen Durchmesser von 4,6 m, ist also groß genug, um einen ganzen Greyhound-Bus aufzunehmen.

Die Haupttriebwerke der Fähre werden von der Firma Rocketdyne hergestellt und entwickeln eine Schubkraft von 3 ×2,1 Millionen Newton. Sie enthalten spezielle Treibstoffpumpen und Turbinenschaufeln. Betrieben werden sie von flüssigem Wasserstoff und Sauerstoff. Zwei Millionen Liter Treibstoff sind im Außentank untergebracht, der eine Länge von 47 m und einen Durchmesser von 8,7 m hat. Darüber hinaus dient dieser Tank zur Strukturversteifung des Shuttle während der Startphase.

Beim Start des Shuttle werden 700 000 kg Treibstoff in nur acht Minuten verbrannt. Während des Countdown müssen der flüssige Sauerstoff und Wasserstoff bei einer Temperatur von – 147° bzw. – 251° Celsius gehalten werden, damit sie nicht durch Verdampfung verlorengehen. Für diese sogenannten kryogenen Treibstoffe, die nur bei sehr tiefen Temperaturen aufbewahrt werden können, müssen spezielle Tanks – Kryogentanks – konstruiert werden. Im Falle des Shuttle wird Kunststoffspray verwendet, um die erforderliche Wärmeisolation zu erreichen und gleichzeitig Eisbildung an den Außenflächen der Tanks zu vermeiden. Eisbildung ist gefährlich, da Eisstücke durch die beim Start auftretende Vibration losgelöst werden und dabei die Cockpitfenster beschädigen können.

Die beiden Festkörperraketen, die zusammen 1 000 000 kg einer Mischung aus Aluminiumperchlorat und Aluminium verbrennen, entwickeln einen zusätzlichen Startschub von 24 Millionen Newton im Moment des Abhebens. Jede dieser von der Firma Thiokol gebauten Raketen hat eine Länge von 45 m und einen Durchmesser von 3,7 m. Sie sind am Außentank an speziellen Versteifungspunkten befestigt. Die drei Hauptmotoren des Shuttle und die beiden Feststoffraketen entwickeln zusammen ungefähr den gleichen Schub wie die Saturn-5-Rakete des Apolloprogramms.

Zwei weitere kleinere Raketen, die am Heck der Raumfähre angebracht sind, liefern weitere 54 000 Newton. Ihr Brennstoff besteht aus Monomethylhydrazin und Stickstofftetroxid als Oxidationsmittel. Diese

(Oben) Vorderansicht der Startkonfiguration; die relative Größe des Außentanks wird deutlich.

(Unten) Beim Start befindet sich das Shuttle auf dem Rücken des Außentanks. Je eine Feststoffrakete ist an jeder Seite des Tanks befestigt. Sie entwickeln 80% des Gesamtschubs beim Abheben.

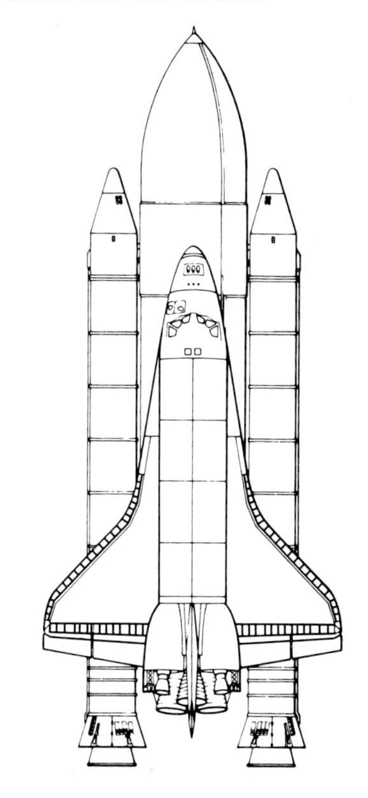

Die Firma Rockwell International war für den Bau des Shuttle verantwortlich und wendete dabei eine Reihe von Standardtechniken des Flugzeugbaus an.

Stoffe entzünden sich, wenn sie miteinander in Kontakt kommen; man nennt sie Hypergole. Die Antriebsaggregate werden zur Optimalisierung der Umlaufbahn und für spätere Bahnmanöver gebraucht. Das System ist unter der Abkürzung OMS (Orbital Maneuvering System) bekannt. Es wird beispielsweise dazu benutzt, um in Apogäum und Perigäum nach Erreichen der Umlaufbahn auf die gewünschten Höhen zu kommen und um kleine Änderungen der Bahnneigung zu erreichen. Bei einer Brennzeit von ungefähr einer Minute kann mit ihrer Hilfe die Geschwindigkeit des Shuttle um 50 Meter pro Sekunde verändert werden.

Für Lageveränderungen des Shuttles im Weltraum stehen 38 primäre Hilfstriebwerke und sechs sekundäre (für Feinkorrekturen) zur Verfügung, die an Heck und Bug angebracht sind. Die verwendeten Treibstoffe sind die gleichen wie beim OMS, allerdings sind die Schubkräfte wesentlich kleiner (3900 bzw. 110 Newton). Dieses RCS (Reaction Control System) wird dazu verwendet, das Shuttle in die gewünschten Fluglagen zu drehen und diese mit höchster Genauigkeit aufrecht zu erhalten, selbst wenn sich die Astronauten in den Innenräumen bewegen. Besonders gute Lagestabilität wird erreicht, wenn entweder Bug oder Heck des Shuttles senkrecht zur Erde weisen, da dann die Anziehungskraft der Erde zusätzlich zur Stabilisierung beiträgt.

Die Raumfähre ist hauptsächlich aus einer Aluminium-Legierung hergestellt, die bis zu Temperaturen von 175° Celsius verformungsbeständig ist. Während des Wiedereintritts in die Erdatmosphäre treten allerdings wesentlich höhere Temperaturen auf, die selbst den Schmelzpunkt von Aluminium (660°C) weit überschreiten. Hieraus resultiert die Notwendigkeit für einen sogenannten Hitzeschild, der aus leichten sowie sehr spröden keramischen Kacheln aus Siliziumdioxid besteht, die an den Außenflächen der Aluminiumstruktur angeklebt sind. Ihre niedrigen Wärmeleitungseigenschaften garantieren die erforderliche thermische Entkopplung zwischen der beim Eintritt erzeugten heißen Außenluft und der Aluminiumkonstruktion. Die Kacheln werden dabei auf 1200° C aufgeheizt, sie strahlen die erzeugte Wärme in den Weltraum zurück. Sie verdampfen nicht und lösen sich auch nicht ab, wie es bei den Hitzeschilden früherer Wiedereintrittskapseln der Fall war.

Ein Techniker befestigt eine Hitzeisolierkachel an der Unterseite des Shuttle. Jede Kachel ist individuell geformt und der Oberflächenform des Shuttle angepaßt. Ihre Dicke ist von Ort zu Ort verschieden.

Insgesamt werden 30 000 verschieden geformte Kacheln benötigt. Ihre Dicke variiert zwischen 0,25 und 15 cm, je nachdem, an welcher Stelle der Shuttle-Oberfläche sie angebracht sind. Sie müssen nicht nur hitzebeständig sein, sondern auch aerodynamischen Kräften, Erschütterungen und Stößen

Nachtaufnahme des Shuttle Columbia auf der Rampe Nummer 39A im Kennedy Space Center.

standhalten können. Bei der Entwicklung dieses Hitzeschildes hatte die NASA im Laufe der Zeit mit großen Problemen zu kämpfen, die offenkundig wurden, als sich bei den ersten Shuttle-Flügen Kacheln beim Start ablösten. Das seitdem ständig verbesserte System ist inzwischen längst voll einsatzfähig. Für spätere Flüge untersucht man zur Zeit die Möglichkeit, noch besseres und leichteres Isolationsmaterial einzusetzen. Insgesamt bedecken die Kacheln zwei Drittel der Shuttle-Außenfläche. Das restliche Drittel, das weniger hohen Hitzeeinwirkungen ausgesetzt ist, ist mit isolierendem Filz überzogen. Dieser kann Temperaturen bis zu 400°C aushalten.

Der Missionsablauf

Das Shuttle wird im Senkrechtstand gestartet. Seine drei Hauptmotoren werden 6,6 Sekunden vor Abheben gezündet. Sobald die Feststoffraketen gezündet haben, hebt das Shuttle majestätisch von der Startrampe ab. Die drei Hauptmotoren und die Feststoffraketen entwickeln zusammen einen Schub von 30 Millionen Newton. Dabei nimmt die Beschleunigung bis auf drei g zu, und die Schallmauer wird schon nach 16 Sekunden durchbrochen. Zu diesem Zeitpunkt liegt die Geschwindigkeit bei 'Mach 1' (0,34 km pro Sekunde oder etwas über 1200 km pro Stunde). Nach 125 Sekunden ist der Festtreibstoff der beiden Hilfsschubraketen aufgebraucht. Zu diesem Zeitpunkt ist die Geschwindigkeit auf das Vierfache der Schallgeschwindigkeit angestiegen ('Mach 4'), und das Shuttle befindet sich in einer Höhe von 45 km über dem Erdboden. An dieser Stelle werden die beiden Hilfsschubraketen abgeworfen und schweben am Fallschirm zur Erde zurück. Mit Hilfe spezieller Bergungschiffe werden sie ungefähr 300 km vom Startpunkt entfernt aus dem Meer gefischt und zurück zum Kennedy Space Centre geschleppt, wo sie überholt werden.

Das Shuttle setzt seinen Aufstieg mit Hilfe der drei Hauptmotoren fort. Diese werden mit Brennstoff aus dem Außentank versorgt und beschleunigen das Shuttle für weitere sechs Minuten. 20 Sekunden nach Brennschluß der Hauptmotoren wird der Außentank, der aus einer fünf cm dicken Aluminiumlegierung besteht, in einer Höhe von 120 km abgeworfen. Er fällt ungebremst in die Atmosphäre und verbrennt daher. Eventuelle Überbleibsel fallen in den Indischen Ozean, etwa 20 000 km vom Startplatz entfernt. Der Abwurf findet kurz vor dem Zeitpunkt statt, an dem die Umlaufgeschwindigkeit erreicht wird. Nur zwei bis drei Minuten später wird das OMS-System dazu benutzt, das Shuttle auf die endgültige Umlaufgeschwindigkeit zu beschleunigen.

Einmal in der Umlaufbahn, werden als erstes die Laderaumklappen geöffnet. Sie ähneln riesigen Muschelschalen und sind speziell für den Betrieb in der Schwerelosigkeit entwickelt. Das Öffnen, das auf der Erde eines aufwendigen Hilfsmechanismus bedarf, verläuft in der Schwerelosigkeit ohne Schwierigkeiten. Auf der Innenseite der Klappen sind Radiatoren angebracht, die die im Shuttle erzeugte Wärme an den Weltraum abstrahlen.

Dieses Diagramm verdeutlicht den Ablauf einer typischen Spacelab-Mission. Nach dem Start und dem Abwurf des Außentanks werden die Ladeklappen geöffnet und verschiedene Operationen im Weltraum durchgeführt. Nach Wiedereintritt in die Atmosphäre landet die Raumfähre auf ihrer Heimatbasis, wo die nächste Nutzlast bereits wartet. Nach Aufbau der Startkonfiguration kann eine weitere Mission beginnen.

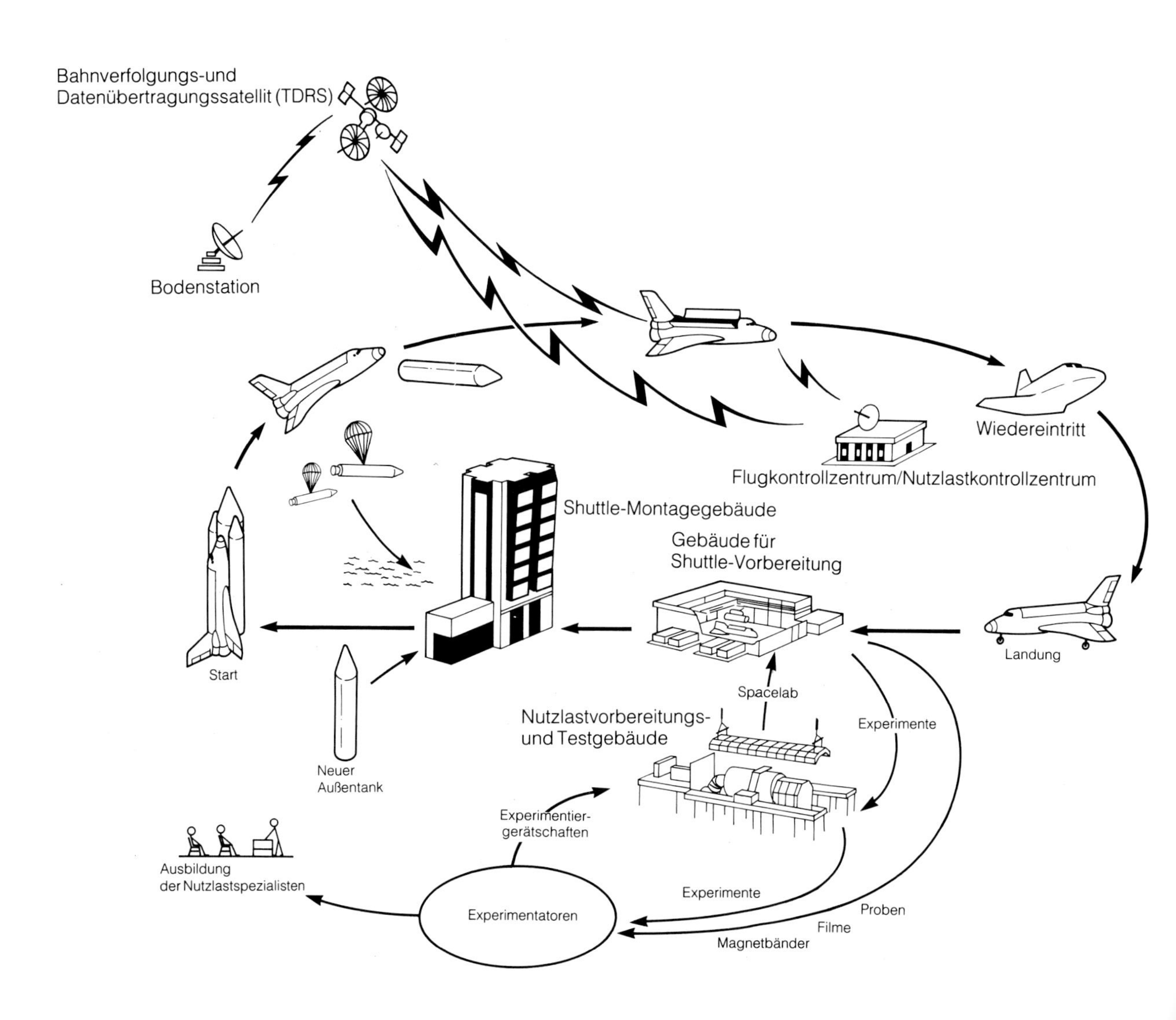

In der Umlaufbahn wird die Fluglage des Shuttle durch die Anforderungen von Spacelab diktiert. Dessen Inbetriebnahme erfolgt vom hinteren Teil des Cockpits aus. Anschließend wird die Verbindung zum Tunnel geöffnet, und die Wissenschaftsastronauten begeben sich ins Spacelab, um mit der Arbeit zu beginnen. Die Dauer eines Flugs beträgt normalerweise ungefähr eine Woche, während der die Besatzung in Wechselschichten arbeitet. Ihre Freizeit verbringt sie in den Räumlichkeiten des Shuttle. Es können sich auch Situationen ergeben, in denen die Besatzungsmitglieder das Shuttle verlassen und Außenarbeiten (EVA: Extra-Vehicular Activity) verrichten müssen.

Um Nutzlasten aus dem Laderaum zu heben oder auf der Palette zu bewegen, steht ein spezieller Hebearm (RMS: Remote Manipulator System) zur Verfügung. Dieses Gerät, das 400 kg schwer ist und eine Reichweite von 15 Metern hat, ist in Kanada entwickelt worden. Die Bewegungen dieses gewaltigen Greifarms werden von den Astronauten vom hinteren Teil des Cockpits gesteuert. Bei dieser Arbeit helfen Fernsehkameras, die am Greifarm selbst und im Laderaum angebracht sind. Das RMS eignet sich für die Bergung von Satelliten aus dem Weltraum, um diese dann zur Erde zurückzubringen. Solche Nutzlasten lassen sich bis zu einem Gesamtgewicht von 14 500 kg im Shuttle sicher zur Erde transportieren.

Elektrische Energie von 21 Kilowatt sowie das Trinkwasser für die Besatzung wird von drei elektrolytisch arbeitenden Brennstoffzellen, die Wasserstoff und Sauerstoff zu Wasser verbrennen, geliefert. Zusätzliche Brennstoffzellen kann man einbauen, und für zukünftige Flüge ist sogar an den Einsatz eines Solargenerators gedacht. Weitere Subsysteme regeln die klimatischen Bedingungen und stehen der Datenverarbeitung zur Verfügung. Fünf identische und miteinander in Verbindung stehende IBM-Computer erledigen alle für die Flugkontrolle und den Missionsablauf erforderlichen Aufgaben.

Erst kurz vor Ende des Flugs werden die Ladeluken geschlossen. Daraufhin wird das Shuttle gedreht, so daß die OMS-Triebwerke in Flugrichtung weisen. Die Triebwerke werden dann für zwei bis drei Minuten gezündet, wodurch die Geschwindigkeit um 0,1 km pro Sekunde auf 7,8 km pro Sekunde reduziert wird. Nach dieser Aktion wird das Shuttle erneut gedreht und tritt mit der Nase voran in die Atmosphäre ein. In der ersten Phase des Wiedereintritts wird ein relativ hoher Anstellwinkel (bis zu 40°) eingehalten. Während des Flugs durch die Atmosphäre wird dieser Winkel verkleinert, wodurch die Wirkung der aerodynamischen Oberflächen verstärkt wird. In dieser Phase, die neun Minuten dauert, werden durch Luftreibung extrem hohe Temperaturen erzeugt, und zwar 1600°C an den Stirnflächen des Shuttle und bis zu 300°C an weniger exponierten Außenflächenelementen. Dabei halten jedoch die keramischen Kacheln sowie zusätzliche kohlefaserverstärkte Zwischenstücke an besonders kritischen Stellen die Temperatur des Shuttle unterhalb der für die Struktur kritischen Temperatur von 175°C. Die hohen Außentemperaturen verursachen eine Ionisierung in der das Shuttle umgebenden Luftschicht. Diese auftretende Ionisation ist so hoch, daß die Radioverbindung unterbrochen wird.

Auf der insgesamt 8000 km langen Wiedereintrittsbahn wird die Geschwindigkeit von 7,8 km pro Sekunde auf praktisch Null reduziert. Hierbei durchläuft das Raumschiff mehrere aerodynamische Bereiche: vom hypersonischen über den supersonischen zum subsonischen Strömungsbereich. Die Sinkgeschwindigkeit ist ungefähr zehnmal größer als in einem konventionellen Düsenflugzeug. Die Landung erfolgt im Gleitflug bei einer Geschwindigkeit von nur 0,1 km pro Sekunde (185 Knoten). Der Landeanflug ist computergesteuert und muß mit hoher Präzision erfolgen, da für eine Wiederholung des Landeanfluges kein Antriebsaggregat verfügbar wäre. Dabei kann überschüssige Energie durch bis zu 1600 km weite Flugschleifen abgegeben werden. Die Gesamtzeit für den Wiedereintrittsprozeß, gerechnet vom Zeitpunkt der Zündung der OMS-Raketen bis zur Landung, beträgt 55 Minuten.

Zündung der Triebwerke für Bahnkorrekturen (OMS) während des STS-7-Fluges.

Landung der Columbia auf der Northrop-Landebahn in New Mexiko nach erfolgreichem STS-3-Flug.

Luftaufnahme des Kennedy Space Center: in der Mitte die große Montagehalle (VAB) und links daneben zwei Gebäude für die Shuttle-Vorbereitung (OPF). Im Hintergrund erkennt man die für das Shuttle angelegte Landebahn. Rechts ein aus dem Apollo-Programm stammender Startturm, der gerade demontiert wird.

Unter normalen Umständen soll das Shuttle auf der 4,5 km langen Zementbahn des Kennedy Space Center landen. Bei den ersten Shuttle-Flügen stand jedoch ein neuentwickeltes Navigationsgerät für den Landeanflug, das sog. Head-up-Sichtgerät, noch nicht zur Verfügung, so daß auf eine längere Landebahn in der Edwards Air Force Base in Kalifornien ausgewichen wurde. Mit diesem Gerät werden alle für den Landeanflug wichtigen Anzeigen in das Cockpitfenster eingespiegelt. Der Pilot kann die Daten ablesen, ohne seinen Blick von der vor ihm auftauchenden Landebahn abzuwenden. Erst wenn dieses Gerät ins Shuttle-Cockpit eingebaut ist, werden Landungen am Kennedy Space Center routinemäßig möglich sein. Für die Landungen in Kalifornien waren besondere Maßnahmen zum Schutz der Nutzlast zu treffen, und anschließend mußte das Shuttle einschließlich seiner wertvollen Fracht auf dem Rücken einer speziell dafür eingerichteten Boeing 747 nach Florida zurückgeflogen werden.

Nach Rückkehr ins Kennedy Space Center wird das Shuttle gründlich überholt, und eventuelle Schäden werden repariert. Die Nutzlast wird in der sogenannten OPF (Orbiter Processing Facility) gegen eine neue ausgetauscht. Anschließend wird das Shuttle in die Montagehalle, das VAB (Vertical Assembly Building), überführt. Das VAB ist eines der größten Gebäude der Erde und wurde bereits für den Zusammenbau der Stufen der Saturn-5-Rakete des Apollo-Programms verwendet.

Im VAB wird das Shuttle in die Vertikalposition aufgerichtet und mit Außentank sowie Feststoffraketen zur Startkonfiguration zusammengesetzt. Während der Außentank bei jedem Flug eine neue, von der Firma Martin Mariette in Mississippi angefertigte Einheit ist, werden Feststoffraketen verwendet, die schon bei früheren Shuttle-Flügen zum Einsatz kamen und nach Bergung aus dem Meer wieder aufbereitet worden sind. Die zusammengefügte Starteinheit wird dann auf dem größten Transporter der Welt zur fünf km entfernten Startrampe 39A gebracht, die ebenfalls noch vom Apollo-Programm stammt. Der Transporter wird von zwei Dieselmotoren von jeweils 2750 PS angetrieben und bewegt sich mit einer Geschwindigkeit von 1,6 km pro Stunde. Sein Kraftstoffverbrauch beträgt 500 Liter pro Kilometer. Nach nur zwei Wochen sind die Überholarbeiten und Startvorbereitungen meist schon beendet, und das Shuttle steht für den nächsten Abschuß bereit.

Die letzten Tests vor dem Start sowie der Countdown werden mit Hilfe von Computern durchgeführt, die im Startkontrollzentrum, einem Gebäude in unmittelbarer Nähe des VAB, untergebracht sind.

Challenger beim Transport vom VAB zur Startrampe im Rahmen der STS-7-Mission.

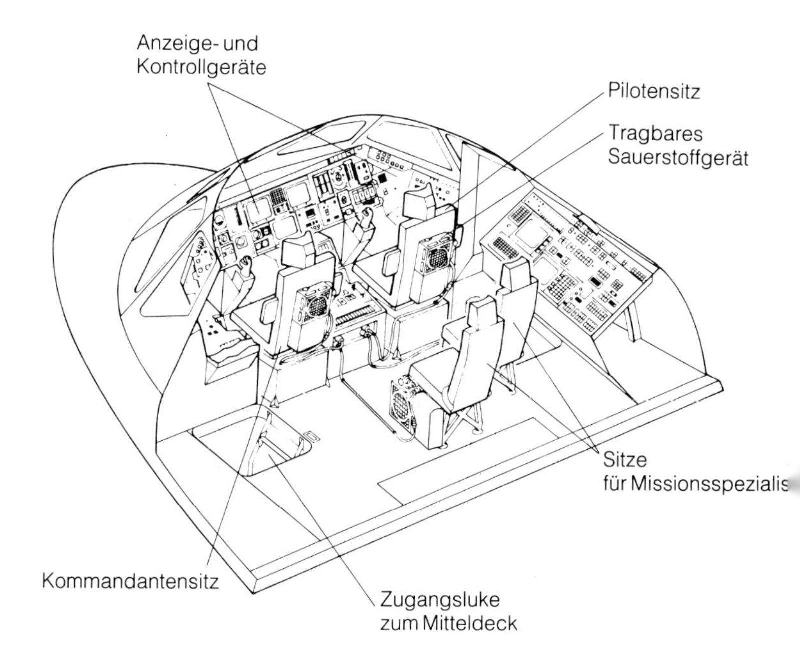

Das Shuttle-Cockpit.

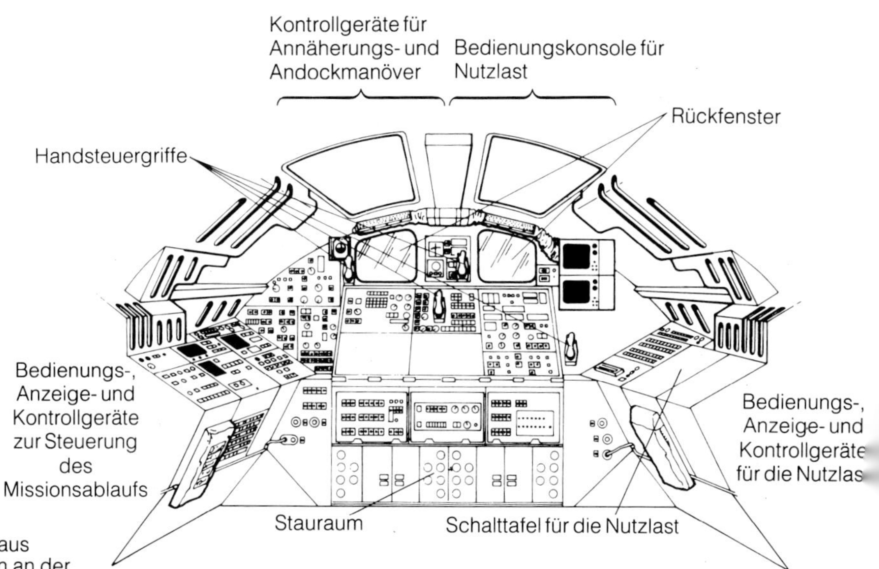

Vom hinteren Teil des Shuttle-Cockpits aus führen die Missionsspezialisten Arbeiten an der Nutzlast durch. Wird Spacelab mitgeführt, lassen sich dessen Untersysteme vom linken Bereich aus regeln, während Experimente von der Konsole auf der rechten Seite aus gesteuert werden.

Das Leben im Shuttle

Im Shuttle steht für die Besatzung und eventuelle Passagiere eine zweistöckige Kabine von insgesamt 70 m^3 Volumen zur Verfügung. Genau wie im Spacelab wird auch hier eine normale Atmosphäre mit angenehmer Temperatur und ausreichender Luftfeuchtigkeit aufrechterhalten. Im oberen Stockwerk der Kabine befindet sich das Cockpit. Inmitten vieler Bedienungsknöpfe und Anzeigegeräte sind vier Pilotensessel installiert. Im unteren Stockwerk, das mit dem Cockpit über eine offene Luke verbunden ist, befindet sich ein Aufenthaltsraum, in dem sich die Besatzung in der Freizeit erholen kann. Hier sind auch drei weitere Sitze eingebaut, die beim Start von den Wissenschaftsastronauten eingenommen werden.

Im unteren Stockwerk, auch 'mid-deck' (Mitteldeck) genannt, ist außerdem die Küche untergebracht. Zu ihrem Inventar gehören eine Anrichte, ein elektrischer Herd, ein Warmwassererhitzer sowie Tabletts, auf denen das Essen serviert wird. Die Nahrung ist nach dem Trockengefrierverfahren hergestellt und wird unter Zugabe von Trinkwasser, das aus den Brennstoffzellen stammt, zubereitet. Alle Nahrungsmittel sind als Einzelportionen in Plastikbehälter oder Konservendosen verpackt. Auch Fruchtsäfte, Tee und Kaffee werden durch Hinzufügen von Wasser in Plastikbehältern zubereitet.

Bei der Auswahl der Nahrung achtet man darauf, daß diese nicht nur nahrhaft, gutschmeckend und leicht verdaulich ist; sie muß auch kompakt und leicht sein und einfach in der Zubereitung. Pro Tag drei Mahlzeiten unterschiedlicher Zusaammenstellung versorgen die Astronauten mit den erforderlichen Kalorien. Für die Einnahme der Mahlzeiten ist ein kleiner runder Tisch im mid-deck vorgesehen. Abfall und leere Packungen werden in Plastiksäcken aufgehoben und wieder mit zur Erde zurückgenommen. Die Müllsacke verstaut man in einem Raum unter dem mid-deck, wo sich auch die Klimaanlage befindet, bis zum Ende den Flugs.

Ein Teil des mid-deck ist durch einen Vorhang abgetrennt. Dahinter befinden sich die sanitären Einrichtungen. In den Waschbecken wird das fließende Wasser durch einen Luftstrom daran gehindert, in der Schwerelosigkeit zu entschweben. Die männlichen Besatzungsmitglieder können sich naß oder mit aufziehbaren Geräten rasieren. Die Toilette, für Männer wie Frauen konstruiert, kann im Stehen und Sitzen benutzt werden. Auch hier wird ein Luftstrom verwendet, um die körperlichen Abfallprodukte zu beseitigen.

Auf der rechten Seite im mid-deck sind die Schlafgelegenheiten eingebaut: drei konventionelle Kojen, aber auch eine vertikal angeordnete; darin kann man in der Schwerelosigkeit bequem schlafen. Jedes Besatzungsmitglied hat ferner hier sein eigenes Schließfach für persönliche Gegenstände.

Es ist möglich, die Schlafvorrichtungen zu entfernen und an ihrer Stelle Sitze zu installieren für den Fall, daß man einer zweiten Raumfähre im Weltraum zu Hilfe kommen und deren Besatzung aufnehmen muß. Bei einer solchen Hilfsaktion, die von drei Mann, dem Kommandanten, einem Piloten und einem Bergungsspezialisten durchgeführt würde, ließen sich bis zu acht Astronauten bergen.

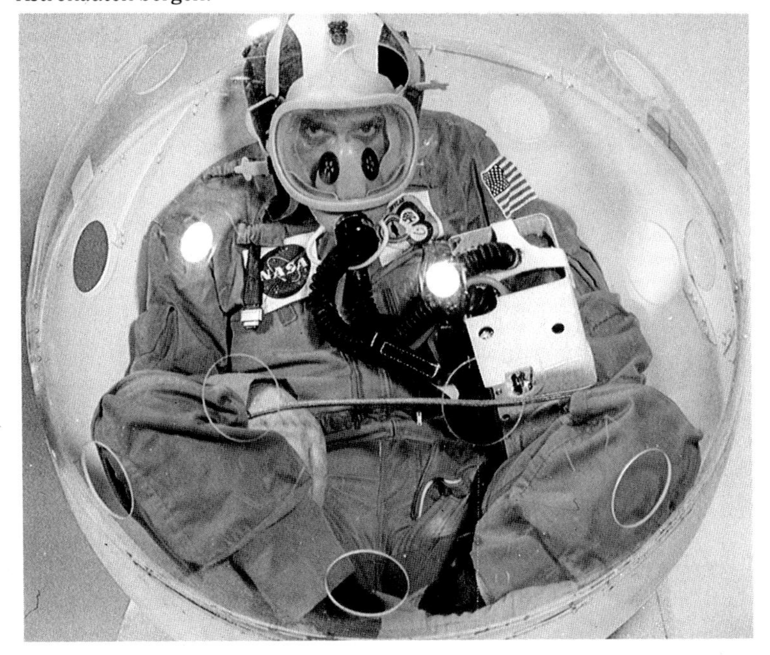

Ein Astronaut mit Atmungsgerät kauert in einer Plastikkugel von nur einem Meter Durchmesser. In einer solchen Kugel kann er mit Hilfe eines Kollegen im Raumanzug von einem Shuttle in ein anderes umsteigen.

Die Raumfähre Enterprise wird auf dem Rücken einer Boeing 747 emporgetragen und dann ausgeklinkt, um ihre Gleitflug- und Landeeigenschaften zu testen.

Ein Missionsspezialist im Raumanzug hält eine der Plastikkugeln, in der ein Astronaut gerettet werden könnte.

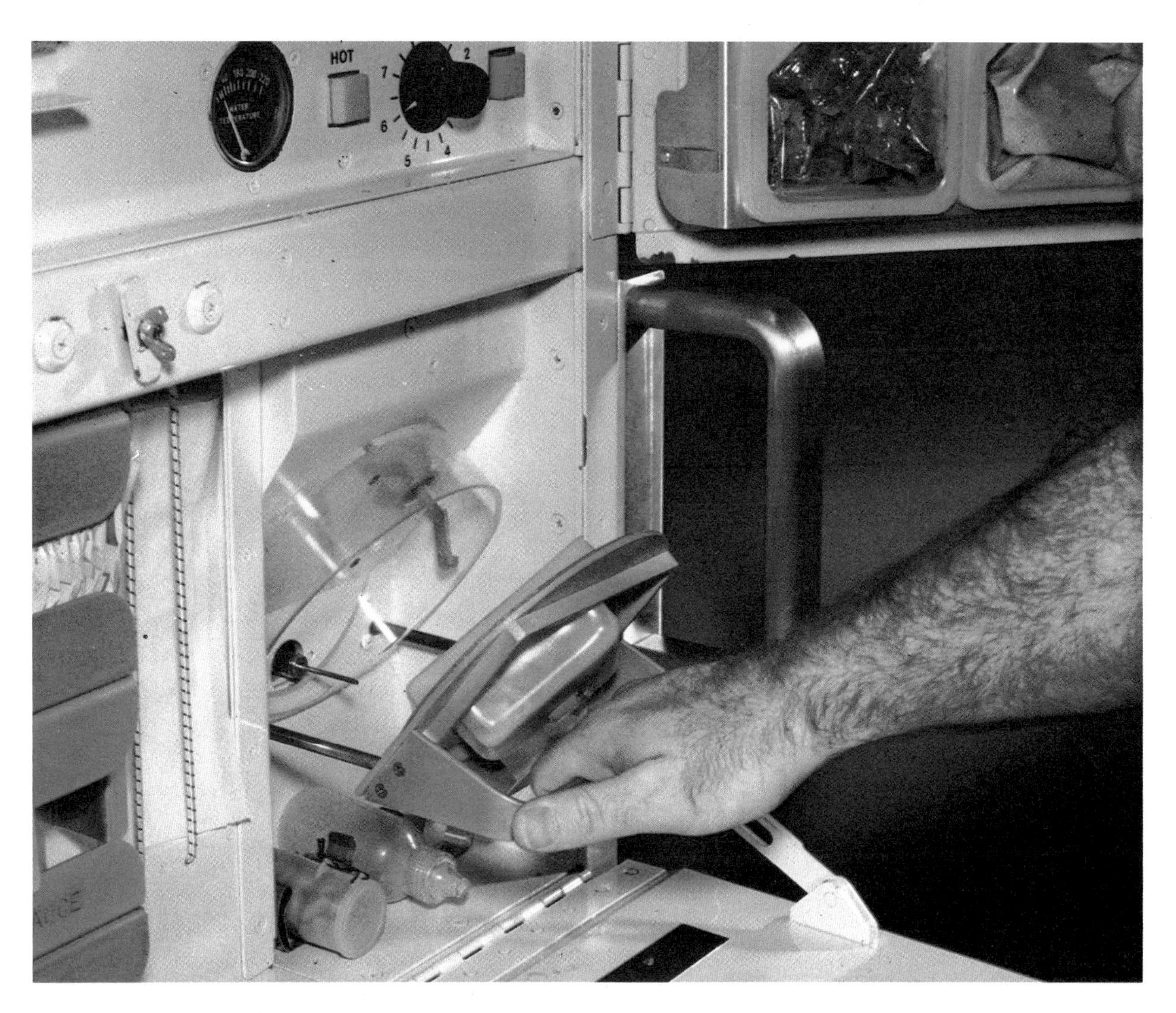

Zubereitung des Essens im Aufenthaltsraum. In die Nahrung im Plastikbehälter soll gerade Wasser eingespritzt werden.

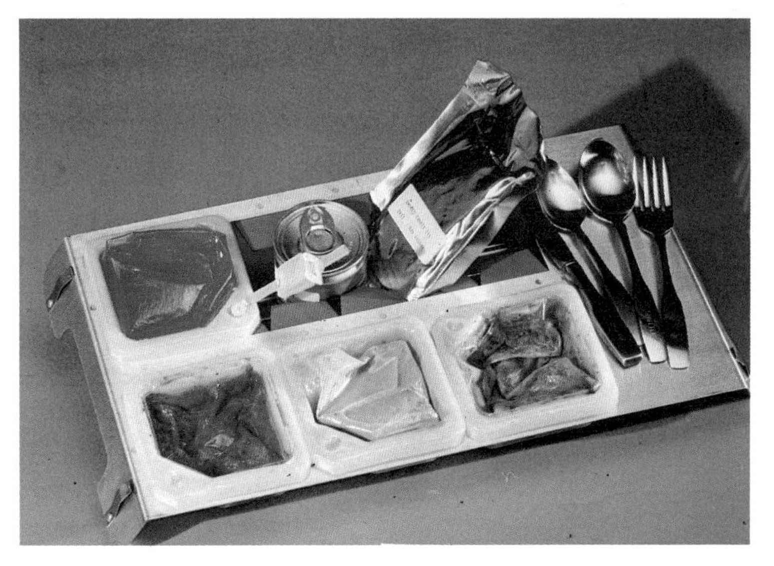

Ein Astronautenmenü ist nicht nur nahrhaft, sondern auch problemlos zu essen und leicht verdaulich.

Der offene und nur mit wenigen Meßgeräten gefüllte Laderaum der Columbia während ihres ersten Fluges. An der Hülle des OM-Systems erkennt man das Fehlen einzelner Platten (oben im Bild).

Einbringen der OSTA-1-Nutzlast auf dem Ingenieurmodell einer Spacelab-Palette in den Laderaum der Columbia im Rahmen der STS-2-Missionsvorbereitung. Deutlich erkennbar ist die riesige Antenne des SAR-Experimentes.

SPAS (Shuttle Pallet Satellite) kurz bevor er vom Greifarm losgelassen wird, um frei im Raum neben Challenger die Erde zu umkreisen (auf dem STS-7-Flug).

Aussetzung des ersten kommerziellen Satelliten (SBS-3) (SBS: Satellite Business System) aus dem Laderaum des Shuttle während der STS-5-Mission.

Die Besatzung der ersten Shuttle-Mission, John Young und Robert Crippen.

Bisherige Erfolge des Shuttle-Programms

Das wiederverwendbare Raumfährensystem wurde unter Aufsicht der NASA von der Firma Rockwell International als Hauptauftragnehmer entwickelt und kostete 10 Milliarden US-Dollar. Obwohl der erste Start ursprünglich für 1979 geplant war, traten doch Verzögerungen ein, hauptsächlich durch Schwierigkeiten bei der Entwicklung neuer und aufwendiger Technologien. Probleme ergaben sich insbesondere beim Bau der Triebwerke, die mit einem viel höheren Brennkammerdruck arbeiten als z.B. die Triebwerke der Saturn-Raketen. Ferner bereitete die Entwicklung des Hitzeschildes einiges Kopfzerbrechen. Das erste Shuttle wurde im September 1976 fertiggestellt. Es hatte die Seriennummer 101 und wurde auf den Namen Enterprise getauft. Mit ihm wurden Tests im Unterschallbereich ausgeführt. Dabei wurde die Enterprise auf dem Rücken einer Boeing 747 in die erdnahe Atmosphäre getragen, dort abgeworfen und im Gleitflug gelandet. Für diese Tests, die im Oktober 1977 erfolgreich abgeschlossen wurden, benutzte die NASA die Edwards Air Force Base in Kalifornien. Gleichzeitig wurde die Entwicklung der übrigen Shuttle-Elemente vorangetrieben. Der gewaltige Außentank wurde im Frühjahr 1978 geliefert, und die Feststoffhilfsraketen standen bereits im Juli 1979 zur Verfügung.

Nach erfolgreichem Abschluß aller Konstruktionstests wurde die Enterprise zum Kennedy Space Center geflogen, wo im April und Mai 1979 die alte Apollo-Startrampe an die Dimensionen des Shuttles angepaßt wurde. Hierbei überprüfte man auch die geometrischen und funktionalen Schnittstellen zwischen Shuttle und den Bodeneinrichtungen auf ihre Kompatibilität. Ein weiterer wichtiger Meilenstein war der Test der Haupttriebwerke im Jahre 1980. Der Aufbau der Startkonfiguration für den ersten Flug begann im Januar 1979 mit dem Aufrichten der Feststoffraketen im VAB. Das inzwischen fertiggestellte zweite Shuttle Columbia war schon im März 1979 im Kennedy Space Center eingetroffen. Nach erfolgreichem Anbringen des Hitzeschildes wurde die Columbia im November 1980 in den Aufbau der Startkonfiguration einbezogen. Schließlich wurden im Frühjahr 1981 auf der Abschußrampe die letzten statischen Triebwerktests durchgeführt, wobei das Shuttle fest an der Rampe verankert war und die Schubkraft gemessen wurde.

Mit einer Verzögerung von nur zwei Tagen, die durch Schwierigkeiten in der Synchronisation der Bordcomputer verursacht wurde, hob Columbia am 12. April 1981 eindrucksvoll und elegant von der Startrampe ab. Dabei war es reiner Zufall, daß der erste Flug des Shuttle genau 21 Jahre nach dem ersten bemannten Raumflug von Jurij Gagarin stattfand. Die STS-1-Mission dauerte genau 54 Stunden. John Young als Kommandant und Robert Crippen als Pilot waren die ersten Menschen, die vom Shuttle in eine Erdumlaufbahn (40° Inklination) befördert wurden und nach 36 Erdumkreisungen wohlbehalten auf der Edward Air Force Base in Kalifornien wieder landeten. Der Laderaum war bei diesem ersten Flug zwar noch leer; allerdings waren eine Reihe von Geräten hauptsächlich im mid-deck installiert, die das Verhalten des Shuttle im Raum und insbesondere während des Wiedereintritts in die Atmosphäre überwachten. Das Ablösen von 17 Kacheln des Hitzeschildes war die einzige Schwierigkeit, mit der die NASA bei diesem ersten Flug konfrontiert wurde. John Young bezeichnete diesen Flug als 'viel besser als erwartet'. Das Shuttle nannte er 'die beste bisher von Menschenhand gebaute Flugmaschine'. In ähnlicher Weise äußerte sich der damalige verantwortliche Flugdirektor über die Flugeigenschaften der Columbia.

Insgesamt werden vier Raumfähren zum Einsatz kommen, die die Namen Columbia, Challenger, Discovery und Atlantis tragen. Allein die Herstellungskosten für die letzten beiden belaufen sich auf 5,6 Milliarden US-Dollar. Eine fünfte Raumfähre soll nur dann gebaut werden, wenn ein entsprechender Bedarf vorhanden ist und die notwendigen Geldmittel genehmigt werden.

Bis 1987 sind ungefähr 50 Starts vom Kennedy Space Center geplant und weitere acht von der Vandenberg Air Force Base in Kalifornien. Dabei wird man die unterschiedlichsten Aufgabenstellungen verfolgen. Spacelab kommt viermal zum Einsatz. Nachrichtensatelliten, interplanetare Sonden, Satelliten für die Erforschung des erdnahen Raums sowie für militärische Anwendungen sind als weitere Nutzlasten vorgesehen. Eine besonders interessante Einsatzmöglichkeit des Shuttle ergibt sich bei der Wartung und Reparatur von im All befindlichen Satelliten. Mitte 1982 hat die NASA die Startkosten des Shuttle für die Jahre 1985–1988 auf 71 Millionen US-Dollar veranschlagt. Das entspricht einem Preis von 2400 US-Dollar pro Kilogramm Nutzlastmasse, maximale Nutzlast vorausgesetzt, bei einem energiesparenden Start nach Osten vom Kennedy Space Center aus.

Shuttle-Flüge im Anschluß an STS-1

Flug Nr.	*Start Datum*	*Raum-fähre*	*Besatzung*	*Flug-dauer (Tage)*	*Herausragende Ereignisse*
STS-2	12. November 1981	Columbia	Joe Engle Dick Truly	2	Systemtests und OSTA-1-Experimente
STS-3	22. März 1982	Columbia	Jack Lousma Charles Fullerton	8	Systemtests, Missionsverlängerung, OSS-1-Experimente
STS-4	27. Juni 1982	Columbia	Thomas Mattingly Henry Hartsfield	7	Start einer Nutzlast des US-Verteidigungsministeriums
STS-5	11. November 1982	Columbia	Vance Brand Robert Overmyer Joe Allen William Lenoir	5	Erster Routineflug, Start des kommerziellen Satelliten SBS-3 und des kanadischen Anik C-3
STS-6	4. April 1983	Challenger	Paul Weitz Karol Bobko Story Musgrave Donald Peterson	5	Start von TDRS-A mit IUS. Erster Weltraumspaziergang
STS-7	18. Juni 1983	Challenger	Bob Crippen Fred Hauck Sally Ride John Fabian Norman Thagard	6	Start von Palapa-B für Indonesien und Anik C-2 für Kanada. Aussetzen und Bergen von SPAS. Erster weiblicher Astronaut
STS-8	30. August 1983	Challenger	Dick Truly Dan Brandenstein Guion Bluford Dale Gardner William Thornton	6	Start von Insat-1B für Indien. Tests mit TDRS-A. Start und Landung bei Nacht
STS-9	28. November 1983	Columbia	John Young Brewster Shaw Robert Parker Owen Garriott Byron Lichtenberg Ulf Merbold	10	Erster Flug von Spacelab

Ergebnisse des zweiten und dritten Shuttle-Flugs

Die Nutzlast für den zweiten Shuttle-Flug wurde vom NASA-Büro OSTA (Office of Space and Terrestrial Applications) bereitgestellt und hatte den Namen OSTA-1; die des dritten Fluges wurde vom NASA-Büro OSS (Office of Space Sciences) geliefert und trug den Namen OSS-1. Die wichtigsten Instrumente der OSTA-1-Nutzlast waren ein SAR-Gerät (Synthetic Aperture Radar) für Radarbilder sowie eine Apparatur zur Messung der in unmittelbarer Nähe des Shuttle herrschenden äußeren Bedingungen. Hauptbestandteil der OSS-1-Nutzlast war die PDP-Einheit (Plasma Diagnostics Package) für Plasma-Messungen. Bei beiden Flügen waren die Nutzlastelemente auf einer Spacelab-Palette integriert, d.h. bereits bei der zweiten Shuttlemission kam in Europa entwickelte Spacelab-Hardware zum Einsatz.

Der Start des zweiten Shuttle-Flugs (STS-2) litt unter mehreren Verzögerungen. Beim Auftanken lief Treibstoff über; dabei wurden 400 Kacheln beschädigt, 350 Stück mußten durch neue ersetzt werden. Dann trat im Antriebsaggregat des hydraulischen Systems ein Fehler auf. Zu allem Überfluß wurde der Start noch infolge schlechten Wetters verschoben. Der Flug selbst mußte wegen eines Fehlers an den Brennstoffzellen auf nur 36 Erdumläufe beschränkt werden. Der einzige Lichtblick war der erfolgreiche Test aller Funktionen des Greifarms. Nach der Landung wurden dann wiederum Schäden an den Kacheloberflächen festgestellt. Schadstellen waren durch Einschlüsse von Regenwasser in den porösen Kacheln entstanden. Die Einschlüsse hatten sich während der langen Wartezeit auf der Startrampe gebildet und waren bei der Erhitzung des Schildes in der Wiedereintrittsphase aufgebrochen. Der Schaden wurde jedoch schnell behoben, und Columbia war bald wieder für den nächsten Start einsatzbereit.

Beim zweiten Shuttle-Flug waren auf einer Palette fünf Experimentiergeräte angeordnet. Das größte war ein Radargerät, das bei 1,3 Gigahertz bzw. 23 cm Wellenlänge arbeitete, eine Weiterentwicklung des auf dem Seasat-Satelliten erprobten SAR-Gerätes. Mit diesem Instrument lassen sich plastische Bilder der Erdoberfläche elektronisch gewinnen, auf denen Objekte einer Mindestausdehnung von 40 Metern noch aus 262 km Höhe erkennbar sind. Die durch Überlagerung von Radarwellen erzeugten Bilder können auch nachts und bei Bewölkung angefertigt werden. Das Gerät arbeitete insgesamt acht Stunden und zeichnete dabei 10 Millionen km^2 der Erdoberfläche über Nord-, Zentral- und Südamerika, Südeuropa, Afrika, Indonesien und Australien auf. Eine unerwartete Entdeckung dabei war die Existenz von ausgetrockneten Flußbetten unter Sandschichten der Saharawüste. Diese konnten festgestellt werden, weil der absolut trockene Saharasand die Radarwellen ungehindert durchließ. Sie wurden erst an den darunterliegenden feuchten Bodenschichten reflektiert. Auf diese Weise wurden auch Ansiedlungen des Steinzeitalters in der Nähe alter Flußkanäle entdeckt. Für die Geologie wurden interessante Aufnahmen von Verwerfungen, Erdfalten und Aufbrüchen gewonnen. Lavaflußbetten und uralte Meteoritenkrater sind wegen ihrer guten Radar-Reflektionseigenschaften besonders deutlich auf den Bildern zu erkennen. Bebaute Gebiete lassen sich von Wäldern aufgrund des Helligkeitskontrastes gut unterscheiden. Objekte wie Öltürme, Straßen und größere Gebäude sind ebenfalls gut identifizierbar, selbst wenn sie etwas kleiner als 40 m sind. Das liegt daran, daß Radarwellen besonders gut an metallischen Oberflächen und rechtwinkligen Ecken reflektiert werden.

Die OSTA-1-Nutzlast vom Rückfenster des Shuttle-Cockpit aus gesehen; der auffälligste Teil ist die SAR-Antenne (vorn links) Alle Instrumente sind mit Isolationsfolien überzogen, um sie vor starken Temperaturschwankungen zu schützen.

Ein zweites bedeutendes Meßinstrument von STS-2 war ein breitbandiges Infrarot-Radiometer. Mit ihm wurde die von der Erdoberfläche reflektierte Sonnenstrahlung in zehn verschiedenen Spektralbereichen gemessen. Davon lagen fünf im Wellenlängenbereich zwischen 2,1 und 2,4 Mikrometern, in dem Mineralien besonders stark absorbieren. Dadurch konnte z.B. kalkreicher Erdboden deutlich von Lehmböden unterschieden werden. Weitere Beobachtungen wurden mit einem Zweikanal-Infrarotspektrometer, das bei 4,7 Mikrometer arbeitet, durchgeführt. Mit ihm läßt sich der Kohlen-

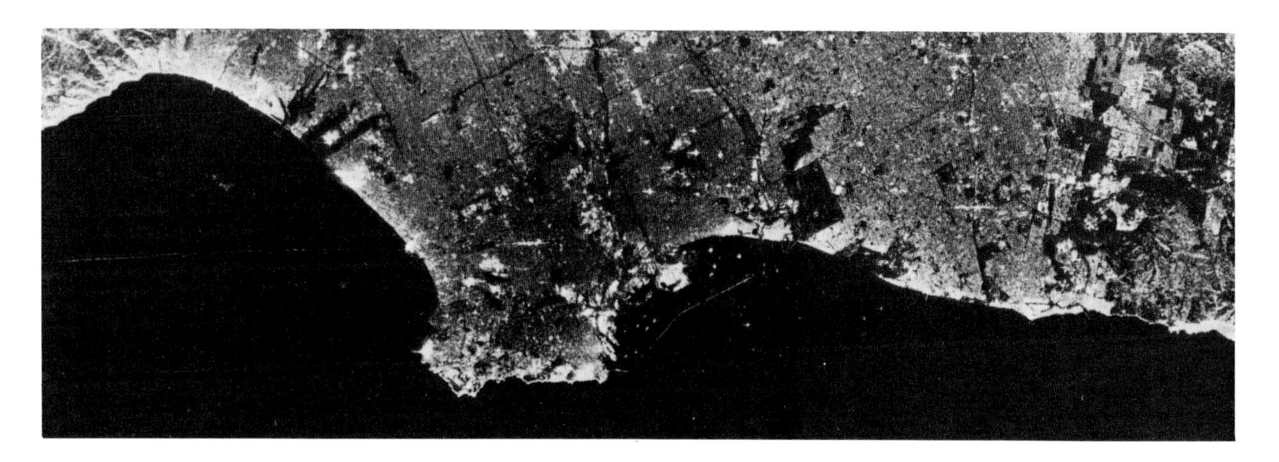

Eine mit Hilfe der SAR-Antenne der OSTA-1-Nutzlast gemachte Aufnahme von Los Angeles, auf der Schiffe und Hafenkonturen deutlich zu erkennen sind.

monoxidgehalt der Atmosphäre in Höhen zwischen 7,5 und 11 km registrieren. Dabei wurde ein Mittelwert von 120 ppm gemessen, der jedoch, je nach geographischer Länge und Breite, starken Schwankungen unterliegt.

Ein weiteres Instrument zur Erderkundung war eine Multispektralkamera, die bei Wellenlängen zwischen 0,4 und 0,8 Mikrometern arbeitet, also im sichtbaren Bereich des elektromagnetischen Spektrums. Mit ihr läßt sich die unterschiedliche Färbung der Meeresoberfläche ermitteln. Diese Färbungen werden durch Konzentrationsschwankungen des Chlorophylls im Phytoplankton (die Basis der Nahrungskette auf der Erde) verursacht. Planktonansammlungen findet man vor allem dort, wo Vertikalströmungen auftreten, die Plankton vom Meeresboden an die Oberfläche bringen. Das Experiment erlaubte sogar die Lokalisierung von Fischschwärmen.

Ein fünftes Experiment auf diesem Flug hatte zum Ziel, die Reflexionseigenschaften der Erdoberfläche bei Wellenlängen zwischen 0,65 und 0,85 Mikrometern zu messen. Das Absorptionsband des Chlorophylls verursacht bei bewachsenen Gebieten eine geringe Reflexion bei 0,65 μm. Der Einsatz eines Mikroprozessors erlaubt es, zwischen Wasseroberflächen, unfruchtbarem Boden, Vegetation oder auch wolken-, schnee- oder eisbedeckten Oberflächen zu unterscheiden.

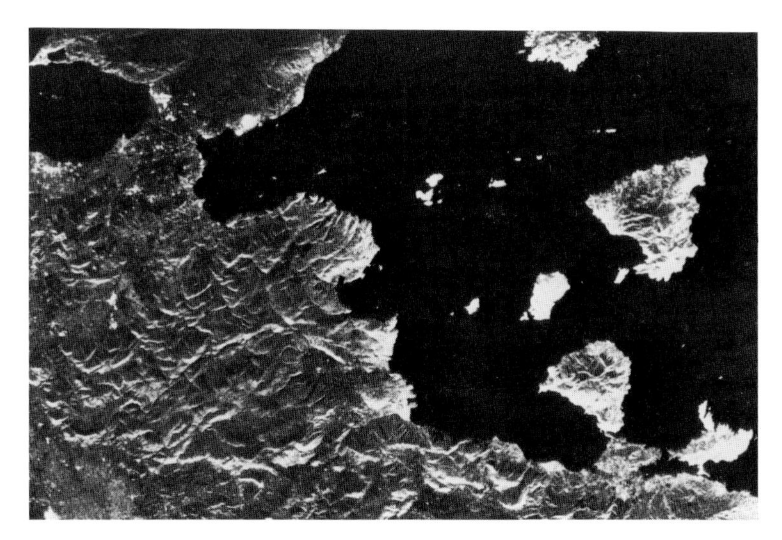

Ein SAR-Bild des nördlichen Peloponnes und des Südens von Griechenland, nordwestlich der Kanal von Korinth und die Stadt Korinth. Die Aufnahme erfaßt ein Gebiet von 50×100 km.

Zwei weitere Experimente wurden im mid-deck des Shuttle durchgeführt. Das eine bestand darin, mit Hilfe einer normalen Filmkamera Blitze sowohl bei Tageslicht als auch bei Nacht zu filmen. Wegen der Kürze der Mission konnten allerdings nur relativ wenig Aufnahmen gemacht werden. Ein zweites wurde im Zuge der Vorbereitung für ein späteres Spacelab-Experiment durgeführt. Die optimale Bodenfeuchtigkeit für das Wachsen von Zwergsonnenblumen (Helianthus annuus) in Weltraum sollte ermittelt werden. Wegen der zu kurzen Flugdauer war dieses Experiment jedoch nur teilweise erfolgreich.

Beim Start der STS-3-Mission wurde zum ersten Mal ein Außentank benutzt, der nicht mit Schutzfarbe angestrichen war, wodurch eine Gewichtseinsparung von 250 kg erzielt werden konnte. Der Start verlief reibungslos, und Columbia erreichte die vorausberechnete kreisförmige Umlaufbahn von 216 km Höhe. Zu Beginn der Mission wurde eine Reihe von Temperaturtests durchgeführt, bei denen das Shuttle in verschiedenen Fluglagen die Erde umkreiste, wie z.B. Bug zur Sonne, Heck zur Sonne, Laderaum zur Sonne oder Laderaum von der Sonne abgewandt. Der in Kanada entwikkelte Greifarm kam zum Einsatz; er hob einen 160 kg schweren Satelliten aus dem Laderaum und manövrierte ihn in den verschiedensten Positionen – ohne ihn dabei loszulassen – um das Shuttle herum. Am Ende der Mission ergaben sich Schwierigkeiten, da die vorgesehene Landebahn in Kalifornien von schweren Regenfällen überflutet war und die Ersatzlandebahn in White Sands, New Mexiko, wegen starkem Wind eine sichere Landung nicht zuließ. Die Landung in New Mexiko mußte daher um einen Tag verschoben werden.

In den folgenden Abschnitten werden wir nur neun der 19 Experimente von STS-3 behandeln. Technologisch wichtig war das Testen spezieller Wärmeableiter (heat pipes) im Shuttle für die Entwicklung neuer Temperatur-Regelsysteme. Hierbei mußte die Temperatur eines Behälters zwischen 5 und 25° Celsius gehalten werden, obwohl die im Inneren erzeugte

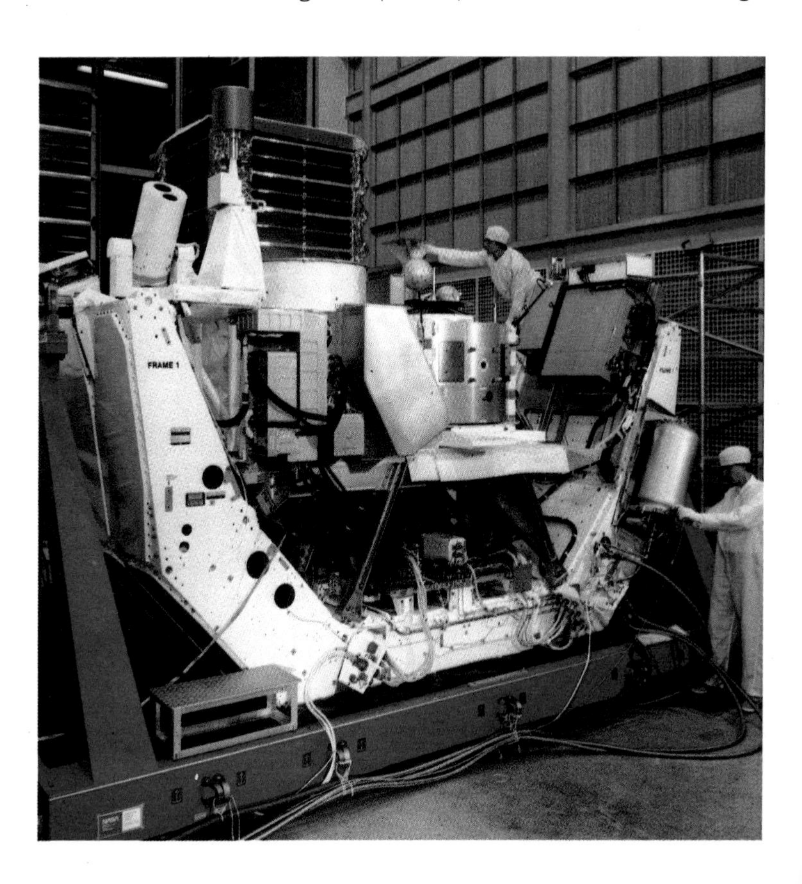

Eine Palette mit der OSS-1-Nutzlast während der letzten Tests vor dem Einbau in den Laderaum der Columbia.

Wärme sowie die äußere Sonneneinstrahlung in weiten Bereichen variiert wurden.

Der vom Greifarm manövrierte Satellit trug eine PDP-Nutzlast, mit der das neutrale und ionisierte Gas in der direkten Shuttle-Umgebung gemessen wurde. Plasmadichte und -zusammensetzung wurden mit hoher Präzision ermittelt und vom Shuttle entweichender Wasserdampf in kleinen Konzentrationen nachgewiesen. Weitere Anomalien registrierte man an den der Anströmrichtung zu- und abgewandten Seiten des Shuttle. Ebenso ergaben sich Störungen im Plasma, wenn das Lageregelungssystem oder eine an Bord befindliche Elektronenkanone in Betrieb war. Weiterhin wurde festgestellt, daß das elektrische Potential des Shuttle relativ zu seiner Umgebung zwischen −5 und +5 Volt schwankt. Dieses Phänomen läßt sich durch die unterschiedliche Auftreffrate von Elektronen und Ionen auf die Außenflächen des Shuttle sowie durch die Flugbewegung im Plasma erklären. Auch das Verhältnis von leitender und nichtleitender Oberfläche sowie das geomagnetische Feld machen sich bemerkbar. Die gemessenen Potentialschwankungen sind von keinerlei Bedeutung für das einwandfreie Funktionieren des Shuttle. Erst größere Potentiale könnten die elektronischen Schaltkreise und Komponenten gefährden.

Während des STS-3-Flugs wurde auch zum ersten Mal anhand fotografischer Aufnahmen festgestellt, daß die Außenflächen des Shuttle leuchten. Dieser Effekt wird durch die Wechselwirkung zwischen dem Shuttle und der es umgebenden Restatmosphäre verursacht. Es zeigt sich, daß die Leuchtintensität am stärksten an den Oberflächen auftritt, die der Flugrichtung zugewandt sind und daß sie mit zunehmender Höhe abnimmt. Es wird vermutet, daß das Leuchten durch Hydroxylradikale erzeugt wird, die gebildet werden, wenn angeregte Sauerstoffatome (die Anregungsenergie erhalten sie beim Stoß mit dem Shuttle) mit auf der Shuttle-Oberfläche adsorbierten Wasser reagieren. Es ist zur Zeit noch unklar, in welchem Maße diese 'parasitäre' Leuchterscheinung künftige astromische Beobachtungen, die vom Shuttle aus durchgeführt werden, stören kann.

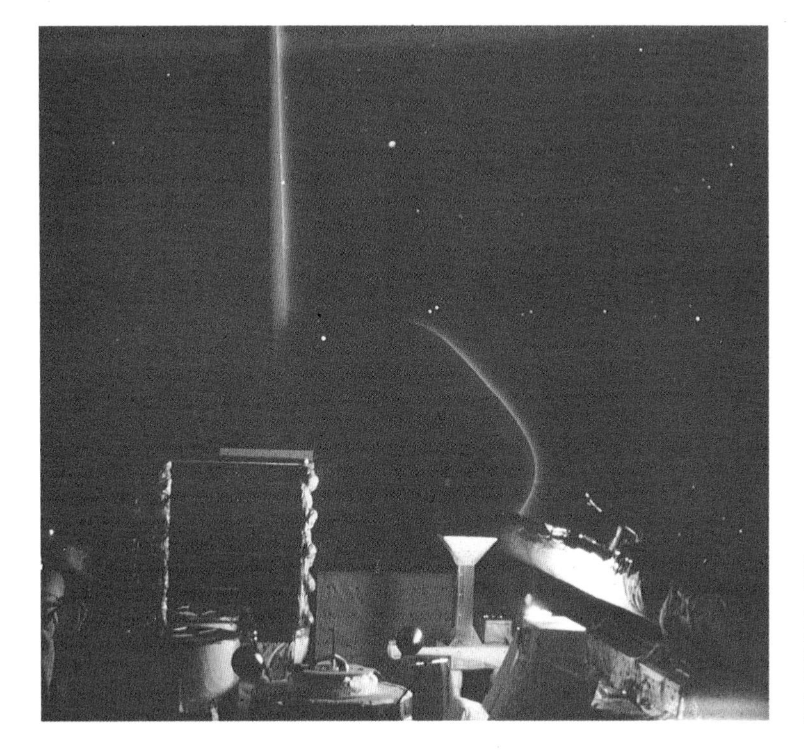

Eine Nachtaufnahme der OSS-1-Nutzlast im Weltraum zeigt deutlich die als Oberflächenleuchten bekannt gewordene Erscheinung. Das grünliche Leuchten in der rechten unteren Ecke trat auf, wenn eine Elektronenkanone in Betrieb gesetzt wurde. Am oberen Bildrand ist das schwache Leuchten der Erdatmosphäre zu erkennen.

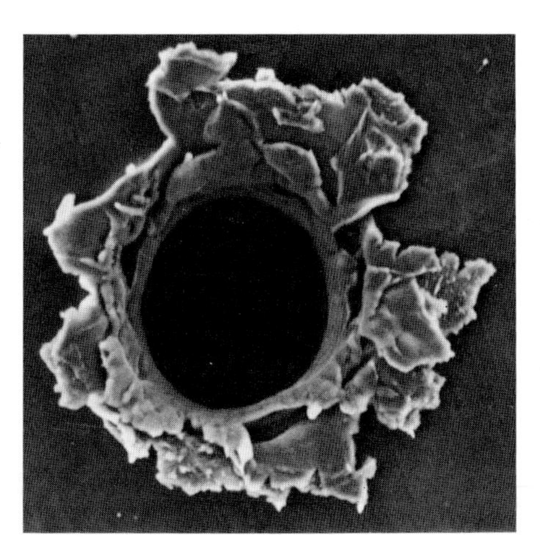

Unter dem Elektronenrastermikroskop wird der Einschlagkrater eines Mikrometeoriten in einer Aluminiumfolie sichtbar, die bei der STS-3-Mission an Bord war. Der Krater hat einen Durchmesser von 7,5 Mikrometern.

In einem biologischen Experiment wurde das Wachstum von Pinien-, Weizen- und Bohnensämlingen in der Schwerelosigkeit studiert und die Ergebnisse mit denen eines Referenzexperiments auf der Erde verglichen. Beim Wachsen von Pflanzen wird Lignin produziert, ein polymerer Stoff, der einer Pfllanze im Gravitationsfeld der Erde den nötigen Halt gibt. Ungefähr 30% der pflanzlichen Substanz besteht aus Lignin, das die Extraktion von Holzfasern und Zellulose für die Papierproduktion erschwert.

Auch ein britisches Experiment wurde während des STS-3-Fluges ausgeführt. Eine fünf Mikrometer dicke Aluminiumfolie, die auf einer Plastikunterlage aufgeklebt war, diente zum Nachweis von Mikrometeoriten. Diese besitzen nur eine Masse von ungefähr 10^{-7} Mikrogramm, bilden aber wegen ihrer hohen Einschlaggeschwindigkeit kleine Krater in der Aluminiumfolie. Je nach Masse und Geschwindigkeit wird die Folie sogar ganz durchschlagen. Die Folie untersuchte man nach Rückkehr zur Erde im Labor mikroskopisch, um die Mikrometeoritendichte im erdnahen Raum zu ermitteln. Mikrometeoriten verbrennen beim Eintritt in die Atmosphäre und können daher am Erdboden nicht nachgewiesen werden.

Ein weiteres Experiment hatte zum Ziel, die UV-Strahlung der Sonne zu messen. Es gelang, die Sonne für insgesamt 20 Stunden zur Zeit hoher Aktivität ('solar maximum') zu beobachten. Hohe Meßgenauigkeit des solaren Energieflusses im ultravioletten Bereich wurde durch Eichung während und insbesondere nach dem Flug erreicht. Es ist vorgesehen, dieses Gerät noch mehrmals auf Shuttle-Flügen einzusetzen, um die Änderungen des Energieflusses während des elfjährigen Zyklus der Sonnenaktivität mit hoher Präzision zu vermessen. In früheren Kapiteln haben wir bereits erwähnt, daß die UV-Strahlung der Sonne in der Stratosphäre absorbiert wird und zur Ozonproduktion führt. Die Dichte dieses atmosphärischen Ozons konnte während der STS-Mission ebenfalls bestimmt werden, und zwar durch Beobachtung des in der Atmosphäre gestreuten UV-Lichtes. Drei weitere Geräte der STS-3-Mission ermöglichten die Beobachtung von Sonneneruptionen und sollten dazu beitragen, unser Verständnis der bei diesen Phänomenen auftretenden plasmaphysikalischen Vorgänge zu vertiefen.

STS-3 hatte auch ein Experiment an Bord, das von einem Schüler erdacht worden war. Es ermittelte die Auswirkung der Schwerelosigkeit auf das Flugverhalten von Insekten mit verschiedenen Flügelformen. Schließlich wurden auf dem mid-deck mit Hilfe der Schwerelosigkeit ideal geformte Latexkugeln hergestellt, die in der medizinischen und industriellen Forschung Anwendung finden könnten.

Ergebnisse der Missionen STS-4 bis STS-8

Der STS-4-Flug war der letzte Testflug des Shuttle. Von den folgenden Flügen waren STS-6 und STS-8 von besonderer Bedeutung für Spacelab, weil in deren Rahmen das für die Datenübermittlung von Spacelab so wichtige TDRS-System erprobt wurde.

Die STS-4-Mission verlief praktisch reibungslos. Ein Satellit des US-Verteidigungsministeriums wurde auf die vorgesehene Umlaufbahn gebracht. Außerdem führte die Besatzung an Bord des Shuttle zum ersten Mal in kommerziellem Auftrag Experimente durch. Für die NASA und McDonnell Douglas wurde ein Continous-Flow-Elektrophorese-System untersucht. Dabei wurden biologische Zellen entsprechend den elektrischen Ladungen auf ihren Oberflächen getrennt. Die Separation wurde bis zur Landung durch Aufbewahrung der Zellen in einer Gefrierkammer konserviert. Solche Experimente könnten der Herstellung spezieller Medikamente im Weltraum den Weg ebnen.

STS-5 mit einer Nutzlast von 16 000 kg transportierte erstmals zwei kommerzielle Kommunikations-Satelliten in den Raum. Einer von ihnen, der SBS-3, wurde in 300 km Höhe in Umdrehung versetzt (50 Umdrehungen pro

Minute) und dann mittels eines Federmechanismus mit einer Geschwindigkeit von einem Meter pro Sekunde ins All katapultiert. Nach 45 Minuten hatte er sich weit genug vom Shuttle entfernt, so daß sein Hilfstriebwerk, das sog. Payload Assist Module (PAM), gezündet werden konnte. Diese Rakete brennt 83 Sekunden lang und bringt den Satelliten auf den Weg zur geostationären Umlaufbahn. 24 Stunden später wurde der kanadische Nachrichtensatellit Anik C-3 in gleicher Weise ausgesetzt. Wenige Tage darauf wurden beide Satelliten mit Hilfe ihres Apogäum-Motors in ihre endgültigen geostationären Bahnen manövriert. Bei der STS-5-Mission flogen zum ersten Mal, neben Kommandant und Pilot, zwei Wissenschaftler als Missionsspezialisten mit.

Bei diesem Flug sollten ursprünglich zwei Besatzungsmitglieder in speziellen Raumanzügen einen 'Weltraumspaziergang' (EVA) unternehmen. Dieses Vorhaben mußte jedoch abgesagt werden, da bei dem einen Anzug ein Ventilator versagte und sich beim zweiten eine Undichtigkeit herausstellte. Die Raumanzüge waren neu entwickelt worden, sie sind nicht mehr wie die früheren Apollo-Anzüge maßgeschneidert. Heute stehen drei Standardgrößen zur Vefügung, die sowohl von Männern wie auch von Frauen getragen werden können.

Schließlich hatte die STS-5-Mission wiederum einige Schülerexperimente an Bord, die im hinteren Teil des Cockpits ausgeführt wurden. Ferner waren spezielle Behälter (GAS: Get Away Specials) an Bord, in denen Experimente, hauptsächlich materialwissenschaftlicher Art, automatisch abliefen.

Die Raumfähre Challenger, die um ganze 1100 kg leichter als Columbia ist, kam zum ersten Mal im April 1983 zum Einsatz. Auch beim Außentank war es hier gelungen, Gewichtseinsparungen von 5000 kg zu erzielen, so daß es möglich wurde, noch größere Nutzlasten in den Weltraum zu tragen. Die Nutzlast der ersten mit Challenger durchgeführten Mission bestand aus drei GAS-Einheiten sowie dem ersten TDR-Satelliten. Dieser wurde in einer kreisförmigen Bahn von 28,5° Neigung in 285 km Höhe ausgesetzt. Aus dieser Bahn sollte der TDR-A-Satellit von einer besonders leistungsfähigen Hilfsrakete (IUS) in die geostationäre Bahn gehoben werden. Dieses Triebwerk arbeitete jedoch nicht einwandfrei, und es wurde nur eine elliptische Umlaufbahn mit Apogäum bei 35 400 km und Perigäum bei 21 900 km statt der kreisförmigen Umlaufbahn von 35 800 km erreicht. Es gelang der NASA jedoch, mit Hilfe der an Bord von TDRS-A befindlichen Hydrazintriebwerke, durch eine ganze Reihe von Beschleunigungsmanövern die vergesehene Bahn noch zu erreichen. Diese Manöver erforderten insgesamt 370 kg Hydrazin und liefen über mehrere Monate, bis schließlich am 29 Juni 1983 die geostationäre Umlaufbahn erreicht wurde. Die Übertragungssysteme des TDRS-A wurden mit Hilfe des Landsat-Satelliten und später im Verlauf der STS-8-Mission getestet, mit dem Ergebnis voller Funktionstüchtigkeit. Einmal in der erforderlichen Umlaufbahn, steuerte man den 100 Millionen US-Dollar teuren TDR-A-Satelliten zur vorgesehenen Position bei 41° westlicher Länge, die er Mitte Oktober 1983 erreichte. Wegen der aufgetretenen Schwierigkeiten wurde allerdings der Start von TDRS-B verschoben, d.h. nur ein TDR-Satellit stand für den ersten Spacelab-Flug zur Verfügung. Da ursprünglich mit zwei Satelliten gerechnet worden war, mußte das Flugprogramm der Spacelab-Mission in letzter Minute geändert werden.

Während des STS-6-Mission gelang es endlich zwei Besatzungsmitgliedern, einen dreieinhalb Stunden dauernden Weltraumspaziergang zu unternehmen. Dabei bewährten sich die neuen Raumanzüge vorzüglich. Schließlich wurde noch während der Wiedereintrittsphase das aerodynamische Flugverhalten des neu zum Einsatz gekommenen Challengers erprobt.

Die STS-7-Mission ist erwähnenswert, weil bei diesem Flug erstmals eine Frau im bemannten Weltraumprogramm der NASA zum Einsatz kam: die Amerikanerin Sally Ride. Die Hauptnutzlast dieses Flugs war ein in

Eintreffen Challengers im Kennedy Space Center zum Einsatz bei der sechsten Shuttle-Mission.

Zündung eines Lagetriebwerkes (RCS) während des STS-6-Fluges.

Nach Aussetzen des TDR-A-Satelliten inspizieren die Astronauten Story Musgrave (links) und Donald Peterson den Laderaum.

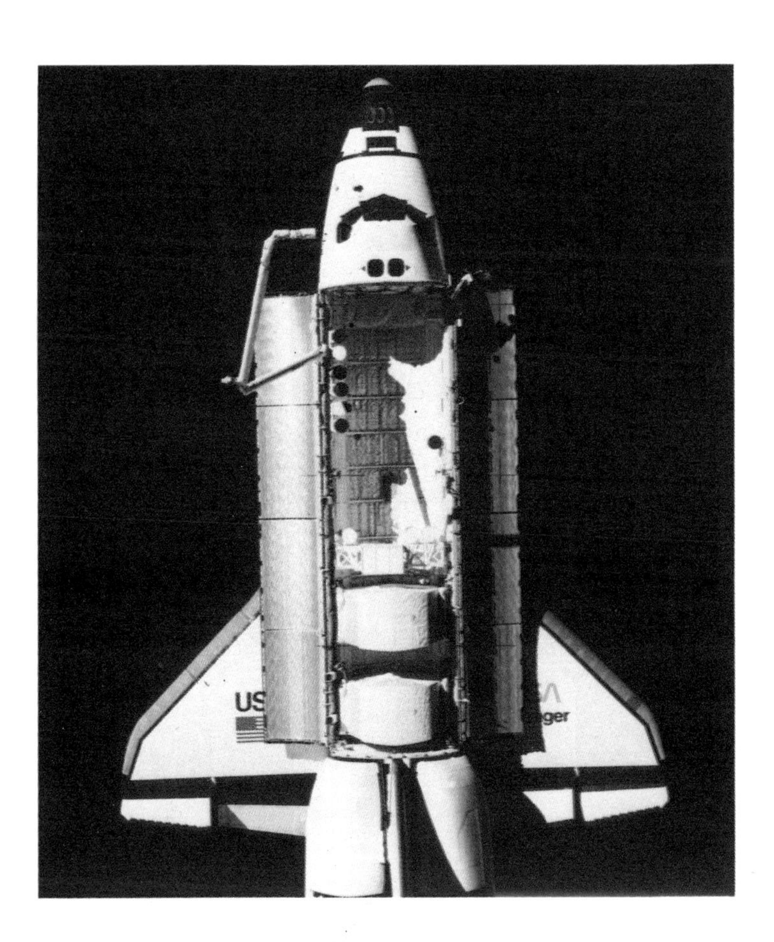

Ein einmaliges Bild des Shuttles Challenger, aufgenommen vom 300 Meter entfernten SPA-Satelliten.

Sally Ride, die erste Amerikanerin im Weltraum, spricht vom Cockpit aus mit dem Bodenkontrollzentrum. Sie gehörte zur Besatzung des STS-7-Fluges.

Das Arbeitspferd auf dem Weg zu wohlverdienter Ruhe nach fünf Tagen im Weltraum. Columbia wird von der Landebahn der Edwards Air Force Base geschleppt.

Deutschland gebauter Satellit namens SPAS (Shuttle Pallet Satellite), bei dem man eine Spacelab-Palette so weiterentwickelt hatte, daß sie vom Shuttle im Weltraum ausgesetzt werden konnte, um dort als Satellit zu dienen. Im Zuge dieses Projekts sollte Challenger die Fähigkeit des Shuttle zu Rendezvous-Operationen demonstrieren. Am fünften Tag im All setzt Sally Ride den SPA-Satelliten mit Hilfe des Greifarms aus. SPAS entfernte sich daraufhin bis zu 300 m von der Raumfähre. Der Satellit hatte eine Reihe von Instrumenten an Bord, u.a. eine Kamera, die die ersten Bilder der im Weltraum fliegenden Raumfähre lieferte. Nach einem Formationsflug von einigen Stunden wurde SPAS mit Hilfe des Greifarms wieder eingefangen und an Bord gehievt. Dieses Experiment wiederholte man im weiteren Verlauf der Mission, wobei Challenger so manövriert wurde, daß sich das Shuttle aus allen möglichen Perspektiven fotografieren ließ.

Bei der anschließenden STS-8-Mission hätte eigentlich der TDR-B-Satellit in den Raum befördert werden sollen. Dessen Start mußte jedoch wegen der beim STS-6-Flug aufgetretenen Schwiergkeiten zunächst verschoben werden. So stellte ein indischer Nachrichtensatellit, INSAT-1B, das einzige Nutzlastelement dieser Mission dar. Er wurde am zweiten Tag in einer Höhe von 278 km ausgesetzt und dann mit Hilfe eines PAM-Triebwerks auf den Weg in die geostationäre Umlaufbahn gebracht. Weiterhin probierte man während dieser Mission spezielle Wärmeableiter (heat pipes) in der Schwerelosigkeit aus. Die Nutzlast umfaßte ferner 12 GAS-Behälter, von denen acht Briefe enthielten, die mit Ersttagsstempel versehen waren und nach Rückkehr zur Erde eine Rarität für Briefmarkensammler darstellten. Die Schneebildung, Kontamination, Belichtungsempfindlichkeiten für UV-Filme und der Einfluß hochenergetischer, geladener Teilchen auf elektronische Datenspeicherbauelemente wurden in den übrigen vier Kanistern untersucht. Schließlich kam das von McDonnell Douglas entwickelte Elektrophoresesystem erneut zum Einsatz, diesmal um die Insulin produzierenden Zellen von anderen Zellen in der speziell präparierten Bauchspeicheldrüse eines Hundes zu trennen. Dieser Versuch könnte zu einer Methode führen, Zellen zu gewinnen, die dann in die Bauchspeicheldrüsen von Zuckerkranken transplantiert werden.

Start und Landung der STS-8-Mission erfolgten bei Nacht. Die Möglichkeit von Nachtlandungen in Florida ist von Vorteil, weil die Wetterbedingungen in diesem Teil der Erde nachts günstiger sind als am Tag. Während des STS-8-Fluges wurde auch noch ein abschließender Test der Tauglichkeit des TDR-A-Satelliten für Spacelab durchgeführt, wobei zum ersten Mal die Q-Band-Antenne im Laderaum zum Einsatz kam. Mit dieser Antenne wurden – via TDRS-A – Daten zur Bodenstation übertragen. Das S-Band-System überprüfte man ebenfalls. Die Tests verliefen befriedigend, und im Herbst 1983 waren alle Weichen für einen erfolgreichen STS-9-Flug mit Spacelab an Bord gestellt.

Der eindrucksvolle Start zur STS-8-Mission war der erste Nachtstart eines Shuttle.

Astronomie

WISSENSCHAFT UND TECHNIK IM SPACELAB

'Weil jedes Wissen und Erstauntsein (der Keim des Wissens) an sich bereits einen Eindruck von Freude vermittelt.'
Francis Bacon

Das Ziel der Astronomie ist die Erforschung des Universums. Das geschieht durch Analysieren der elektromagnetischen Strahlen, die von Himmelskörpern bei verschiedenen Wellenlängen ausgesandt werden. Dabei ist der gesamte Wellenlängenbereich nur vom Weltraum aus zugänglich. Beobachtungen vom Erdboden aus können wegen der Absorptionseigenschaften der Atmosphäre nur im sichtbaren und Radiowellenbereich durchgeführt werden.

Die meisten Sterne haben große Ähnlichkeit mit der Sonne, die ja ebenfalls ein Stern mit einem Durchmesser von 7×10^5 km ist. Im Vergleich mit der Sonne erscheinen uns alle Sterne nur als Lichtpunkte am Himmel, bedingt durch ihre große Entfernung von der Erde. Der erdnächste Stern ist Proxima Centauri. Sein Abstand von der Erde beträgt 4,2 Lichtjahre (ein Lichtjahr ist die Entfernung, die das Licht in einem Jahr zurücklegt, das sind $9{,}5 \times 10^{12}$ km.)

Normalerweise sind Sterne in Galaxien, die bis zu 100 000 Millionen (10^{11}) Sterne enthalten, konzentriert. Die Form einer Galaxis ähnelt der eines Diskus und ist häufig wie eine Spirale aufgebaut. Galaxien haben einen Durchmesser von ungefähr 100 000 Lichtjahren. In den Räumen zwischen den Sternen befinden sich, in kleinsten Konzentrationen, Staub und Gas (hauptsächlich Wasserstoff), aus denen sich von Zeit zu Zeit, wenn eine gewisse Dichte erreicht ist, neue Sterne bilden. Interstellare Gaswolken sind manchmal sichtbar, wenn sie von nahegelegenen, hellen Sternen beleuchtet werden.

Sterne im Orion-Nebel beleuchten Wolken interstellaren Wasserstoffs und verursachen so die Rotfärbung. Der bekannte Pferdekopf-Nebel, Teil einer großen Staubwolke, absorbiert die Strahlung und erscheint deshalb dunkel.

Diese Galaxie in Ursa Major (M 101) ist eine typische Spiralgalaxie. Sie besteht aus mehreren Milliarden Sternen und ist 14 Millionen Lichtjahren von der Erde entfernt.

Das große Weltraumteleskop, wie es beim Betrieb in der Umlaufbahn aussehen wird. Die stromerzeugenden Solarpaneele sind entfaltet, und eine Richtstrahlantenne überträgt die astronomischen Daten zur Erde. Mit diesem Gerät werden die Astronomen bis an die Grenzen des Universums sehen können.

Mit den besten Teleskopen lassen sich vom Boden ungefähr 10^{10} Galaxien wahrnehmen, von denen die entferntesten in einem Abstand von etwa 10^{10} Lichtjahren (10^{23} km) liegen. Unsere eigene Galaxie, die auch die Sonne als einen Stern enthält, heißt Milchstrasse. Alle Galaxien bewegen sich mit großer Geschwindigkeit voneinander weg. Deshalb tritt eine Verschiebung in der Frequenz des Lichtes auf, das von entfernten Galaxien zu uns gelangt. Dieser sogenannte Doppler-Effekt ist z.B. auch die Ursache dafür, daß der Pfeifton eines herannahenden Zugs für einen Beobachter eine höhere Frequenz hat als der eines sich entfernenden Zugs. Bei astronomischen Beobachtungen tritt aufgrund des Doppler-Effektes eine sogenannte Rotverschiebung (Verschiebung zu größeren Wellenlängen) auf. Sie ist um so größer, je weiter das Objekt, das das gemessene Licht emittiert, entfernt ist. Im Jahre 1986 soll ein großes Weltraumteleskop mit Hilfe des Shuttle in den Weltraum befördert werden. Mit diesem 'Weltraumobservatorium' werden dann noch weiter entfernte Galaxien im ultravioletten bis hin zum infraroten Wellenbereich wahrnehmbar sein. Man erwartet, daß diese weitentfernten Galaxien besonders energiereich sind und sich mit einer Geschwindigkeit von uns wegbewegen, die der Lichtgeschwindigkeit nahekommt. Sie entstanden fast gleichzeitig mit dem Urknall, der den zeitlichen Anfang des Universums markiert, und der der Grund für die ständige Ausdehnung des Alls ist.

Ein neuer Stern bildet sich aus interstellarer Materie durch die gegenseitige Massenanziehung der Staub- und Gaspartikel. Wenn die Gasansammlung hinreichend dicht und die Komprimierung ausreichend groß ist, kommt es im Inneren dieser Ansammlung zur Kernfusion. Wasserstoff wird zu Helium verschmolzen, wobei die für die Strahlung des Sterns erforderliche Energie erzeugt wird.

Die weitere Sternentwicklung ist für alle Sterne ähnlich. Die thermonukleare Reaktion im Inneren schreitet weiter und weiter fort, und die Sterne erlöschen, wenn der Kernbrennstoff aufgebraucht ist. Was dann passiert, hängt von der Masse des Sterns ab. Wenn diese nicht allzu groß ist (nicht größer als die Masse der Sonne), wird aus dem Stern ein weißer Zwerg, dessen Radius ungefähr so groß wie der Erdradius ist. Dabei erkaltet der Stern, emittiert schließlich keine weitere Strahlung mehr und ist damit zu

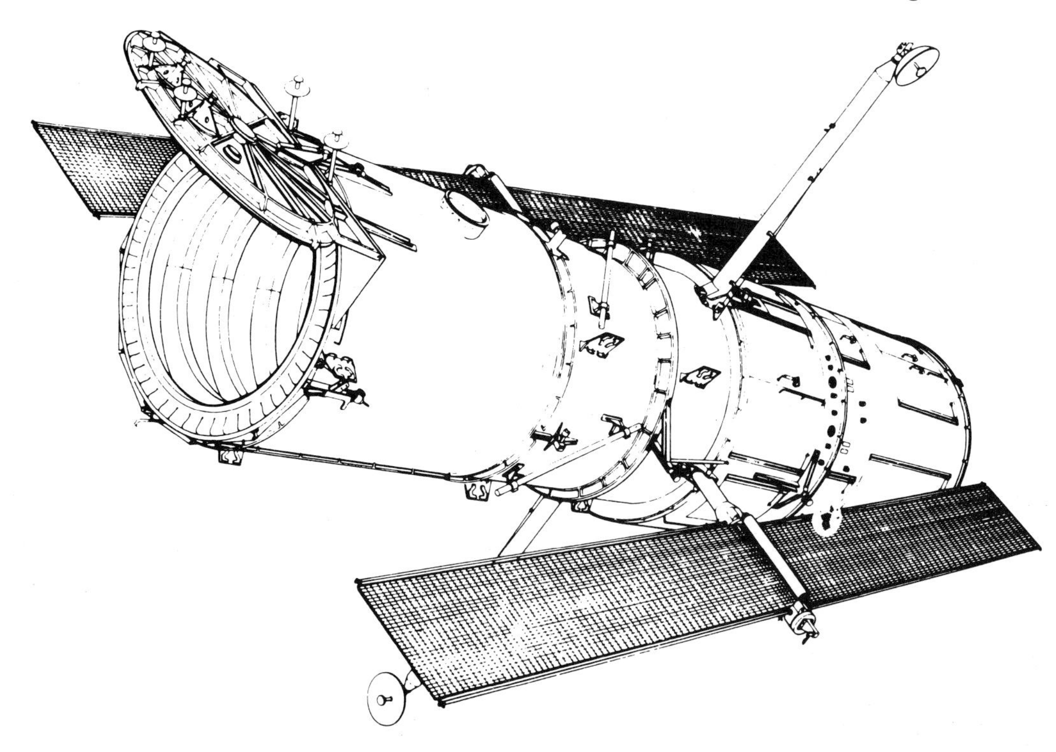

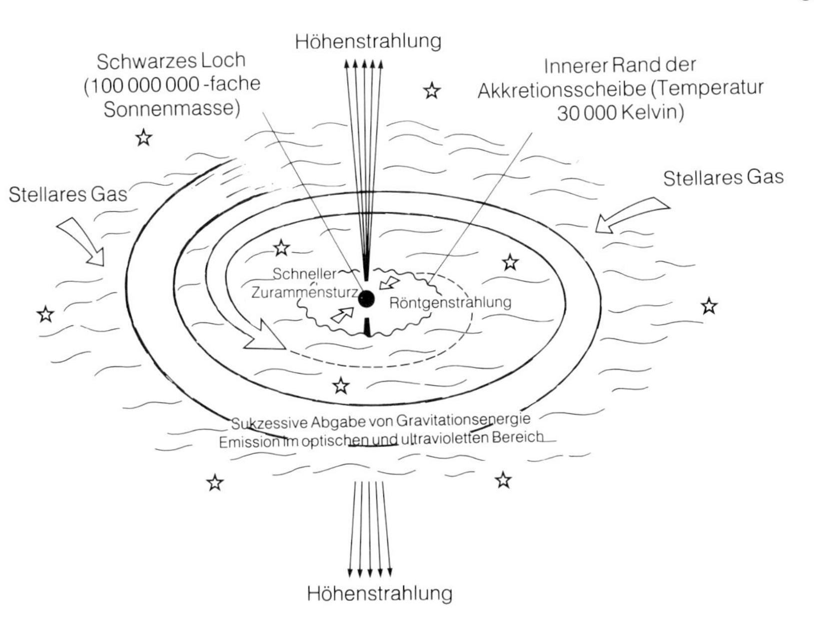

Schematische Abbildung eines Schwarzen Loches im Zentrum einer Galaxie. Materie wird in spiralförmigen Bahnen nach innen gezogen. Hier entstehen Röntgen- und kosmische Strahlung.

einen unbedeutenden kleinen Himmelskörper geworden. Falls jedoch die Masse des sterbenden Sterns etwas größer als die der Sonne ist, kommt es zu einer gewaltigen Explosion, zu einer Supernova. In ihrem Zentrum bildet sich ein Neutronenstern von nur wenigen Kilometern Durchmesser. Wenn dieser Neutronenstern weiter kontrahiert, kann sogar ein Schwarzes Loch entstehen. Die Massenkonzentration und daher auch die von einem Schwarzen Loch ausgeübte Schwerkraft ist so hoch, daß weder Masse noch Strahlung aus ihm entweichen können. Es ist daher unmöglich, ein Schwarzes Loch direkt zu beobachten. Seine Existenz kann nur aufgrund indirekter Effekte, wie die auf einen nahegelegenen Stern ausgeübte Anziehungskraft, nachgewiesen werden. Aufgrund seiner enormen Anziehungskraft fängt ein Schwarzes Loch jede in seinen Einflußbereich gelangende Masse ein. Bei diesem Einfangprozeß wird Röntgenstrahlung freigesetzt, so daß deren Auftreten ein weiteres Indiz für die Existenz eines Schwarzen Loches ist.

Im Jahre 1054 entstand bei einer gewaltigen Supernova der Krebsnebel. In seinem Zentrum befindet sich ein Neutronenstern, der mit hoher Geschwindigkeit (30 mal pro Sekunde) rotiert. Einen solchen Neutronenstern bezeichnet man als Pulsar. Der Krebsnebel liegt in einer Entfernung von 6000 Lichtjahren. Er befindet sich immer noch im Stadium der Expansion und hat inzwischen einen Durchmesser von fünf Lichtjahren. In seinem hohen Magnetfeld bewegen sich äußerst energiereiche, elektrisch geladene Partikel, die zu ungewöhnlichen Strahlungsemissionen im Radiobereich und in den Bereichen des sichtbaren Lichts und der Röntgenstrahlen führen.

Die energiereichste elektromagnetische Strahlung, die im Universum auftritt, ist die Gammastrahlung, die durch Wechselwirkung zwischen der kosmischen Strahlung (Elektronen und Protonen mit Energien bis zu 10^9 eV) und dem interstellaren Gas in einer Galaxie erzeugt wird. Nur einige wenige Quellen dieser Strahlung hat man bisher identifizieren können.

All diese Strahlungserscheinungen lassen sich am besten außerhalb der Erdatmosphäre beobachten. Bei einem Spacelab-Flug werden die erforderlichen Instrumente entweder auf der Palette oder außerhalb der Luftschleuse angeordnet. Von hier aus können Teleskope und empfindliche Kameras in allen Wellenbereichen elektromagnetische Strahlung, die von den vielen Objekten des Weltalls ausgeht, empfangen. Hierzu zählen einzelne Sterne in den verschiedenen Stadien ihrer Entwicklung, sowie ganze Galaxien. Schwere Teleskope hoher optischer Auflösung, die sich der modernsten Technologie bedienen, können vom Shuttle in den Weltraum transportiert werden, wo sie die Astronomen in die Lage versetzen, die Grenzen unseres Universums zu beobachten.

Sonnenphysik

Die Sonne ist ein ganz gewöhnlicher Stern. Sie hat einen Durchmesser von $1{,}4 \times 10^6$ km, was dem 109-fachen des Erddurchmessers entspricht. Im Zentrum der Sonne befindet sich Wasserstoff bei einer Temperatur von über 10 Millionen Kelvin. 5×10^9 kg Wasserstoff wird pro Sekunde zu Helium verschmolzen. Diese sogenannte Wasserstoffbrennphase findet in einem mittleren Stadium der Sternentwicklung statt. Die Masse der Sonne ist so groß, daß sie noch Brennstoff für weitere 4×10^9 Jahre besitzt. Die bei der Kernverschmelzung freiwerdende Energie wird von der Photosphäre abgestrahlt, die die Oberfläche der Gaskugel – Sonne genannt – bildet. Die Temperatur in der Photosphäre beträgt nur 6000 Kelvin, so daß die meiste Energie im sichtbaren Wellenlängenbereich abgestrahlt wird. Oberhalb der Photosphäre liegt die Chromosphäre, eine Schicht von 4000 km Dicke, in der man mit Hilfe von Spektralmessungen Helium nachgewiesen hat. Oberhalb der Chromosphäre nimmt die Gasdichte stark ab und die Temperatur zu. In dieser sogenannten Sonnenkorona herrscht eine Temperatur von über einer Millionen Grad. Intensive Röntgenstrahlung wird aus diesem Bereich emittiert.

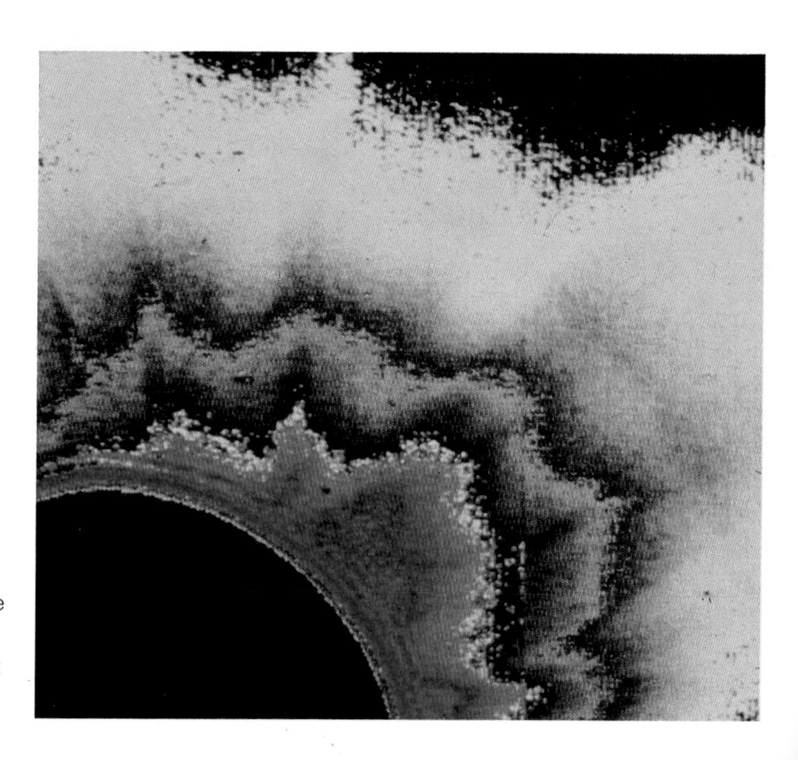

Mit Hilfe eines Koronographen gelang es vom Solar-Maximum-Satelliten aus, diese künstliche Sonnenfinsternis herzustellen und so die Helligkeitsverteilung in der Korona der Sonne zu beobachten. Die unterschiedliche Helligkeit ist ein Maß für die Dichte und ist hier mittels verschiedener Farben wiedergegeben.

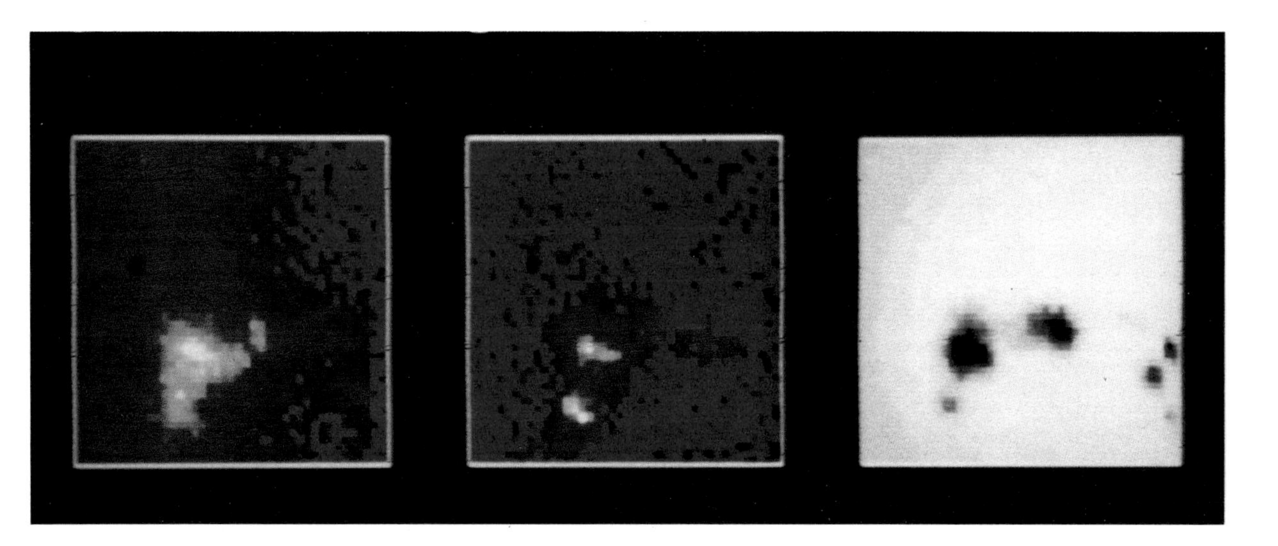

Nach seiner Reparatur gelang es mit dem Solar-Maximum-Satelliten, diese spektakuläre und energiereiche Sonneneruption am 25. April 1984 im Bild festzuhalten. Das linke und das mittlere Bild zeigen die Eruption im Röntgenbereich, das rechte zeigt die. Sonnenflecken direkt, im sichtbaren Wellenbereich. Jedes Bild ist ein Ausschnitt von 7×7 Bogensekunden auf der Sonnenscheibe.

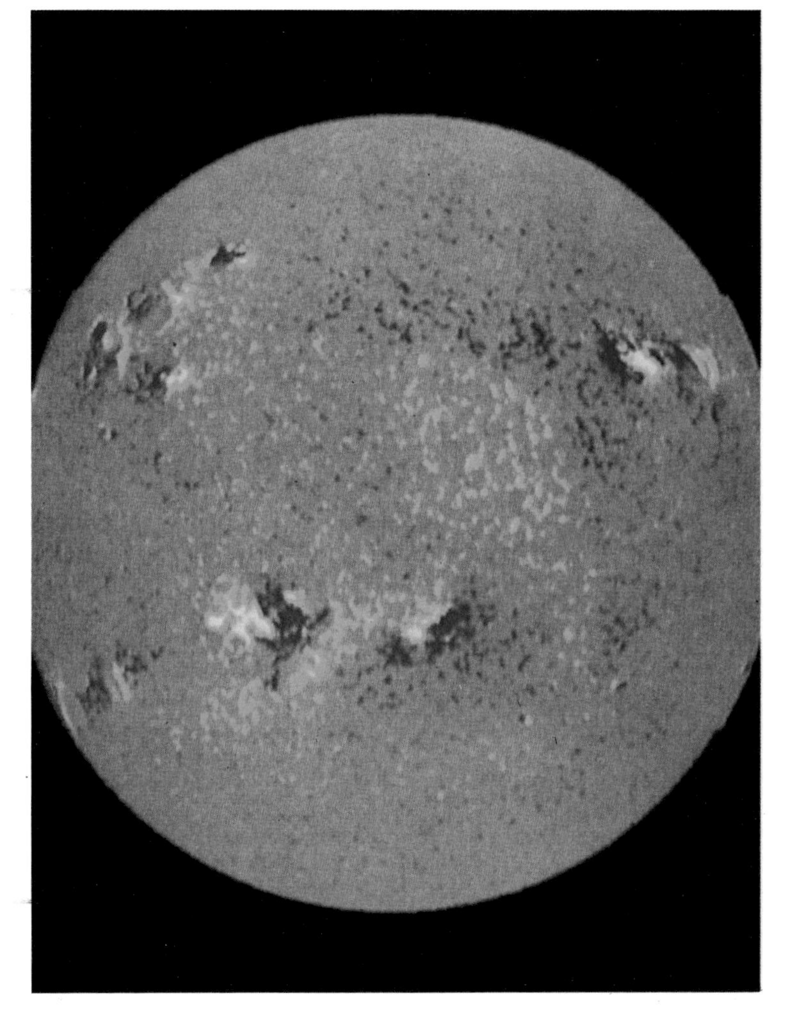

Benachbarte Sonnenflecken haben entgegengesetzte magnetische Polarität (hier durch blaue und gelbe Farben angezeigt). Sie sind durch magnetische Feldlinien miteinander verbunden. In der nördlichen Hemisphäre ist die Polarität des größten – des 'führenden' – Sonnenflecks entgegengesetzt zu der des führenden Flecks in der südlichen Hemisphäre. Das liegt letzlich daran, daß die Sonne am Äquator schneller rotiert als an den Polen. Die Polarität eines führenden Flecks kehrt sich alle elf Jahre um.

Die magnetischen Feldlinien durch die Korona sind an den Helligkeitsunterschieden während einer Sonnenfinsternis erkennbar.

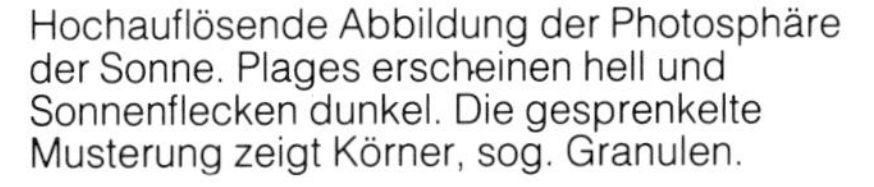

Hochauflösende Abbildung der Photosphäre der Sonne. Plages erscheinen hell und Sonnenflecken dunkel. Die gesprenkelte Musterung zeigt Körner, sog. Granulen.

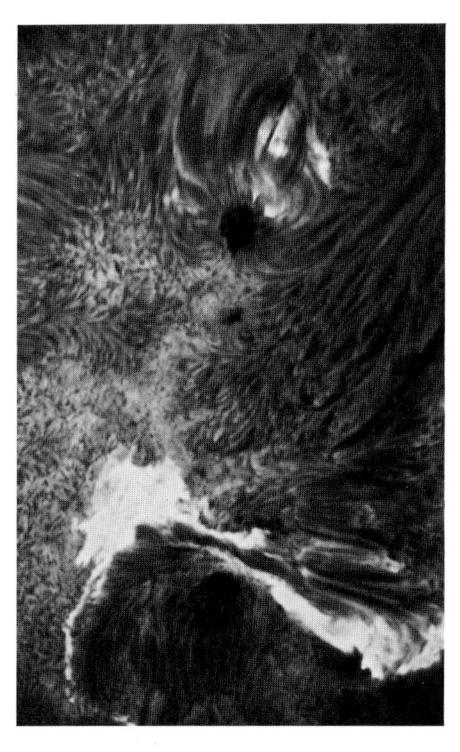

Da die Sonne – im Vergleich zu den anderen Sternen – in fast unmittelbarer Nähe der Erde liegt, kann sie in allen Einzelheiten untersucht werden, ja sogar als astrophysikalisches Labor des Menschen angesehen werden. Gute Teleskope sind in der Lage, Strukturen von nur 1000 km Durchmesser in der Photosphäre zu erkennen. Hierzu ist eine optische Auflösung von einer Bogensekunde erforderlich. Mit einem solchen Teleskop läßt sich zum Beispiel ein zwei Zentimeter großes Objekt in einer Entfernung von zwei km noch klar ausmachen. Auf der Sonnenoberfläche treten über einen Abstand von 1000 km starke Helligkeitsvariationen auf, körnige Strukturen, die als Granulationen bezeichnet werden. In der Mitte einer solchen Granule steigt heißes Gas aus dem Inneren der Sonne auf und fällt an ihren Seiten wieder auf die Oberfläche zurück. Jede Granule ist demnach eine Konvektionszelle und kann in dieser Beziehung mit einer Kumuluswolke in der Troposphäre der Erde verglichen werden.

Unterhalb der Photosphäre treten hohe elektrische Ströme auf und erzeugen nach dem Dynamoprinzip starke magnetische Felder. Aus dem Inneren der Sonne entweichendes Plasma verzerrt diese Felder in solchem Maße, daß sie stellenweise bis an die Oberfläche der Photosphäre reichen. Bereiche, in denen die Magnetfelder durch Kompression stark anwachsen, bezeichnet man als magnetisch aktive Regionen. In ihnen können sehr hohe Temperaturen auftreten. Ist das der Fall, werden sie wegen der dann auftretenden großen Helligkeit Plages (französisches Wort für Sandstrand) genannt. Regionen, die durch Dekompression stark abgekühlt werden, erscheinen als dunkle Sonnenflecken auf der Oberfläche der Sonnenscheibe. Dabei werden bogenförmige Magnetfelder erzeugt, die bis in die Korona reichen und benachbarte Sonnenflecken entgegengesetzter magnetischer Polarität miteinander verbinden. Es kommt vor, daß die bogenförmig gespannten Magnetfeldlinien aufreißen, und riesige Wolken heißen Plasmas explosionsartig durch die Korona in den interplanetaren Raum entweichen können.

Durch sorgfältige Beobachtung der Sonnenflecken entdeckte Galileo Galilei, daß die Sonne rotiert. Die Rotationsperiode beträgt in niedrigen Breiten (am Äquator) 27 Tage und in höheren Breiten 30 Tage. Die Sonne verhält sich also nicht wie ein fester Körper. Die auftretenden Rotationsunterschiede rufen relativ starke Verdrehungen und Verbiegungen der Magnetfelder hervor . Man glaubt, daß solche Prozesse den elfjährigen Zyklus der Sonnenaktivität erklären. Auch die Zahl der Sonenflecken steigt an und fällt mit einer Periodizität von 11 Jahren – eine Erscheinung, die trotz vieler Beobachtungen noch nicht ganz verstanden wird. Zur Zeit der Sonnenfleckenmaxima (die letzten traten in den Jahren 1958, 1969 und 1980 auf) sind die Sonnenflecken besonders häufig in niedrigen Breiten. Einige Jahre nach dem Maximum erscheinen die Flecken mehr in mittleren Breiten und wandern innerhalb von weiteren drei Jahren zum Äquator zurück. In einem Diagramm, in dem das Auftreten von Sonnenflecken in Abhängigkeit von der Zeit aufgetragen ist, ergibt sich ein charakteristisches, schmetterlingsförmiges Bild.

Die im Magnetfeld der Sonne gespeicherte Energie wandelt sich bei einer Sonneneruption schlagartig in andere Energieformen um. Innerhalb von nur einer Minute kann sich dabei die von einem Sonnenflecken ausgehende Röntgenstrahlung um das Hundertfache, die UV-Strahlung um das Zehnfache vermehren. Bei dieser explosionsartigen Entwicklung werden Elektronen und Protonen bis zu Energien von einer Million eV beschleunigt. Durch die Wechselwirkung der hochenergetischen Elektronen mit dem Gas der Photosphäre an den Endpunkten der magnetischen Bögen entstehen extrem hohe Flüsse von Röntgenstrahlen, die etwa eine Stunde lang anhalten. Die Bewegung der Elektronen im Magnetfeld erzeugt Synchrotronstrahlung, die im Wellenbereich von Radiowellen emittiert wird.

1980 durchgeführte Messungen mit Instrumenten an Bord des Solar-Maximum-Satelliten zeigten überraschenderweise, daß bei der Entstehung und Entwicklung ausgedehnter Sonnenflecken die von der Gesamtoberfläche ausgehende Sonnenstrahlung um etwa ein Prozent abnahm. Diese Gesamtstrahlung, die Solarkonstante genannt wird, ist also streng genom-

Registrierung des Auftretens von Sonnenflecken auf der Sonnenscheibe in Abhängigkeit von der heliographischen Breite während der letzten 100 Jahre (oben). Der Anteil der Sonnenoberfläche, der von Sonnenflecken bedeckt ist, an der gesamten sichtbaren Oberfläche ändert sich während eines 11-Jahreszyklus um 0,4% (unten).

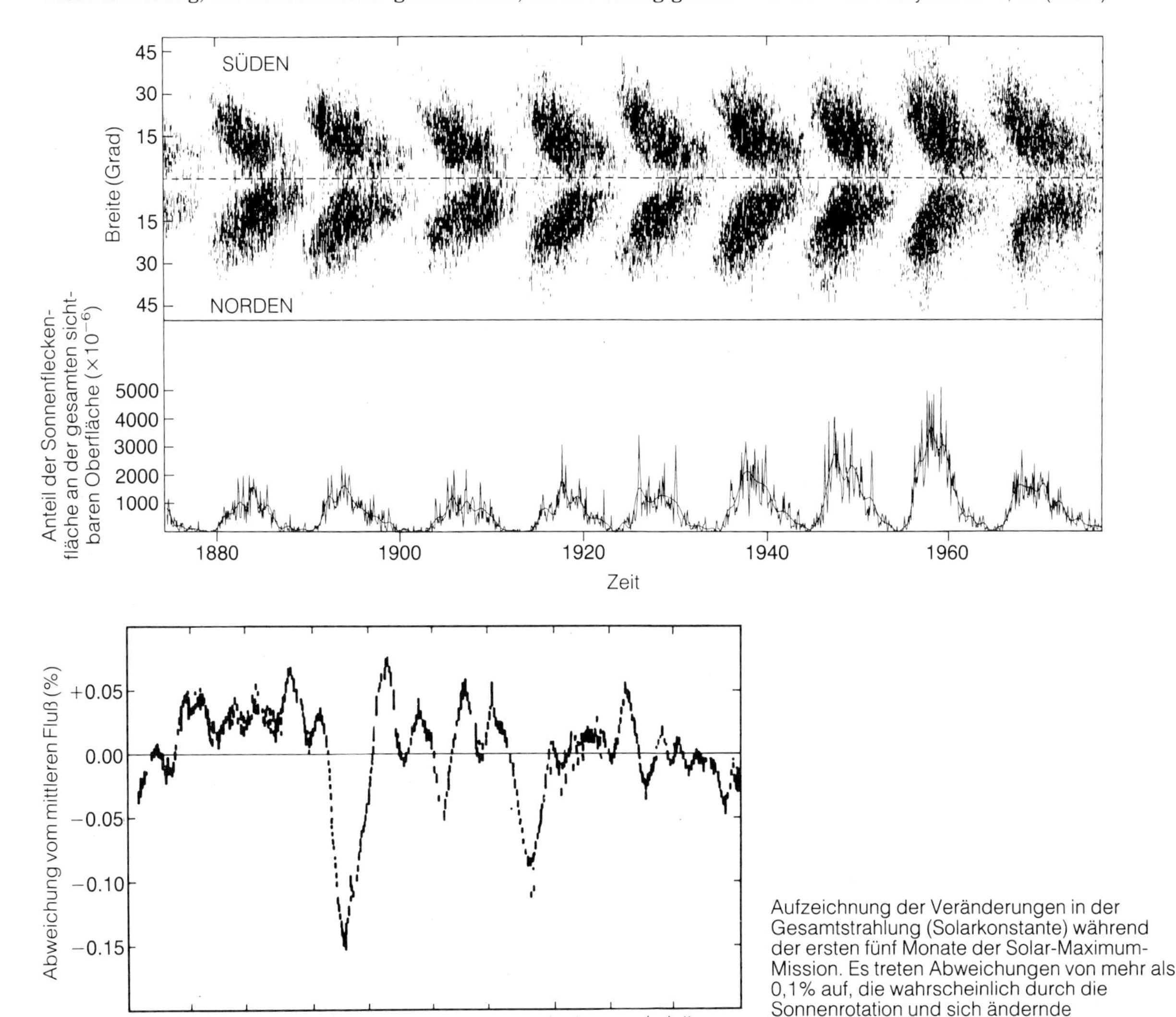

Aufzeichnung der Veränderungen in der Gesamtstrahlung (Solarkonstante) während der ersten fünf Monate der Solar-Maximum-Mission. Es treten Abweichungen von mehr als 0,1% auf, die wahrscheinlich durch die Sonnenrotation und sich ändernde Sonnenflecken verursacht werden.

men kleineren Schwankungen unterworfen. Sie bringt im Mittel ungefähr 1,38 Kilowatt pro m^2 an Energie in die Erdatmosphäre ein, und es wird allgemein angenommen, daß die kleinen Schwankungen dieses Wertes einen Einfluß auf das Wetter haben. Änderungen der Solarkonstante über längere Zeiträume, wie Jahrhunderte oder Jahrtausende, haben wahrscheinlich die großen klimatischen Veränderungen auf der Erde verursacht. Bisher liegen allerdings noch keine Langzeitbeobachtungen der Solarkonstante vor. Es gibt Anzeichen dafür, daß die UV-Strahlung der Sonne im Laufe etwa eines Monats (Rotationsperiode der Sonne) um Bruchteile eines Prozentes schwankt. Es ist nicht auszuschließen, daß das die Ursache für die zeitlichen Schwankungen des stratosphärischen Ozongehaltes ist.

Vom Shuttle bzw. Spacelab aus können neuentwickelte Instrumente die von der Sonne ausgehende Strahlung – die Quelle alles Lebens auf der Erde – mit hoher Präzision messen. Die Ergebnisse sind nicht nur für die Astrophysiker, sondern für alle Bewohner unseres Planeten von großer Bedeutung. Der Vorteil des Shuttle gegenüber Satelliten liegt darin, daß wiederholte Messungen auch zu verschiedenen Zeiten, also zu verschiedenen Phasen des Sonnenzyklus durchgeführt werden können, wobei die Instrumente zwischen den einzelnen Flügen neu zu eichen sind.

Der erdnahe Weltraum

Der erdnahe Weltraum wird in hohem Maße von der Sonne beeinflußt. Das Gas der Sonnenkorona entfernt sich mit großer Geschwindigkeit von der Sonne. Bei einer Geschwindigkeit von etwa 400 km pro Sekunde benötigt dieses Plasma, das auch Sonnenwind genannt wird, etwa vier Tage, um in die Nähe der Erde zu gelangen, wo es noch eine Dichte von fünf Millionen Elektronen und Protonen pro m^3 hat. Nach einer Sonneneruption wird Plasma mit noch höherer Geschwindigkeit in den Weltraum geschleudert. Dieses Plasma komprimiert das des Sonnenwindes, wobei eine Schockwelle erzeugt wird, die sich mit Geschwindigkeiten bis zu 800 km pro Sekunde im interplanetaren Raum ausbreitet. Der Sonnenwind bewegt sich radial von der Sonne weg und zieht das Magnetfeld der Sonne mit. Dabei bleibt das eine Ende jeder Magnetfeldlinie in der Photosphäre, das andere wird ins Weltall hinausgezogen. Die Sonnenrotation bewirkt, daß die Feldlinien in größerer Entfernung von der Sonne spiralförmig sind.

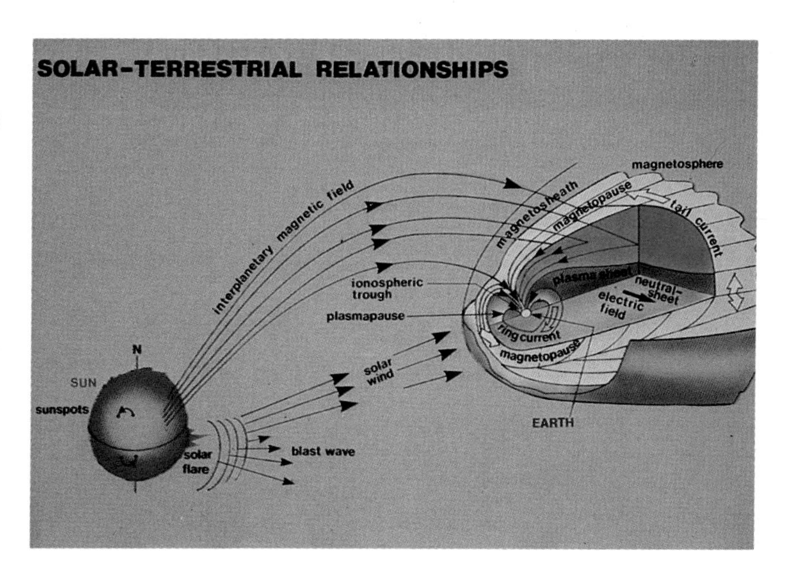

Dieses Diagramm veranschaulicht die Wechselwirkung zwischen dem Sonnenwind und dem Magnetfeld der Erde (Solar-Terrestial Relationships). Durch Kompression entsteht die Magnetosphäre, deren äußere Grenze Magnetopause heißt (gelb im Diagramm). Um diese herum bildet sich die Bugwelle aus (braun). Einzelne Zonen innerhalb der Magnetosphäre sind ebenfalls eingezeichnet. Das Diagramm beruht auf Satellitenbeobachtungen. (blast wave: Stoßwelle, Earth: Erde, electric field: elektrisches Feld, interplanetary magnetic field: interplanetares Magnetfeld, ionospheric trough: Ionosphärentrog, magnetopause: Magnetopause, magnetosphere: Magnetosphäre, magnetosheath: Magnetosphärenhülle, neutral-sheet: Neutralbereich, plasmapause: Plasmapause, plasma sheet: Plasmaschatten, ring current: Ringstrom, solar flare: Protuberanz, solar wind: Sonnenwind, Sun: Sonne, sunspots: Sonnenflecken, tail current: Schweifstrom).

Auch die Erde besitzt ein magnetisches Feld, das durch Dynamomechanismen im Inneren der Erde erzeugt wird. Die Konfiguration des Erdmagnetfeldes ist die eines sehr starken Stabmagnetes, der sich nahe des Ermittelpunkts befindet. Er bildet einen Winkel von 11° mit der Rotationsachse der Erde. An der Erdoberfläche beträgt das Erdmagnetfeld ungefähr 5×10^{-5} Tesla. Die Feldstärke nimmt mit dem Abstand von der Erde ab, und zwar umgekehrt proportional zur dritten Potenz des Erdabstandes (R^{-3}). In einer Entfernung von zehn Erdradien in Richtung zur Sonne ist sie auf 20×10^{-9} Tesla abgefallen, d.h. auf einen Wert, der etwa viermal so groß ist wie der des interplanetaren Magnetfeldes. An dieser Stelle befindet sich eine Grenzfläche, die Magnetopause genannt wird.

Diese Aufnahme, von einem Satelliten aus großer Höhe gemacht, zeigt, daß das Oval des Nordlichts am hellsten und breitesten auf der Nachtseite ist. Links oben ist die sonnenbeschienene Atmosphäre zu sehen. Die Konturen der Erdoberfläche hat ein Computer hinzugefügt.

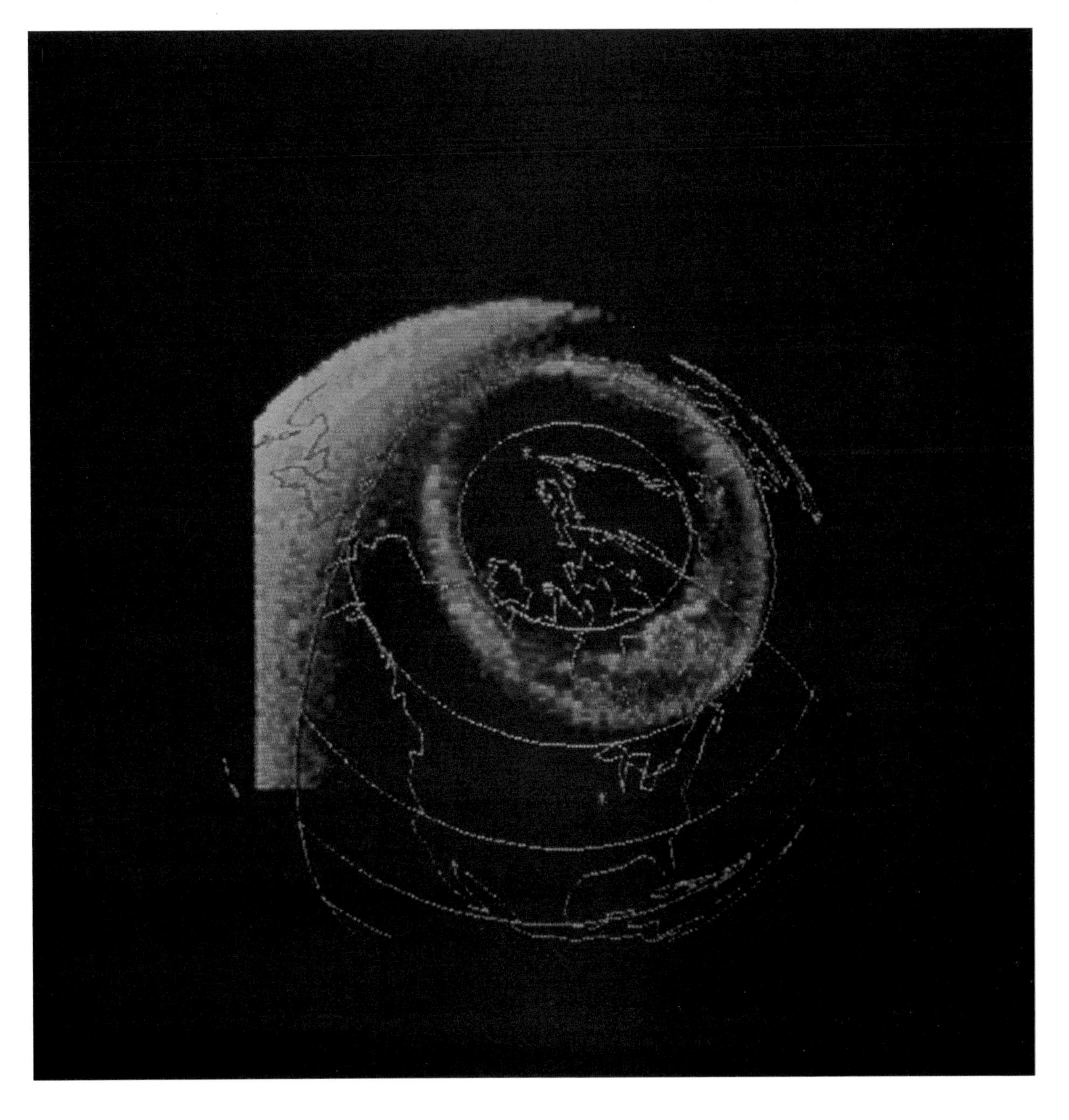

Das Magnetfeld der Erde ist hier gerade noch stark genug, um den anstürmenden Sonnenwind aufzuhalten und abzulenken. Die sich bildende magnetische Kavitation stellt ein Strömungshindernis für den Sonnenwind dar und heißt Magnetosphäre. Da der Sonnenwind an der Stirnfläche der Magnetosphäre mit Überschallgeschwindigkeit auftrifft, bildet sich hier eine Schockfront aus, vergleichbar den Verhältnissen, wie sie in einem Überschallwindkanal und bei der mit Überschallgeschwindigkeit fliegenden Concorde auftreten.

Durch den vorbeiströmenden Sonnenwind wird das magnetische Dipolfeld stark deformiert und auf der Nachtseite der Erde weit auseinandergezogen. Es gleicht dem Schweif eines Kometen und reicht bis zur Mondumlaufbahn, die 60 Erdradien von uns entfernt ist. Ein Teil des vom Sonnenwind mitgeführten Plasmas kann durch die Magnetopause in die Magnetosphäre eindringen und vermischt sich dort mit Plasma, das aus der polnahen Ionosphäre stammt. Im Zentrum des Schweifes der Magnetosphäre spielen sich komplizierte plasmaphysikalische Vorgänge ab, bei denen Elektronen und Ionen auf einige 1000 eV beschleunigt werden. Wenn diese auf die Erdatmosphäre treffen, kommt es in 100 km Höhe zu einer Erscheinung, die auf der Nordhalbkugel Aurora borealis (Nordlicht) genannt wird. Solche Leuchterscheinungen treten fast ausschließlich zwischen 65° und 70° geographischer Breite auf. Sie können bei klarem Himmel fast jeden Tag von Nordskandinavien, Alaska, aber auch von der Antarktis aus wahrgenommen werden. Sie sind äußerst eindrucksvoll, ihre Konturen bewegen sich mit hoher Geschwindigkeit am Himmel, und ihre Färbung hängt davon ab, mit welchen atmosphärischen Gasatomen die magnetosphärischen Elektronen zusammenstoßen.

Wenn die Intensität des solaren Windes stark zunimmt, kann dadurch ein geomagnetischer Sturm ausgelöst werden. Die Nordlichter dringen dann fünf bis zehn Breitengrade weiter nach Süden vor. Bei sehr starken Störungen im Sonnenwind sind bereits Nordlichter über Schottland, dem südlichen Teil Skandinaviens, Norddeutschland, Südkanada und den USA wahrgenommen worden.

Die ständigen Fluktationen des Sonnenwindes lassen die Magnetosphäre nie ganz zur Ruhe kommen. Auch treten nicht alle Elektronen und Ionen der Magnetosphäre mit der Atmosphäre in Wechselwirkung. Die meisten werden im inhomogenen Magnetfeld der Erde festgehalten und bilden die Van-Allen-Strahlungsgürtel. Sie werden solange gespeichert, bis sie durch Einwirkung elektromagnetischer Wellen mit Frequenzen im Tonbereich (sog. whistlers) bzw. durch andere Plasmainstabilitäten verlorengehen.

Mit Hilfe von Spacelab lassen sich die beschriebenen plasmaphysikalischen Prozesse auf einer Umlaufbahn mit hoher Inklination erforschen. Dabei kann man zunächst die unmittelbare Umgebung von Spacelab mittels sogenannter passiver Experimente untersuchen. Im Gegensatz dazu spricht man vom aktiven Experiment, wenn man eben z.B. vom Spacelab aus künstliche Elektronen- und Plasmastrahlen in den Weltraum ausstößt und ihre Wechselwirkung mit dem dort befindlichen natürlichen Plasma studiert. Hierbei wird der erdnahe Weltraum als riesiges Plasmalabor benutzt, die bewirkten Veränderungen im Plasma werden von den Instrumenten an Bord gemessen.

Beobachtungen der Erdatmosphäre und Erdoberfläche

Die Atmosphäre läßt die Sonnenstrahlung nur teilweise durch. Die auf die Erdoberfläche gelangende Strahlung wird wiederum teilweise reflektiert, der Rest wird in den Weltraum zurückgestrahlt bzw. absorbiert. Als absorbierende Elemente treten u.a. atmosphärischer Staub, Wolken oder Gase wie Wasserdampf, Ozon und Kohlendioxid auf. Diese Absorber strahlen ebenso wie die Erd- bzw. Meeresoberfläche einen Teil der aufgenommenen Energie wieder ab, was hauptsächlich in Form von Wärme, also im infraroten Wellenlängenbereich, geschieht. Diese Wärme entweicht entweder in den Weltraum oder wird durch erneute Reflexion zur Erde zurückgestrahlt. Diese Wechselwirkungen zwischen Sonnenstrahlung, Erdoberfläche und Atmosphäre bestimmen den Wärmehaushalt der Erde. Dabei übernehmen Atmosphäre und Ozeane den Wärmetransport zwischen Äquator und Polregionen. Zusammen mit der Erdrotation und dem Einfluß von Meer, Land und Gebirgen bestimmen diese Faktoren Wetter und Klima auf der Erde.

Erdbeobachtungen vom Weltraum aus dienen dazu, die Gesetzmäßigkeiten dieser Vorgänge zu finden. Vom Spacelab aus können z.B. die von der Sonne ausgehenden Infrarotstrahlen mit einem empfindlichen Radiometer (einem Instrument, das den Energiefluß anzeigt) gemessen werden. Führt man diese Beobachtungen bei Sonnenaufgang durch, wenn also die Sonnenstrahlen bei niedriger Sonnenhöhe streifend durch die Atmosphäre fallen, so kann man Informationen über die infrarot-absorbierenden Gase in verschiedenen Höhen gewinnen. Instrumente können auch senkrecht zum Boden ausgerichtet werden und dabei die Infrarot- oder Mikrowellenstrahlung messen, die von den verschiedenen Atmosphärenschichten. bzw. vom Gestein oder von der Vegetation auf der Erde ausgeht. Weiterhin lassen sich durch fotografische Aufnahmen im sichtbaren Bereich Einzelheiten der Erdoberfläche gewinnen und Wolkenformationen

Die Verteilung der auf die Erde einfallenden Sonnenstrahlung, und zwar gemittelt über alle Längen, Breiten und Jahreszeiten. Die auftretenden Reflexionen, Streuungen und Absorptionen bestimmen das Klima auf der Erde. Die 51% der Sonnenstrahlung, die die Erdoberfläche erreichen, gehen wieder verloren, wie im rechten Teil der Abbildung gezeigt wird.

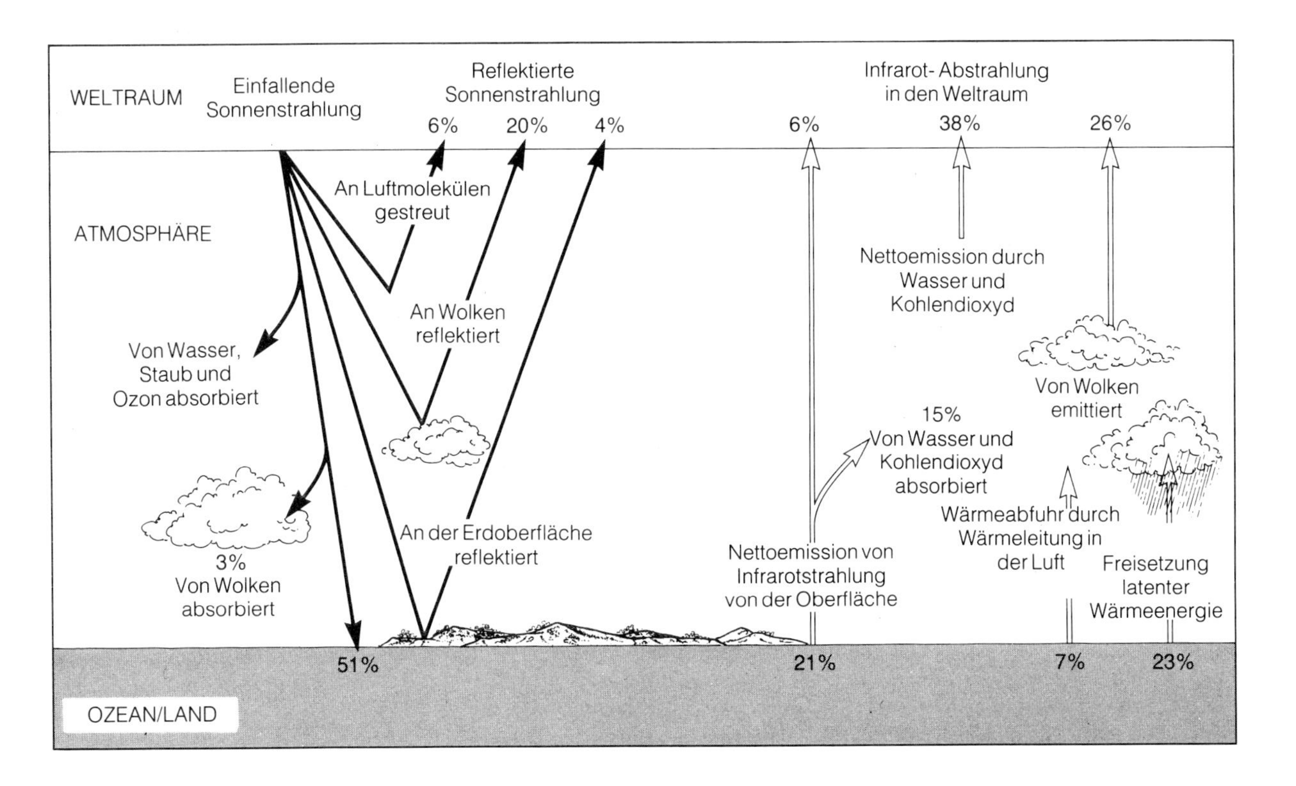

studieren. Mit Hilfe der Infrarotfotografie ist es möglich, warme und kalte Regionen zu unterscheiden sowie Temperaturen von Meeres- und Wolkenoberflächen genau zu ermitteln.

Die bisher beschriebenen Methoden der Fernerkundung sind alle passiver Art, d.h. sie registrieren Signale, die von der Natur selbst erzeugt werden. Demgegenüber werden bei sogenannten aktiven Experimenten Wellensignale von Satelliten oder vom Spacelab ausgesandt und das durch Reflexion erzeugte Echo wiederum von an Bord befindlichen Empfangsgeräten registriert. Die Strahlenpulse kommen entweder von einem Laser, abgestimmt auf eine Linie im Absorptionsspektrum eines wichtigen Spurenstoffes der Atmosphäre, oder von einer Radarquelle.

Die Anwendung der Radartechnik vom Weltraum aus erlaubt die Ermittlung von Satellitenhöhen mit großer Genauigkeit. Dazu wird ein Radarimpuls vom Satelliten zur Erde geschickt, der dann an der Erdoberfläche reflektiert und vom Satelliten wieder empfangen wird. Da Radarsignale sich mit Lichtgeschwindigkeit ausbreiten, kann aus der Laufzeit die Höhe des Satelliten bestimmt werden, wobei für Präzisionsmessungen noch kleine Korrekturen, die den Durchgang der Radarwellen durch Ionosphäre und Atmosphäre berücksichtigen, nötig sind. Mit Hilfe solcher genauen Messungen des Abstandes zwischen Satellit und Erdboden kann das überflogene Höhenprofil der Erde rekonstruiert werden. Damit läßt sich die Kontinentalverschiebungstheorie, die das Auseinanderdriften von ganzen Kontinenten mit einer Geschwindigkeit von einigen Millimetern pro Jahr voraussagt, überprüfen. Weitere interessante Anwendungen solcher (aktiven) Radarexperimente in der Geophysik sind Messungen der Stärke des grönländischen und antarktischen Eises und der Höhe der Meereswellen, die Bestimmung von Windgeschwindigkeiten über den Meeren sowie der Geschwindigkeit von Meeresströmungen und deren Lokalisierung.

Langwellige Mikrowellen und Radiowellen durchdringen Wolken; sie ermöglichen, die Erdoberfläche durch die Wolken hindurch zu betrachten. Damit ist die für Langzeitstudien so wichtige Kontinuität, unbeeinflußt durch Wetter, Wolken und Dunkelheit, garantiert. Das hierbei zum Einsatz kommende Gerät heißt SAR (Synthetic Aperture Radar). Seine Empfangssig-

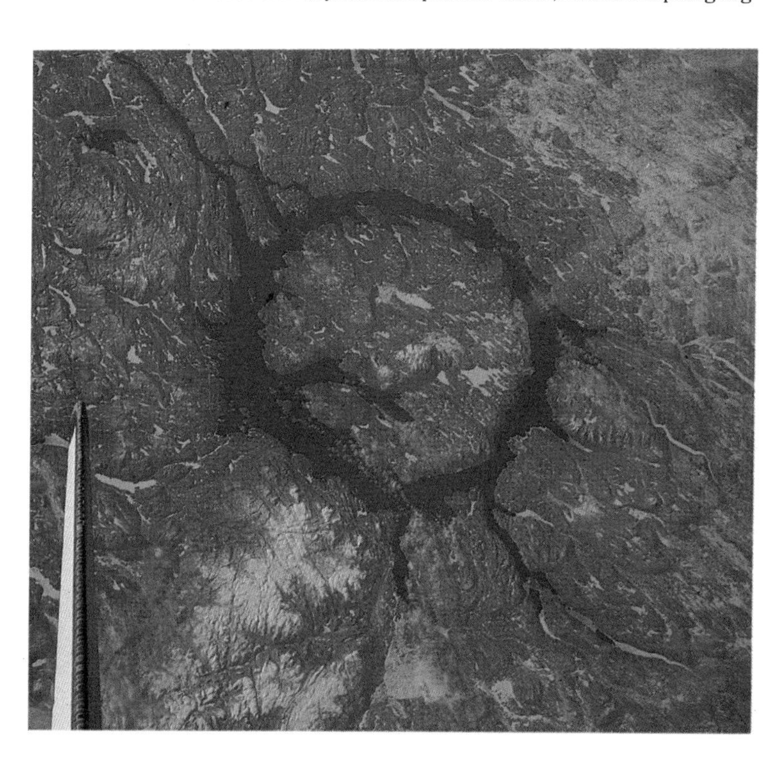

Musterbeispiel einer Aufnahme der Erdoberfläche aus dem Weltraum. Hier dasManicouagan-Gebiet bei Quebec in Kanada, wo ein lange zurückliegender Meteoreinschlag die Landschaft geformt hat.

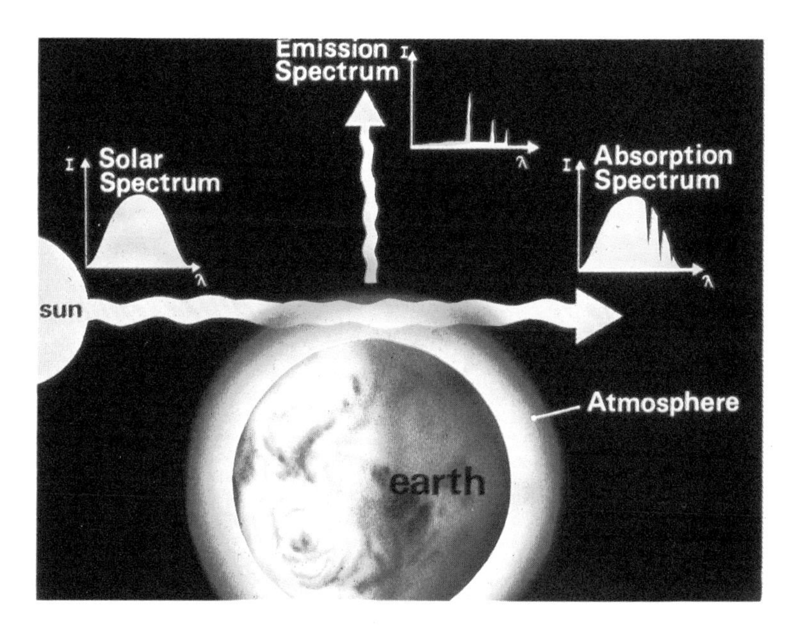

Dieses Diagramm zeigt in stark vereinfachter Weise, wie die Atmosphäre der Erde durch Emissions- beziehungsweise Absorptionsspektrometrie vom Weltraum aus untersucht werden kann. Das relative Vorkommen der verschiedenen Arten von Gasmolekülen bestimmt die relativen Intensitäten (*I*) der entsprechenden Linien im Spektrum bei verschiedenen Wellenlängen (λ). (Absorption Spectrum: Absorptionsspektrum der Erdatmosphäre, Atmosphere: Atmosphäre, earth: Erde, Emission Spektrum: Emissionsspektrum der Erdatmosphäre, Solar Spectrum: Emissionsspektrum der Sonne, sun: Sonne).

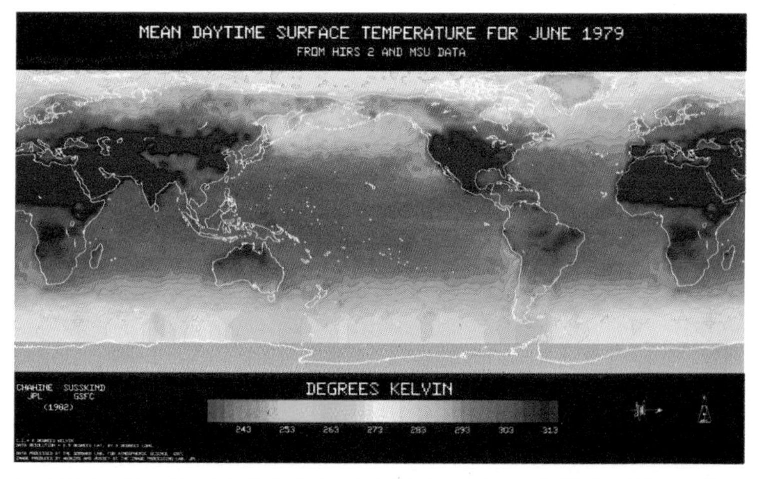

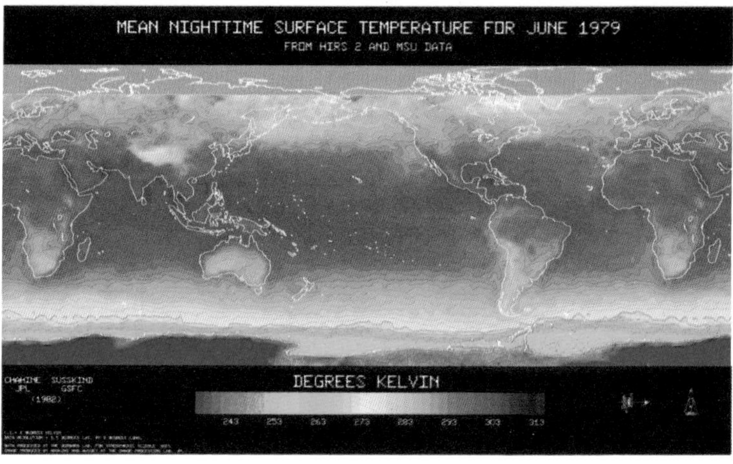

Temperaturen an der Erdoberfläche lassen sich jetzt global aus Infrarot- und Mikrowellenmessungen ableiten, die von Satelliten durchgeführt werden. Höhere Temperaturen sind in Gelb und Rot wiedergegeben, die höchsten in Braun, während Temperaturen unter dem Gefrierpunkt in Grün und Blau erscheinen. Die Verteilung wurde im Juni 1979 ermittelt, und zwar für Tagbedingungen (oben) und Nachtbedingungen (unten).

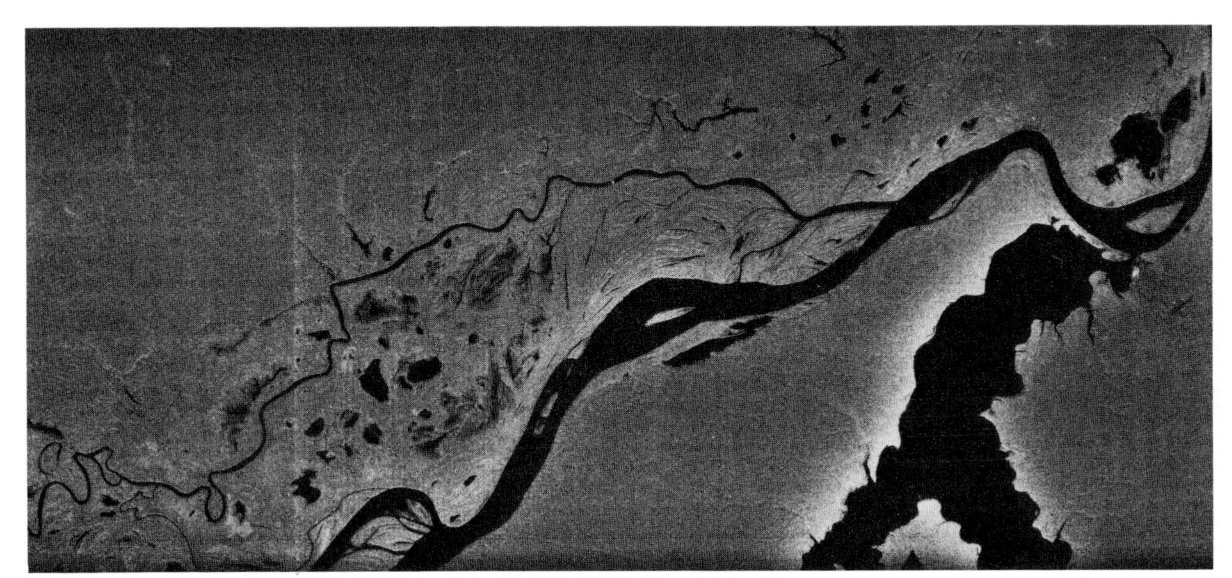

(Oben) Selbst bei starker Bewölkung gelang es mit dem SAR-Instrument beim STS-2-Flug, das Amazonas-Becken bei Coari in Zentralbrasilien im Bild festzuhalten.

(Rechts) Ein vom NOAA-Satelliten aus im sichtbaren Spektralbereich aufgenommenes Bild der Wolkenformation über Europa am 20.2.1984. Das Zentrum der Wolkenspirale ist das Zentrum eines Tiefdrucksystems westlich von Irland (NOAA: US National Oceanic and Atmospheric Administration).

(Unten) Die Wetterkarte dieses Tages mit Isobaren und Fronten, die dem nebenstehenden Satellitenbild entsprechen.

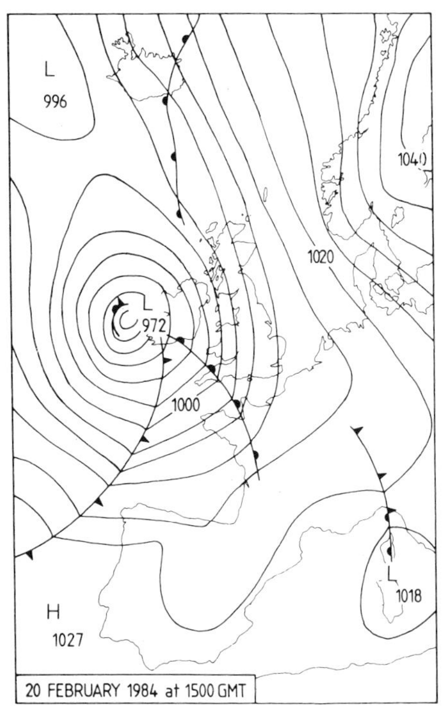

nale können so überlagert werden, daß ein zweidimensionales Bild der Erdoberfläche entsteht, auf dem sich Ozeanwellen, Meeresströmungen, Eisberge und Küstenmerkmale deutlich ausmachen lassen. Spacelab ist für Instrumente dieser Art besonders geeignet, weil es ihren hohen Energiebedarf problemlos decken kann.

Für den Einsatz von Erdbeobachtungssatelliten hat sich eine Umlaufbahn in 800 km Höhe als besonders vorteilhaft erwiesen. Aus dieser Höhe, in der z.B. auch Landsat betrieben wurde, lassen sich mit geeigneten Instrumenten Objekte auf dem Erdboden von einigen zehn Metern Ausdehnung noch klar erkennen und Gebiete einer Fläche von 200 km × 200 km auf einem einzigen Bild festhalten. Bei Beobachtungen aus niedrigeren Höhen, z.B. der Umlaufbahn des Shuttle, läßt sich zwar die Bildauflösung noch steigern, doch reduziert sich der Bildumfang. Die Fernerkundung der Erde vom Weltraum aus hilft dem Menschen, geologische Formationen über Hunderte von Kilometern zu verfolgen und dabei Mineralablagerungen aufzuspüren. Neue Landkarten konnten angefertigt werden, für manche Gebiete der Erde zum ersten Mal überhaupt.

Fotografie von Europa, die gleichzeitig von demselben NOAA-Satelliten aus, diesmal im infraroten Wellenbereich, gemacht wurde. Je heller die Weißfärbung, desto kälter die abgebildete Fläche. Besonders hell erscheinen Wolkengebilde, die in großer Höhe liegen.

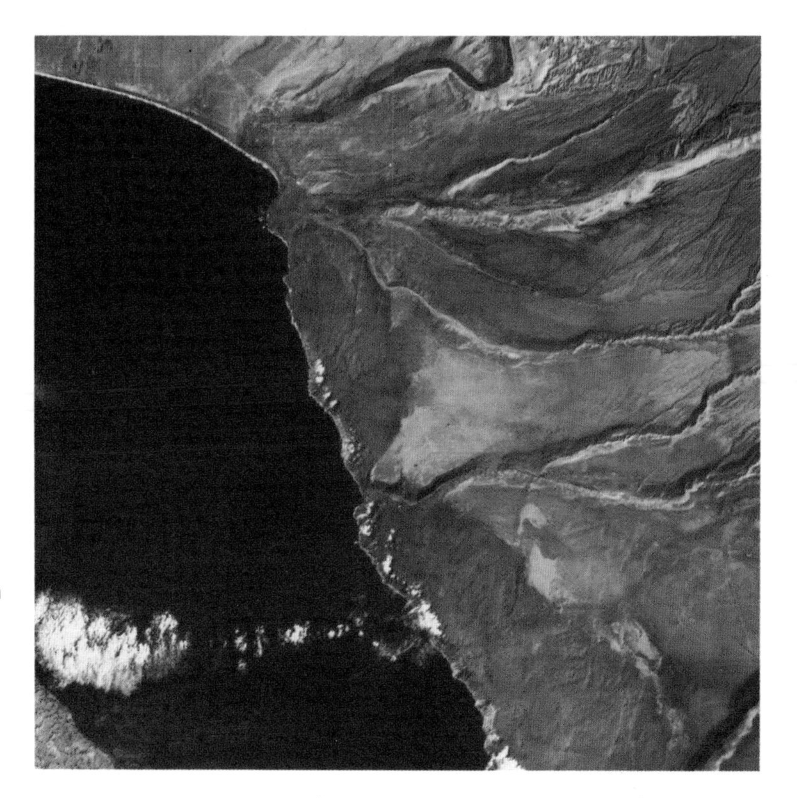

Falschfarbenaufnahme der optoelektronischen Kamera (MOMS) beim STS-7-Flug am 8. Juni 1983. Sie zeigt die Grenze zwischen Peru und Chile sowie einen Teil des Pazifiks. Bewachsene Gebiete in Flußtälern und bestimmte Gesteinsformen emittieren deutlich Infrarotstrahlung, sie erscheinen in Rot. Ebenfalls zu erkennen ist vereinzelte Kumulusbewölkung.

Ein weiteres Bild der MOMS-Kamera zeigt die Gebirgsgegend an der Grenze zwischen Bolivien und Chile. Deutlich sind Vulkane und von ihnen ausgehende Lavaflüsse zu erkennen. Die Bergspitzen (unten) sind schneebedeckt. Der grosse weiße Fleck in der oberen rechten Ecke ist eine riesige Salzablagerung. Die in ihm enthaltenen gelb-grünen Streifen zeigen Salzwassergebiete an.

Materialforschung unter Mikrogravitation

In einem Raumschiff (aber auch in jedem Satelliten) in der Erdumlaufbahn herrscht Schwerelosigkeit – man spricht auch von Null-*g*-Bedingungen. Dieser für viele materialwissenschaftliche Experimente erwünschte Idealzustand läßt sich jedoch im Spacelab-Modul nur vollständig erreichen, wenn keine Abbremsung durch Luftreibung auftritt, sich die Astronauten an Bord nicht bewegen und die Lagetriebwerke des Shuttle nicht betätigt werden. Ohne diese Aktivitäten könnten jedoch andere Beobachtungsprogramme und Experimente nicht durchgeführt werden. Die gewünschte Schwerelosigkeit wird also wegen der notwendigen Anwesenheit von Menschen an Bord nur annähernd erreicht; man spricht deshalb, gerade in Bezug auf Experimente, von Mikrogravitation. Ein typischer Wert für die Beschleunigung im Modul ist 10^{-4} bis 10^{-5} mal die Beschleunigung, die aufgrund der Schwerkraft an der Erdoberfläche auftritt – doch das sind immer noch sehr attraktive Bedingungen für die Materialwissenschaften.

Bei diesen Untersuchungen kommt kleinen Kräften (z.B. der Oberflächenspannung), die wegen der Dominanz der Schwerkraft auf der Erde kaum berücksichtigt werden müssen, eine entscheidende Rolle zu. Grundlagen- wie auch anwendungsbezogene Forschung kann betrieben werden, und die gewonnenen Erkenntnisse lassen sich zur Verbesserung von Verfahrenstechniken auf der Erde heranziehen. Insbesondere kann das Verhalten von Flüssigkeiten in der Schwerelosigkeit untersucht werden, wobei der experimentelle Ablauf über Fernsehen im Nutzlastkontrollzentrum in Echtzeit verfolgt werden kann.

Konvektion tritt auf, wenn eine Flüssigkeit oder ein Gas von unten her erwärmt wird, so z.B. bei einer in einem Topf kochenden Suppe oder bei einer Cummuluswolke unter den Ein-*g*- Bedingungen auf der Erdoberfläche. Die zuerst erwärmten unteren Flüssigkeitsteile dehnen sich aus, werden dabei leichter und steigen aufgrund des Auftriebs nach oben. Die kälteren, schwereren Volumenteile sinken dagegen nach unten; es bildet sich eine Konvektionszelle aus. Auf einer Flüssigkeitsoberfläche zeigen sich dabei sechseckige, honigwabenartige Muster. Thermische Konvektion trägt zum Mischen in Flüssigkeiten und Gasen sowie zum Masse- und Wärmetransport bei. Sie tritt unter den Bedingungen der Schwerelosigkeit nicht auf.

Konvektion kann allerdings auch ohne Wärmezufuhr, nämlich durch kleine Schwankungen in der Oberflächenspannung einer Flüssigkeit hervorgerufen werden. Man spricht dann von Marangoni-Konvektion, die auf der Erde wegen der Dominanz der thermischen Konvektion nicht sichtbar gemacht werden kann. Im Weltraumlabor läßt sich jedoch die Marangoni-

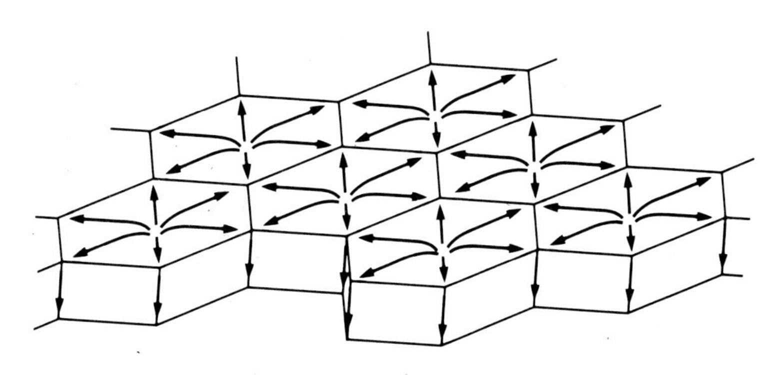

Dieses Diagramm veranschaulicht das Auftreten von Konvektionszellen in einer Flüssigkeit. Vom Zentrum jeder hexagonalen Zelle geht Aufwärtsbewegung aus; horizontale Ausbreitung erkennt man an den oberen Oberflächen und Abwärtsbewegung längs der Seitenflächen.

Konvektion nachweisen. Die winzigen Kräfte, hervorgerufen durch Temperatur-oder Dichteunterschiede an der Oberfläche, bewirken ein Fließen an der Oberfläche, von Gebieten niedriger zu denen hoher Oberflächenspannung, von kalten zu warmen Regionen, so daß ein Kreislauf in der Flüssigkeit entsteht.

Ein weiterer Prozeß, der bei Vorhandensein eines thermischen Gradienten auftritt, ist die Thermodiffusion. In einem Gas tritt dabei eine teilweise Trennung von Atomen bzw. Molekülen entsprechend ihrer Masse auf, der sogenannte Soret-Effekt.

Von besonderem Interesse ist die Beobachtung von Prozessen, die sich an den Trennflächen zwischen Festkörpern und Flüssigkeiten oder Flüssigkeiten und Gasen unter Mikrogravitation abspielen. Da im Weltraum die Kräfte der Oberflächenspannung die bestimmenden sind, nehmen Flüssigkeitsoberflächen hier eine sphärische Gestalt an, während sie auf der Erde flach sind, mit Ausnahme der Ränder. Auch die Form der Oberfläche am Behälterrand, der sogenannte Meniskus, ist unter Mikrogravitation viel gekrümmter als unter irdischen Bedingungen. Umgekehrt kann eine perfekt ebene Flüssigkeitsoberfläche im Raum nur geformt werden, wenn die Gefäßwände entsprechend gekrümmt sind.

Ein weiteres Arbeitsgebiet ist die Kombination von Oberflächen- und Konvektionserscheinungen unter Mikrogravitation. Studien dieser Art helfen dem Wissenschaftler, die Produktionsprozesse qualitativ hochwertiger Materialien zu verbessern und so die Vorteile eines Weltraumlabors als Produktionsstätte direkt auszunutzen. Gemeint ist hier die Züchtung von Kristallen sowie die Herstellung von Metallegierungen. Im Weltraum lassen sich beispielsweise mit Hilfe eines winzigen Kristallkeimes aus einer Schmelze großvolumige, reine Kristalle ziehen. Weil keine durch Schwerkraft bewirkte thermische Konvektion oder Turbulenz auftreten kann, sind die Kristalle frei von Fehlstellen. Legierungen werden durch Schmelzen einer Mischung mehrerer Metalle und anschließende langsame Abkühlung hergestellt. Dieser Prozeß wird auf der Erde jedoch durch Sedimentation (das Absinken des schwereren Metalles in der Schmelze) im ungünstigen Sinne beeinflußt. Unter Mikrogravitation tritt dieses Problem nicht auf. Es wird eine ideale Vermischung erreicht, zumal die Gefäßwände nicht für den Zusammenhalt der Schmelze sorgen müssen, also jede Einflußnahme von diesen auf den Erstarrungsprozeß unterbleibt. Auch Kontamination wird vermieden.

Mit Hilfe der Weltraumfahrt lassen sich also neue Technologien in der Materialherstellung entwickeln: so z.B auch für die Produktion von Schmiermitteln. Der Schmiereffekt eines Schmiermittels zwischen zwei sich gegeneinander bewegenden Oberflächen läßt sich im Raum gut studieren. Bei künftigen Weltraumprojekten werden Achsenlager benötigt, die langlebig sind und zuverlässig arbeiten. Die sich mit Reibungskräften und dem Verhalten von Schmiermitteln befassende Disziplin, die Tribologie, sollte ihren Tätigkeitsbereich also unbedingt in den Weltraum ausdehnen.

Medizin und Biologie unter Mikrogravitation

Während der ersten zwei bis drei Tage im Weltraum empfindet jeder Astronaut ein gewisses Unwohlsein und leichte Benommenheit, die ihn jedoch normalerweise nicht an der Ausübung der beabsichtigten Arbeiten hindern. Diese sog. Weltraumübelkeit weist ähnliche Symptome auf wie die Seekrankheit. Sie wird im Weltraumjargon auch als Raumanpassungssyndrom (space (mal) adaptation syndrome) bezeichnet.

Wie der Name schon sagt, wird dieser Zustand durch die Unfähigkeit des Körpers, sich an die Schwerelosigkeit zu gewöhnen, verursacht. Auf der Erdoberfläche ist der Mensch in der Lage, mit Hilfe von Signalen, die von Sinnesorganen wie Augen und Ohren an das Gehirn weitergegeben werden, das Gleichgewicht und die Orientierung aufrechtzuerhalten. Der Gleichgewichtssinn beruht wesentlich auf den Statolithen (Otolithen), die sich in den inneren Ohrkanälen befinden und jede Art von Beschleunigung registrieren. Unter Mikrogravitation wirken auf sie keine Kräfte ein, so daß sie auch keine Signale an das Gehirn weitergeben. Damit die Funktionen der Statolithen und des gesamten Vestibularsystems besser verstanden werden, sollten, zusätzlich zu Experimenten auf der Erde, weitere Untersuchungen im Weltraum vorgenommen werden. Es scheint so zu sein, daß Astronauten völlig ihre Orientierung verlieren, wenn die an das Gehirn gelieferten optischen Orientierungssignale im Widerspruch zu denen des Gleichgewichtsorgans stehen. Das Studium des Gleichgewichtsverhaltens in der Schwerelosigkeit wird eines Tages Menschen nützen, die an Störungen des Gleichgewichtsystems leiden.

Das kardiovaskulare System des Menschen wird ebenfalls durch die Abwesenheit der Schwerkraft beeinflußt. Die Durchblutung der verschiedenen menschlichen Gliedmaßen hängt von der Herzfunktion ab. Nach Eintritt in die Schwerelosigkeit werden ungefähr zwei Liter Blut aus den unteren Körperteilen in die oberen verlagert. Hierdurch verringert sich der Beinumfang der Astronauten, und ihre Gesichter schwellen an. Solche Blutverlagerungen können nicht nur zu hormonellen und metabolischen Veränderungen führen, sie dürften auch die Schleimabsonderung und die Nierenausscheidungen beeinflussen. Es wird ein deutlicher Rückgang des roten Blutplasmas und eine Abnahme der roten Blutkörperchen festgestellt. Dabei kommt es zu relativ starken Urinausscheidungen. Nach anfänglicher Abnahme stabilisiert sich das Körpergewicht binnen einiger Tage in der Schwerelosigkeit.

Der Bewegungsapparat des Menschen, also Knochenbau und Muskeln, wird unter Mikrogravitation weniger belastet. Die Bandscheiben werden entlastet; dadurch werden die Astronauten bis zu 5 cm größer. Atrophie tritt in Muskeln und Knochen auf. Ferner verliert der Körper in einem Monat etwa 0,5% seines Calciums. Dieses stammt hauptsächlich aus den Knochen und wird mit dem Urin ausgeschieden.

Untersuchungen dieser Effekte sind nicht nur für die Weltraummedizin von Bedeutung, sie vertiefen auch die bestehenden Kenntnisse in der Physiologie. Neben Menschen werden auch Tiere und tierische und pflanzliche Zellen im Weltraum untersucht, um die Rolle der Gravitation bei den fundamentalen Lebensprozessen besser verstehen zu lernen. So ist bei Pflanzen die Orientierung der wachsenden Wurzeln und Stengel von der Schwerkraft abhängig. Im Raum fehlt dieser Richtungssinn.

Hochenergetische Strahlung stellt für alle Lebewesen eine Gefährdung dar. Besonders schädlich sind die kosmischen Strahlen und die Partikel der Van-Allen-Gürtel. Eine erhöhte Gefahr besteht zu Zeiten von Sonneneruptionen, die besonders häufig im Maximum des Solarzyklus auftreten und starke UV- und Röntgenstrahlung nach sich ziehen. Ferner kommt es mit einer Verzögerung von zwei Tagen zu erhöhten Flüssen energiereicher Teilchen im erdnahen Weltraum. Die Wände von Spacelab oder möglichen späteren Raumstationen müssen so ausgelegt sein, daß sie die Astronauten vor diesen Strahlen schützen. Raumanzüge allein sind nicht dick genug, um den Auswirkungen einer Sonneneruption standzuhalten, so daß Weltraumspaziergänge nur zu Zeiten geringer Sonnenaktivität durchführbar sind. Bei strahlenbiologischen Experimenten setzt man Bakterien oder lebende Zellen der Weltraumstrahlung aus und untersucht anschließend die aufgetretenen Strahlenschäden.

Das im Weltraum herrschende Vakuum stellt ebenfalls eine potentielle Gefährdung dar. Undichtigkeiten in den Kabinen bemannter Raumfahrzeuge müssen vermieden werden, damit die lebensnotwendige Atemluft nicht entweicht.

Spacelab ist eine ideale Forschungsstätte, um das Verhalten des Menschen im Weltraum zu beobachten und seine Physiologie genauer zu untersuchen. Spacelab schafft hierzu die Möglichkeiten, weil die aufwendigen Apparaturen im Modul mitgeführt und betrieben werden können.

Astronautenanwärter werden ungewöhnlichen medizinischen Belastungen ausgesetzt. Hier erfährt eine Versuchsperson stark verminderten Druck am Unterkörper bei gleichzeitiger Überwachung der Blutzirkulation.

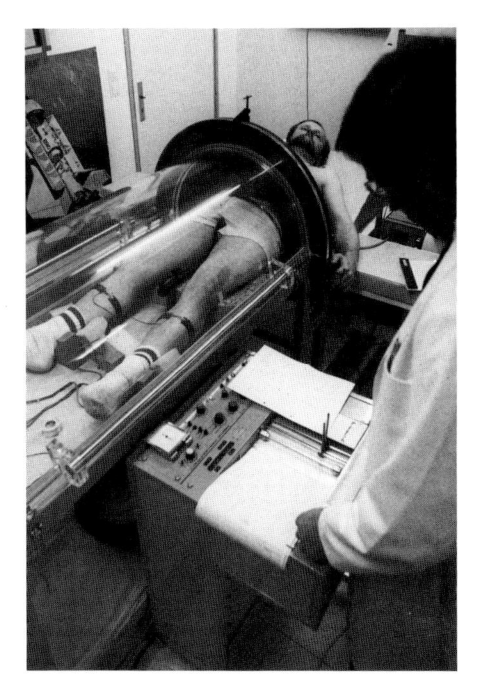

Technologie

Technologische Experimente gehören nicht in den Bereich der 'reinen Wissenschaften', wie z.B. der Astronomie, aber auch nicht zu den bloßen Nutzanwendungen, wie z.B. Nachrichtensatelliten. Sie tragen jedoch zur Entwicklung von Geräten und Methoden bei, die in diesen beiden Bereichen benutzt werden. Zur technologischen Forschung zählt man z.B. die Entwicklung optischer Bauelemente und Detektoren für die Astronomie oder auch Untersuchungen der Verwendbarkeit bestimmter Frequenzen für Nachrichtensatelliten. Auch die Entwicklung der Kryotechnik, die Verwendung von Mikrowellen für die Erdbeobachtung, die Weiterentwicklung von Laser-Geräten für Abstandsbestimmungen sowie Untersuchungen in der Tribologie gehören zum Bereich der Technologie. Weitere Beispiele sind das Ausprobieren neuer Konstruktionsmethoden im Raum, die für den Aufbau einer Raumstation gebraucht werden, und Techniken zur Errichtung großer Antennen–Anlagen. In beiden Fällen könnten Roboter eingesetzt werden.

Spacelab eignet sich vorzüglich für das Vorantreiben all dieser Entwicklungen. Es verfügt über die Kapazität, große Massen und Volumen in den Weltraum zu befördern; Astronauten sind dabei, die jederzeit urteilen und entscheiden können; und die Laborausrüstung läßt sich wieder zur Erde zurücktransportieren. Spacelab erweist sich also als wertvolle Testanlage auch für die Entwicklung neuer Technologien. So leistet Spacelab beides: Es erschließt neue Technologien und liefert wissenschaftliche Basisinformationen.

Ein besonderer Fall ist die Erdbeobachtung über große Zeiträume. Für diese Aufgabe ist Spacelab zwar nicht geeignet, es kann aber benutzt werden, um die Technologie für einen entsprechenden Satelliten zu entwickeln.

Entscheidungen vor dem Flug

VORBEREITUNG EINER SPACELAB-MISSION

'Nichts, was in der Entwicklung begriffen ist, kann sich an seinen ursprünglichen Plan halten.'
Edmund Burke

Die Weltraumfahrt ist sehr teuer, und es muß daher sichergestellt werden, daß nur solche Experimente an Bord stattfinden, die auf der Erde nicht mit vergleichbarem Erfolg durchführbar sind. Man muß bedenken, daß nicht nur der Flug selbst, sondern auch die Instrumentenentwicklung, die Flugvorbereitungen und die Bodenstationen zu finanzieren sind. Die benötigten Gelder werden von Behörden wie NASA und ESA oder auch anderen wissenschaftlichen Organisationen bereitgestellt. Während die NASA für ihre Experimente die Herstellungs- und Flugkosten übernimmt, trägt die ESA normalerweise nur die Flugkosten und läßt die Experimente durch die nationalen Agenturen ihrer Mitgliedsländer finanzieren. Im Fall von Spacelab besteht die berechtigte Hoffnung, daß in absehbarer Zukunft Industrieunternehmen vom Raumlaboratorium Gebrauch machen und einen Teil der anfallenden Flugkosten übernehmen werden.

Im allgemeinen empfiehlt es sich, in eine Mission nur eine einzige oder höchstens zwei zusammenhängende wissenschaftliche Disziplinen einzubeziehen. Eine mögliche Kombination wäre z.B. Atmosphärenphysik und Fernerkundung der Erde. Auf diese Weise läßt sich vermeiden, daß eine Mission zu komplex und deshalb zu teuer wird. Nach Festlegung der jeweiligen Missionsziele muß die am besten geeignetete Konfiguration von Spacelab ausgewählt werden. Für astronomische Untersuchungen bieten sich Konfigurationen an, bei denen man nur Paletten verwendet, während für Flüge, die der Raummedizin dienen, ausschließlich Module benötigt werden. Weiterhin muß die Anzahl der Besatzungsmitglieder, die erforderliche Flugdauer und die Bahngeometrie den experimentellen Anforderungen entsprechend gewählt werden. Die so bis ins einzelne geplante Mission wird dann in das STS-Programm aufgenommen, wobei man schon das Startdatum festlegt und auch, welche Raumfähre eingesetzt werden soll.

Die Agentur, die eine bestimmte Mission ins Leben gerufen hat, holt daraufhin Vorschläge für Experimente ein, wobei sie sich an alle in einem bestimmten Wissenschaftszweig arbeitenden Institute wendet, entweder direkt oder durch Anzeigen in der Fachpresse. Die bei der Agentur eingehenden Angebote stammen entweder von einzelnen Wissenschaftlern oder auch von Gruppen.

Ein Mikrowellenmeßgerät zur Fernerkundung der Erde gehörte zu den vielen Vorschlägen für die Nutzlast von Spacelab-1. Es wurde ausgewählt und in der nebenstehenden Version gebaut. Die Reflektorantenne ist fast zwei Meter breit. Das Gerät arbeitet im X-Band bei 9,65 Gigahertz.

Bei dem anschließenden Auswahlverfahren beurteilen unabhängige Wissenschaftsgremien den wissenschaftlichen Wert und Ingenieure die Durchführbarkeit der Experimente mit der geplanten Spacelab-Konfiguration. Auch wird darauf geachtet, daß die Experimente untereinander verträglich sind, also sich nicht gegenseitig stören. All diese Kriterien sowie politische und finanzielle Erwägungen bestimmen die endgültige Nutzlastauswahl. Die bei diesem Vorgehen erfolgreichen Wissenschaftler beginnen daraufhin mit dem Aufbau ihres Experiments, wobei der Zeitplan durch die Projektführung festgelegt wird. Diese koordiniert alle anfallenden Projektarbeiten und unterstützt die Experimentatoren beim Bau der Instrumente, der Entwicklung der Software und dem abschließenden Zusammenbau der Gesamtnutzlast.

Vorbereitungen für einen Flug

Im Zuge der Missionsvorbereitung wird die ausgesucht Nutzlast zunächst einer nochmaligen detaillierten Analyse hinsichtlich ihrer Verträglichkeit mit Spacelab unterzogen. Dabei werden Erfordernisse eines Experiments bezüglich Masse, Volumen, Stromversorgung, Kühlung, Datenübertragungsrate und Computerzeit besonders kritisch betrachtet, um endgültig sicherzustellen, daß Spacelab diese Anforderungen auch erfüllen kann und umgekehrt die Experimente mit den von Spacelab und Shuttle auferlegten Beschränkungen auskommen. Die gegenseitige Beeinflussung der Experimente durch Wärmeleitung, gegenseitige Abschattung oder elektromagnetische Störungen muß ebenfalls abgeschätzt werden. Schließlich muß entschieden werden, an welchem Ort ein Experiment aufgestellt wird, ob auf einer Palette, in einem Rack, vor dem optischen Fenster oder in der Luftschleuse.

Experimente aus allen Teilen Europas wurden an zentraler Stelle zu einer Nutzlast zusammengefügt. Das hier abgebildete Gerät ist ein Röntgenspektrometer für astronomische Beobachtungen.

Die getroffenen Vereinbarungen werden von der Projektführung in Verträgen festgelegt. Im weiteren Verlauf des Projektes widmet sich dann der Experimentator der Entwicklung seiner Instrumente, und die Ingenieure entwerfen Zusatzgeräte, die beim Zusammenbau der betreffenden Nutzlast benötigt werden. Hierfür sind detaillierte Konstruktionspläne unbedingt erforderlich. Bei der Durchführung der Arbeiten richten sich Experimentatoren und Ingenieure streng nach dieser zu Beginn des Projektes erfolgten technischen Dokumentation.

Je nach Komplexität der Nutzlast benötigt man für die Flugvorbereitung zwischen zwei und fünf Jahre. Gleich zu Beginn dieser Periode wird eine Arbeitsgruppe gebildet, die sogenannte Investigator Working Group (IWG). Dieses Team entscheidet z.B. über die optimale Aufteilung der zur Verfügung stehenden Energie und löst Interessenkonflikte, die sich zwischen einzelnen Wissenschaftlern oder Arbeitsgruppen ergeben können. Die IWG setzt sich aus allen in einer Mission vertretenen Gruppenleitern (Principal Investigators) zusammen. Sie arbeitet eng mit der Projektleitung und den vorgesehenen Wissenschaftsastronauten zusammen und tagt normalerweise zweimal im Jahr. Häufigere Zusammenkünfte sind nicht ausgeschlossen, wenn Schwierigkeiten dies erforderlich machen. In der IWG führt der für das Gesamtprojekt zuständige Wissenschaftler den Vorsitz; er wird von der für die Mission verantwortlichen Agentur gestellt. Die IWG hat sich bei der Lösung von Problemen, die die Planung und Organisation der wissenschaftlichen Experimente betreffen, als äußerst erfolgreich erwiesen, und sie ist eine ausgezeichnete Plattform zum Austausch von Gedanken.

Da Spacelab in der bemannten Weltraumfahrt zum Einsatz kommt, unterliegen alle an Bord befindlichen Gegenstände strikten Sicherheitsvorschriften, die von der Projektführung für die geplanten Experimente spezifiziert werden. Da die Gefahr von Vergiftung der Atemluft und Brandgefahr besteht, dürfen nur Materialien an Bord gebracht werden,

Eine Besprechung der an der ersten Spacelab-Mission beteiligten Wissenschaftler in Huntsville, Alabama, im September 1982. Auf der Tagesordnung stand die Organisation des Nutzlastkontrollzentrums während des Fluges.

die Sicherheitstests bestanden haben. Ein Team von Sicherheitsexperten kontrolliert ständig den Aufbau der Experimente, und wenn auch nur der geringste Verdacht einer Übertretung von Sicherheitsvorschriften aufkommt, müssen Geräte bzw. ganze Versuchsanordnungen entsprechend modifiziert werden.

Nach Fertigstellung der experimentellen Hardware und der zu ihrem Betrieb benötigten Software wird das Gesamtprodukt an die Projektleitung weitergeleitet und die Gesamtnutzlast an einer zentralen Stelle zusammengestellt: in den USA in einem der NASA-Zentren, während europäische Hardware entweder in den Montagehallen eines ESA-Auftragnehmers oder einem der vielen nationalen Raumforschungszentren zusammengebaut wird. Dabei steht dem für die Mission verantwortlichen ESA- oder NASA-Projektteam eine Gruppe von industriellen Technikern zur Seite. Die Integration ins Spacelab beginnt mit dem Einbau von Apparaturen in Spacelab-Einheiten, wie z.B. Racks oder Sammelbehälter. Andere Subsystemelemente wie Stromversorgungsleitungen, Kühlkreise und datenverarbeitende Geräte werden ebenfalls mit berücksichtigt. Der Einbau wird mit einem Funktionstest abgeschlossen, bei dem sichergestellt wird, daß die betreffende Nutzlast als Ganzes einwandfrei arbeitet. Bei solchen Tests wird auch die für die einzelnen Experimente entwickelte Software überprüft. Von den Testzentren werden die Nutzlasteinheiten zu den Startzentren, dem Kennedy Space Center in Cape Canaveral in Florida oder ab 1985 auch zum Raumflugzentrum in Vandenberg, Kalifornien, transportiert. Von Vandenberg werden Missionen gestartet, bei denen Umlaufbahnen hoher Neigungswinkel (polare oder sonnensynchrone Bahnen) erforderlich sind.

Im Kennedy Space Center wird die Nutzlasteinheit zunächst in einem großzügig angelegten Testgebäude (Operation and Check-out Building: O & C) aufgestellt. Hier befinden sich, neben Büros und kleineren Laborräumen für das Projektteam, auch Unterkünfte für die Besatzung und Montagehallen für Satelliten. Die Nutzlast wird erneut in Betrieb genommen und nochmals überprüft. Parallel zu diesen Nutzlastaktivitäten werden die für den Flug vorgesehenen Spacelab-Einheiten (Palette und/oder Modul) letzten Kontrollen und Tests unterworfen. Die Untersysteme, die schon einmal mitgeflogen sind, werden gründlich überholt. Dann wird die Nutzlast endlich ins Spacelab eingefügt; die resultierende Gesamtkonfiguration muß noch

Diese astronomische Weitwinkelkamera wird zunächst im Modul in einem Rack verstaut. Während des Fluges wird sie in die Luftschleuse montiert und in den Weltraum ausgefahren.

Die letzte Phase der Flugvorbereitung für Spacelab und seine Nutzlast in der Test- und Montagehalle (Operations and Check-out Building: O & C) im Kennedy Space Center. Sichtbar sind mehr oder weniger fertige Racks, die für die Palette bestimmten europäischen Experimente, die Flugeinheit des Moduls sowie ganz hinten dessen Ingenieurmodell.

einen letzten Test bestehen, bevor sie in einem riesigen Spezialbehälter in eine 7 km entfernt Montagehalle, OPF (Orbiter Processing Facility) genannt, überführt wird.

Wie der Name schon sagt, werden in dieser Halle die vorintegrierten Nutzlasten in das Shuttle ein- oder auch ausgebaut. Ferner dient sie als Abstell- und Montageplatz für das Shuttle während der Zeit zwischen zwei Flügen. Hier können Arbeiten wie das Ersetzen von Hitzeschildkacheln, die Reparatur von Untersystemen bis hin zum Austauschen ganzer Antriebssysteme durchgeführt werden. Im OPF wird Spacelab horizontal an Kränen aufgehängt und in den Laderaum des Shuttle herabgelassen. Der Tunnel, in dem die Wissenschaftsastronauten vom Shuttle ins Spacelab gelangen, wird als letztes Element eingefügt. Nach einer Endprüfung des Shuttle sowie aller Verbindungen mit Spacelab werden die Ladeklappen geschlossen. Die beladene Raumfähre wird ins VAB überführt, wo sie mit dem Außentank und zwei riesigen Feststoffraketen verbunden wird. Die Startkonfiguration tritt dann, fertig montiert, auf dem Rücken des größten Lastwagens der Welt den Weg zur Startrampe an.

Parallel zu den beschriebenen Integrationsarbeiten werden von Softwarespezialisten die genauen Flug- und Experimentierpläne erstellt. In diesen Plänen werden, neben den Anforderungen der Experimente, die vorausberechnete Flugbahn und die Leistungsfähigkeit der Untersysteme berücksichtigt, um daraus den genauen Missionsablauf, die sog. time-line zu erstellen. In diesen Unterlagen sind für jedes Experiment unter anderem die Ein- und Ausschaltzeiten sowie die nötigen Handgriffe der Astronauten festgelegt. Bei der Aufstellung der time-line muß auch beachtet werden, daß nur zu bestimmten Zeiten Radiokontakt mit einem TDR-Satelliten besteht. Der Ablauf der time-line wird während der Mission vom Bordcomputer gesteuert, den man vorher entsprechend programmiert hat.

In der Montagehalle des Shuttle (OPF) dreht sich alles um die Raumfähre. Dieses Bild zeigt die Demontage der drei Haupttriebwerke, die zum Herstellerwerk zur Überholung zurückgeschickt werden. Für den Spacelab-Flug wurde Columbia mit ganz neuen Triebwerken ausgestattet.

Die Aufgaben der Besatzung

Einer der größten Vorteile, die Spacelab bietet, ist die ständige Anwesenheit von speziell ausgebildeten Wissenschaftsastronauten an Bord. In einigen Wissenschaftsbereichen, wie z.B. der Raummedizin oder den Materialwissenschaften, kommt man ohne Astronauten nicht aus. Bei Experimenten anderer Disziplinen ist die Anwesenheit von Menschen weit weniger wichtig, in einigen Fällen sogar schädlich, so z.B. bei astronomischen Beobachtungen, weil die Feinausrichtung von Teleskopen auf bestimmte Himmelskörper durch die Bewegung der Astronauten gestört wird. Doch hat sich auch für diese Forschungszweige herausgestellt, daß die Besatzung zur Betreuung der Experimente und besonders zum Reagieren auf unerwartete Situationen und Ergebnisse unentbehrlich ist.

Obwohl jeder Wissenschaftler den Aufbau und Ablauf seines Experiments vor der Mission sorgfältig plant, können sich Situationen ergeben, in denen die Astronauten eingreifen müssen. So zeigen manchmal erst die im Weltraum anfallenden Daten, wie der weitere Verlauf des Experiments optimiert werden kann; oder es ergeben sich Situationen, mit denen der Wissenschaftler vorher nicht gerechnet hatte und an die das Experiment augepaßt werden muß. Er muß sich dann auf die Intelligenz der Besatzung verlassen können. Daneben übernehmen die Astronauten eine ganze Reihe von Routineaufgaben wie Aufbau, Abbau und Verstauen von Geräten, kleinere Reparaturen, das Austauschen von Materialproben oder Wechseln von Filmen und Magnetbändern. Schließlich müssen sie sich auch noch den Medizinern als Testpersonen zur Verfügung stellen.

Die Anwesenheit von Menschen an Bord gestattet es auch, relativ einfache Versuchsaufbauten zu verwenden und von der anderenfalls nötigen Automatisierung abzusehen, wobei, auch durch geringere Zuverlässigkeitsanforderungen, sich weniger Kosten ergeben als im Fall der Automation. Beim Einsatz der Nutzlasten spielt die Besatzung auch bei der Überwachung und möglichen Änderungen des vorgegebenen Zeitplans eine wichtige Rolle. Sie kann alle Experimente, sogar die auf der Palette, ständig beobachten und ihren richtigen Ablauf mit Hilfe spezieller Sicht- und Eingabegeräte prüfen bzw. beeinflussen.

Die vielleicht wichtigste Rolle des Wissenschaftsastronauten ist die eines Bindegliedes zwischen dem Experimentator auf der Erde und dessen Experiment im Weltraum, wobei der erforderliche Kontakt über Fernsehen und Sprechfunk hergestellt wird. Dadurch können die Experimentatoren ihren Versuch so beeinflussen, als wären sie selbst an Bord des Raumlabors.

Das Shuttle kann bis zu acht Besatzungsmitglieder im vorderen Teil unterbringen. Das Spacelab-Modul stellt weiteren Raum für die Mannschaft zur Verfügung. Die Missionsverantwortung liegt beim Kommandanten, der bei allen Manövern des Shuttle von einem weiteren Piloten unterstützt wird. Die Arbeitsstätte von Kommandant und Pilot ist das Cockpit, dort führen sie die technische Flugkontrolle durch. Weitere Besatzungsmitglieder sind die Missionsspezialisten – ebenfalls voll ausgebildete Astronauten. Sie sind mit der Bedienung der Shuttle-Subsysteme betraut. Daneben helfen sie bei der Durchführung bestimmter Experimente und sind darauf trainiert, Weltraumspaziergänge zu unternehmen. Die übrige Besatzung besteht aus sogenannten Nutzlastspezialisten, die jeweils für eine bestimmte Spacelab-Mission ausgewählt werden. Hierbei handelt es sich um Wissenschaftler, die für die Durchführung der Experimente verantwortlich sind und daher über Aufbau und Ablauf eines jeden Experiments genauestens Bescheid wissen. Bei der Arbeit im Spacelab wechseln sich zwei Teams, jeweils aus einem Missions- und einem Nutzlastspezialisten bestehend, im 12-Stunden-Rhythmus ab; die Freistunden werden in den Räumen des Shuttle verbracht. Die gesamte Mannschaft, d.h. gelegentlich auch Kommandant und Pilot, steht für biomedizinische Experimente zur Verfügung.

Die Besatzung des STS-9-Fluges war eine gute Mischung aus Erfahrung und jugendlichem Talent, die richtige Zusammensetzung für den Raumflug. John Young (Kommandant) und Brewster Shaw (Pilot) waren für den eigentlichen Flug verantwortlich. Der Astronom Robert Parker (ganz rechts) und der Ionosphärenphysiker Owen Garriott (ganz links) waren als Missionsspezialisten eingesetzt. Als Nutzlastspezialisten waren dabei Byron Lichtenberg (Ingenieur der Biomedizin, stehend links) und Ulf Merbold (Festkörperphysiker, stehend rechts).

Die Auswahl der Besatzungsmitglieder

Die Shuttle-Piloten und Missionsspezialisten sind Angestellte der NASA und Mitglieder der Astronautenabteilung des Johnson Space Center (JSC). Die Piloten müssen höchste Gesundheitsanforderungen erfüllen (NASA Class I) und mindestens über 1000 Stunden Flugerfahrung als Chefpiloten in Hochleistungsdüsenflugzeugen verfügen.

Unter den Astronauten befinden sich zum Teil noch solche, die schon im Rahmen des Gemini- und Apollo-Programms rekrutiert worden sind. Jeder Pilot muß ein Mindestmaß an akademischer Vorbildung als Ingenieur, Biologe, Physiker oder Mathematiker besitzen. Bei den Missionsspezialisten wird mehr Wert auf wissenschaftliche Vorbildung und einen vollwertigen akademischen Grad gelegt. Ein Pilotenschein ist für deren Einstellung nicht erforderlich, und die Gesundheitsanforderungen sind weniger streng (NASA Class II) als bei den Piloten. Die Ausbildung von Missionsspezialisten und Piloten erfolgt im JSC; theoretischer Unterricht wechselt mit praktischer Unterweisung in Flugzeugen und Flugsimulatoren ab. Nach seiner Ausbildung bekommt jeder Astronauten einen bestimmten Verantwortungsbereich im Shuttle-Programm übertragen, und schon lange im voraus wird er für einen bestimmten Flug eingeteilt. Fortan konzentriert er sich ganz auf die Ziele des Fluges, er trainiert Missionsarbeiten und nimmt an allen wichtigen Besprechungen über die Flugplanung und die Nutzlast teil.

Die Nutzlastspezialisten werden im Hinblick auf eine spezielle Mission ausgewählt. Experimentatoren können sie vorschlagen, oder sie werden durch Stellenanzeigen in der Fachpresse gesucht. Die an sie gestellten gesundheitlichen Anforderungen sind nicht sehr hoch, so daß jeder normal gesunde Mensch, ob Mann oder Frau, zum Einsatz kommen könnte. Nach den ESA-Bedingungen muß ein Nutzlastspezialist jünger als 50 Jahre, zwischen 150 und 190 cm groß, von guter Gesundheit, ausgeglichen und wissenschaftlich qualifiziert sein. Es sei nochmals betont, daß Spacelab für eine wissenschaftlich vorgebildete Besatzung und nicht für austrainierte Astronauten ausgelegt ist.

Die Bewerber, die die gesundheitlichen Anforderungen erfüllen, werden von einer Kommission auf ihre wissenschaftlichen und technischen Kenntnisse geprüft. Zu dieser Kommission gehören auch einige Wissenschaftler, deren Experimente bei der Mission ausgeführt werden sollen. Die Nutzlastspezialisten sollen Erfahrungen und Kenntnisse in den Wissenschaftsbereichen vorweisen, mit denen sich die jeweilige Mission beschäftigt. Die Auswahlprozedur ist von langer Dauer und großer Gründlichkeit, damit die Experimentatoren die Gewähr haben, daß ihre Instrumente im Weltraum dem wirklich besten Kandidaten anvertraut werden. Bei der NASA bleiben die ausgewählten Nutzlastspeezialisten auch während ihrer Ausbildungszeit mit der Institution, von der sie kommen, verbunden, d.h. sie werden keine NASA-

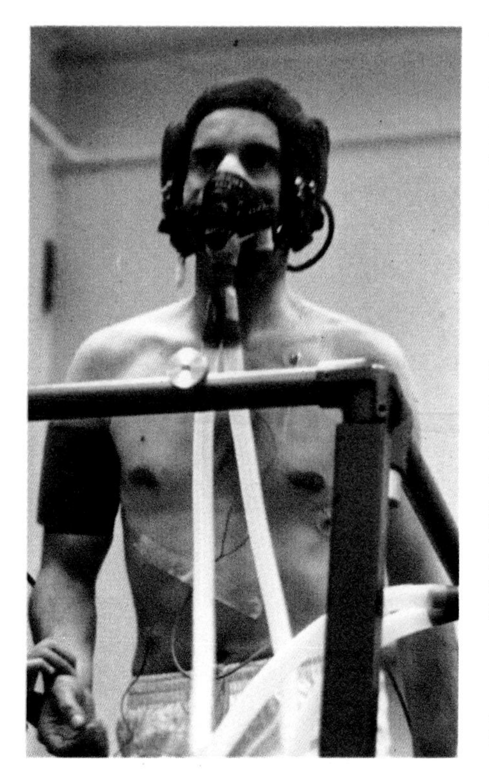

(Oben) Im Jahre 1977 wählte die ESA aus mehr als 2000 Bewerbern vier Kandidaten für den einen beim Spacelab-1-Flug zur Verfügung stehenden Nutzlastspezialistenplatz aus. Ulf Merbold, dem dieser Platz später zugewiesen wurde, ist hier bei medizinischen Belastbarkeitstests zu sehen.

(Unten) Während des ersten Spacelab-Fluges wurden im materialwissenschaftlichen Doppelrack über 30 Experimente durchgeführt. Die Besatzung mußte deshalb mit der Einrichtung und allen Experimenten bestens vertraut gemacht werden. Man erkennt hier Ulf Merbold, der als Teil seines Trainings eine Materialprobe im Gradientenofen auswechselt.

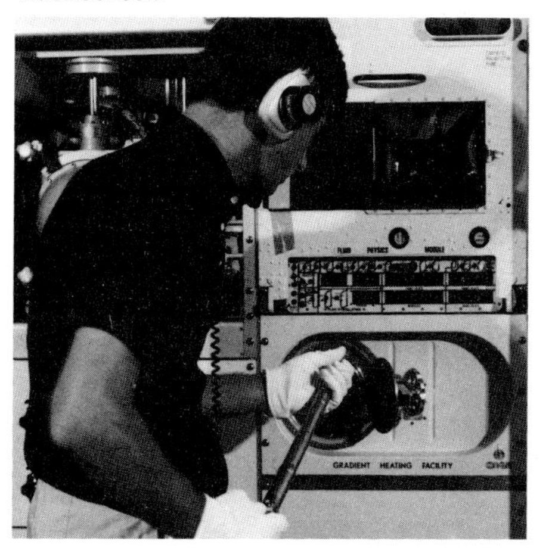

Angestellten. Dagegen werden die europäischen Nutzlastspezialisten von der ESA angestellt. Sie werden zwar von den Wissenschaftlern ausgewählt, aber der Generaldirektor der ESA muß in letzter Instanz ihren Einsatz bestätigen.

Im September 1977 benannten die Mitgliedsländer der ESA und die ESA selbst 53 Kandidaten, die aus mehreren tausend Bewerbern ausgesiebt worden waren, für die Endauswahl. Alle 53 Kandidaten wurden den oben beschriebenen Tests unterzogen; die folgenden vier wurden schließlich als Nutzlastspezialisten genommen:

Dr. Ulf Merbold, Bundesprepublik Deutschland
Dr. Franco Malerba, Italien
Claude Nicollier, Schweiz
Dr. Wubbo Ockels, Niederlande

Nach einer anfänglichen Trainingszeit von sechs Monaten wurde an Ulf Merbold, Claude Nicollier und Wubbo Ockels festgehalten. In Anbetracht der Verzögerung des ersten Spacelab-Fluges bot die NASA den ESA-Nutzlastspezialisten eine komplette Ausbildung zum Missionsspezialisten an, die bereits 1980 von Nicollier und Ockels, nach Aufenhalt im JSC, erfolgreich abgeschlossen wurde. Danach bestimmte man Nicollier zum Missionsspezialisten für die Bodenstation in Houston, während Merbold und Ockels Nutzlastspezialisten der ersten Spacelab-Mission wurden. Diese drei Wissenschaftsastronauten bilden die Kernmannschaft der Astronautenabteilung der ESA, die gut ausgebildete Spezialisten auch für künftige Spacelab-Missionen zur Verfügung stellen kann.

Die Astronautenausbildung

Nach ihrer Auswahl und Einteilung für eine bestimmte Mission beginnt für die Nutzlast- und Missionsspezialisten das Flugtraining. Dabei lernen sie, Spacelab zu bedienen und machen sich mit den vorgesehenen Experimenten vertraut. Eine genaue Kenntnis der Subsysteme und der wissenschaftlichen Experimente ist für den Erfolg einer Mission von entscheidender Bedeutung und hilft der Besatzung, unvorhergesehene Situationen während des Flugs zu meistern.

Ein Teil der Ausbildung ist allgemeiner Art, der größte Teil jedoch auf die speziellen Missionserfordernisse zugeschnitten. Hier lernen die Wissenschaftsastronauten Experimente auszuführen und deren Integration in das Spacelab bis ins kleinste Detail zu beurteilen. Sie gewinnen Einsicht in die Methodik jedes Experiments und eine genaue Kenntnis der verwendeten Apparaturen. Außerdem machen sie sich mit der wissenschaftlichen Zielsetzung jedes vertretenen Wissenschaftsbereichs vertraut. Sie nehmen an Vorlesungen teil, besuchen die Laboratorien, aus denen die Experimente kommen, und üben die Durchführung der Experimente. Ferner steht ein Spacelab-Simulator zur Verfügung, um die wissenschaftliche Nutzlast nahezu unter Flugbedingungen betreiben zu können. Solche Simulatoren befinden sich im Payload Crew Training Complex (PCTC) des Marshall Space Flight Center, Huntsville, Alabama, im Johnson Space Center und bei der Deutschen Forschungs- und Versuchsanstalt für Luft- und Raumfahrt e.V. (DFVLR) in Köln-Porz.

Ein Simulator besteht im wesentlichen aus einer Spacelab-Attrappe, in der die Racks und Schalttafeln in einem Modul, wie auch dieses selbst exakt nachgebaut sind. Hier kann sich die Besatzung schnell an die neue Umgebung gewöhnen und sich mit dem Umgang von Eingabe- und Sichtgeräten vertraut machen. Auch die Experimente lassen sich simulieren. Sie werden durch mathematische Modelle erfaßt; entsprechend programmierte Computer erzeugen Signale, die denen eines Experiments während der Mission ähneln. Dabei lassen sich Probleme und Fehler in den normalen Ablauf einführen, so daß die Wissenschaftsastronauten schon vor dem Flug lernen, auf solche Störungen richtig zu reagieren.

Für jeden zu besetzenden Astronautenplatz werden zwei Kandidaten ausgebildet. Erst wenige Monate vor dem Start wird einer von ihnen für den Flug und der andere zum Ersatzmann bestimmt. Während der Mission spielt dieser 'Reservist' eine bedeutende Rolle im Nutzlastkontrollzentrum.

Der Ausbildungskurs hat nicht nur eine genaue Kenntnis der Experimente zum Ziel, er fördert auch den Teamgeist zwischen der Besatzung, den Experimentatoren und den Ingenieuren, die den Flug betreuen. Dieser Teamgeist kam während des ersten Spacelab-Fluges deutlich zum Ausdruck und war mitverantwortlich für den reibungslosen Ablauf dieser Mission.

Der nicht direkt missionsbezogene Teil des Trainings dient dazu, der Besatzung die für eine optimale Leistungsfähigkeit im Weltraum notwendige Geschicklichkeit zu vermitteln. Hauptziel dieses Trainings, das im JSC abläuft, ist, die Astronauten mit den Lebens- und Arbeitsbedingungen in der Schwerelosigkeit vertraut zu machen.

Große Frachtflugzeuge im freien Parabelflug werden im Rahmen dieses Trainings benutzt, um den schwerelosen Zustand für etwa 30 Sekunden zu erreichen. Diese Zeit ist – durch viele Wiederholungen – ausreichend, um den Astronauten die nötige Gewandtheit für den Umgang mit Geräten im Spacelab beizubringen. Beim Aufenthalt unter Wasser kann ebenfalls durch den dort herrschenden Auftrieb eine Art schwereloser Zustand erreicht werden, weswegen Unterwassertraining in Taucheranzügen ebenfalls zum Trainingsprogramm gehört.

Während der gesamten Flugvorbereitungen, während des Flugs und in der Zeit danach unterliegen die Astronauten, und selbst ihre engsten Familienangehörigen, einer ständigen ärztlichen Überwachung durch einen für den Flug verantwortlichen Mediziner (crew surgeon). Auch die Nutzlastspezialisten werden in regelmäßigen Abständen medizinisch untersucht, damit gewährleistet ist, daß sie geistig und körperlich den Anforderungen während des Flugs gewachsen sind.

In den letzten Monaten vor dem Start wird die letzte Generalprobe für den Flug, der sogenannte Simulationstest, durchgeführt, bei dem es vornehmlich um das Ausprobieren der Kommunikationssysteme geht. In die Simulation sind einbezogen die Crew, Experimente, Experimentatoren und die Datenkontrolle und der Datenempfang über das TDRSS. Der Flugplan wird so gut wie möglich durchgespielt, damit alle Beteiligten mit ihren Auf-

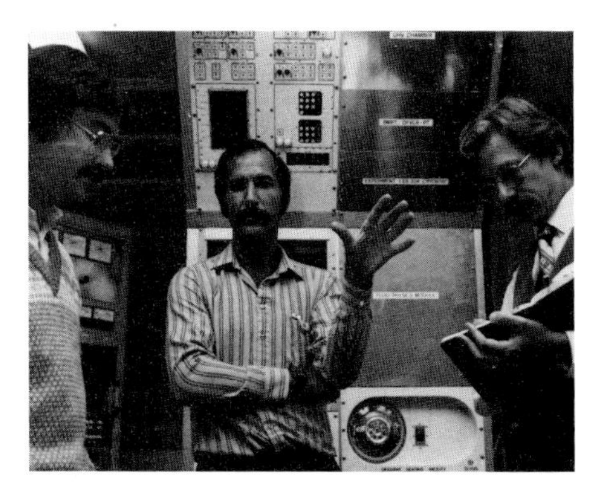

Die nicht zum Flug eingeteilten Nutzlastspezialisten Ockels und Lampton absolvierten das volle Flugtraining. Sie lernen hier gerade die Bedienung von materialwissenschaftlichen Experimenten.

Ulf Merbold übt den Betrieb des Fluidphysik-Moduls (FPM) in der Flugeinheit von Spacelab-1.

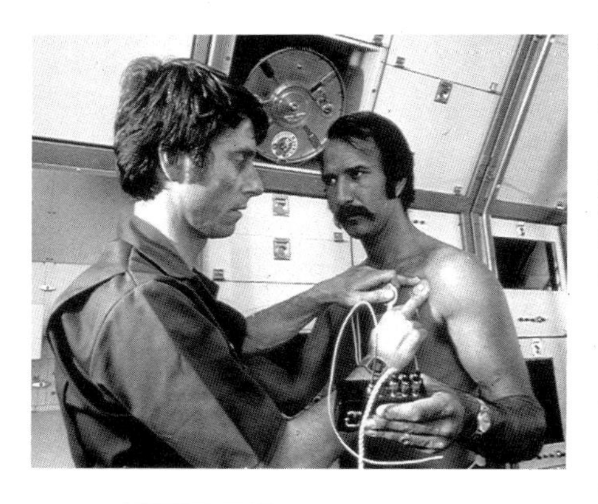

Die beiden europäischen Nutzlastspezialisten bereiten sich auf ihren Einsatz vor. Hier befestigt Merbold Elektroden für medizinische Messungen am Körper von Ockels.

gaben vertraut werden. Während dieses Tests arbeitet die Mannschaft im Spacelab-Simulator, und die Experimentatoren sitzen im Nutzlastkontrollzentrum (POCC).

Zwei Wochen vor dem Start treffen sich Repräsentanten der am Flug beteiligten Organisationen, um die Bilanz aus den Vorbereitungen zu ziehen. Erfüllen Hardware, Software, die Einrichtungen am Boden und die Verfahrenspläne alle gestellten Anforderungen, wird grünes Licht für den Start gegeben.

Vorbereitungen für Spacelab-1

Die Gesamtverantwortung für die erste Spacelab-Mission lag beim Marshall Space Flight Center (MSFC) in Huntsville, Alabama. Dieses Zentrum war mit Beaufsichtigung, Entwurf und Fertigung der Ausrüstung, Astronautentraining sowie der Integration der Experimente betraut. Eine Gruppe des MSFC, bestehend aus Missionsleiter, einem Missionswissenschaftler und Nutzlastingenieuren, war dann auch mit der Koordinierung aller technischen und wissenschaftlichen Aspekte der Mission beschäftigt. Das NASA-Hauptquartier in Washington stellte zusätzlich noch einen Programmleiter und einen Programmwissenschaftler zur Verfügung. Die bereits oben erwähnte, aus Gruppenleitern bestehende Arbeitsgruppe (IWG), hatte die Aufgabe, während der Nutzlastentwicklung die wissenschaftlichen Gesichtspunkte einzubringen und Konflikte zu lösen, die sich aufgrund der oft sehr unterschiedlichen Zielsetzung der einzelnen Experimente zwangsläufig ergaben.

Eine der wichtigsten von der IWG zu treffenden Entscheidungen betraf das TDRS-System, und zwar war darüber zu befinden, ob die Mission mit nur einem TDR-Satelliten überhaupt durchführbar ist. Ursprünglich waren zwei vorgesehen, und die Experimente waren entsprechend geplant worden. Wegen des Versagens der IUS-Rakete während der STS-6-Mission stand 1983 nur ein Datenübertragung-Satellit zur Verfügung. Auf einer IWG-Sitzung im März 1983 wurde die neue Lage von den Wissenschaftlern im Beisein der NASA- und ESA-Ingenieure erörtert. Dabei wurde nach langen Beratungen entschieden, daß ein Start im September 1983 mit nur einem Satelliten wissenschaftlich vertretbar sei. Obwohl die Ausbeute nicht mehr hunderprozentig zu nennen war, zogen die Wissenschaftler diese Lösung einer unbestimmten Startverschiebung vor, wobei sie sich des Risikos, weitere Daten durch eventuelle Störungen zu verlieren, bewußt waren.

Obwohl die NASA die Gesamtverantwortung für die Mission trug, baute die ESA 1977 für ihren Flugbeitrag ebenfalls eine Projektgruppe auf, an deren Spitze ein Projektmanager und ein Projektwissenschaftler standen. Sie trug den Namen SPICE (Spacelab Payload Integration and Coordination in Europe) und war bei der DFVLR-Niederlassung in Köln-Porz angesiedelt. Von DFVLR-Ingenieuren sowie Technikern verschiedener Zentren der ESA und der französischen Raumfahrtbehörde CNES wurde die Gruppe unterstützt. Die Aufgabe von SPICE bestand darin, den europäischen Nutzlastteil zusammenzustellen. Im einzelnen gehörten hierzu die folgenden Tätigkeiten:

(i) Untersuchungen der ausgewählten Experimente hinsichtlich ihrer Einpassung ins Spacelab und Koordination der die Experimente betreffenden Aktivitäten.
(ii) Das Aufstellen von technischen Spezifikationen für die Nutzlast und ihre Überwachung.
(iii) Das Bereitstellen von technischer Beratung und Assistenz für die Experimentatoren.
(iv) Beschaffung des benötigten Zusatz- und Testinstrumentariums.
(v) Ausarbeitung der Bodentestprogramme und der an Bord benötigten Software.

(vi) Planung, Festlegung und Koordinierung der Integration des europäischen Nutzlastanteils.
(vii) Ausarbeitung der für den europäischen Nutzlastanteil erforderlichen Flugpläne.
(viii) Beaufsichtigung des Trainings der Missions- und Nutzlastspezialisten in Europa.
(ix) Generelle Unterstützung der NASA bei allen Aktivitäten vor, während und nach dem Flug.

Die Firma MBB-ERNO in Bremen war Hauptauftragnehmer für die Integration und den Test der europäischen Nutzlast (First Spacelab Payload: FSLP). Diese wurde in dem gleichen Gebäude zusammengesetzt, in dem zuvor Spacelab zusammengebaut worden war. Die Arbeiten in Bremen wurden im Mai 1982 beendet und die Nutzlast auf dem Luftweg zum Kennedy Space Center in Florida befördert, wo die europäischen und amerikanischen Nutzlastanteile zum ersten Mal zusammentrafen.

Die Spacelab-Elemente waren hier schon früher eingetroffen und für den Flug zusammenmontiert worden. Anfang 1983 wurden die Racks mit den an ihnen befestigten Apparaturen ins Modul eingebaut und alle anderen Nutzlastelemente auf der Palette montiert. Dabei waren die europäischen Experimente auf einer speziell entwickelten Brückenstruktur erhöht angeordnet, damit sie gut eingesehen werden konnten. In diese Struktur waren Kühlplatten, RAUs und andere Untersysteme miteinbezogen. Ein zusätzlicher Vorteil bestand darin, daß man ESA- und NASA-Nutzlastteile völlig unabhängig voneinander einbauen konnte.

Nach dem Zusammenbau der Gesamtnutzlast, bestehend aus dem Modul mit Grundausrüstung, der Palette, den Experimenten, dem Stromverteilungssystem sowie den mechanischen Befestigungelementen, wurde mit einer speziellen Shuttle-Attrappe festgestellt, ob die Gesamteinheit einschließlich des Tunnels genau in den Laderaum der Raumfähre paßte. Diese Attrappe namens CITE (Cargo Integration Test Equipment) ist ein genauer Nachbau des Laderaums der Columbia. Der Test wurde am 1. Juli 1983 erfolgreich abgeschlossen.

Weitere Tests waren erforderlich um sicherzustellen, daß alle eingebauten Geräte auch funktionierten. Dazu wurden ausgewählte Abschnitte der time-line schon während der Bodentests bearbeitet, wobei die Instrumente zum ersten Mal von den eigentlichen Spacelab-Untersystemen betrieben wurden, und nicht wie bei allen vorangegangenen Tests von Simulatoren. Die Experimente schaltete man, genau wie im Flugplan vorgeschrieben, ein und aus, so daß auch die Verträglichkeit der gleichzeitig laufenden Instrumente nachgewiesen werden konnte.

Der 25. Juli 1983 war ein großer Tag für Spacelab, weil an diesem Tag die Gesamtnutzlast des STS-9-Fluges, bestehend aus Spacelab und den integrierten Experimenten, als startklar deklariert wurde. Eine aus NASA- und ESA-Vertretern zusammengesetzte Kommission hatte zuvor die gesamten Testaufzeichnungen durchgesehen. Die Gesamtnutzlast wurde am 16. August 1983 ins OPF transportiert, wo die Raumfähre Columbia bereitstand. Spacelab wurde in ihren Laderaum eingebracht und der Verbindungstunnel installiert.

In der Zeit zwischen dem 7. und 9. September 1983 fand ein wichtiger Test des gesamten Kommunikationssystems statt. Bei diesem sogenannten End-to-end-Test wurden die Daten, die im Spacelab anfielen, über das Shuttle, den TDR-A-Satelliten, die Bodenstation in White Sands und einen weiteren Nachrichtensatelliten, DOMSAT, in das Bodenkontrollzentrum (MOCR) sowie das Nutzlastkontrollzentrum (POCC) übertragen. Es wurde demonstriert, daß sich jede Art von Daten – Echtzeitdaten und bandgespeicherte Daten – als Analog- und Digitalwerte unverfälscht vom Spacelab zur Bodenstation übertragen ließen.

Während im Kennedy Space Center die endgültige Flugintegration stattfand, konzentrierten sich Besatzung und Experimentatoren auf die

Wissenschaftsastronaut Claude Nicollier von der ESA übt während eines freien Parabelfluges an Bord eines Spezialflugzeuges (KC-135) die Durchführung eines raummedizinischen Experimentes. Bei einem freien Parabelflug tritt für kurze Zeit Schwerelosigkeit auf.

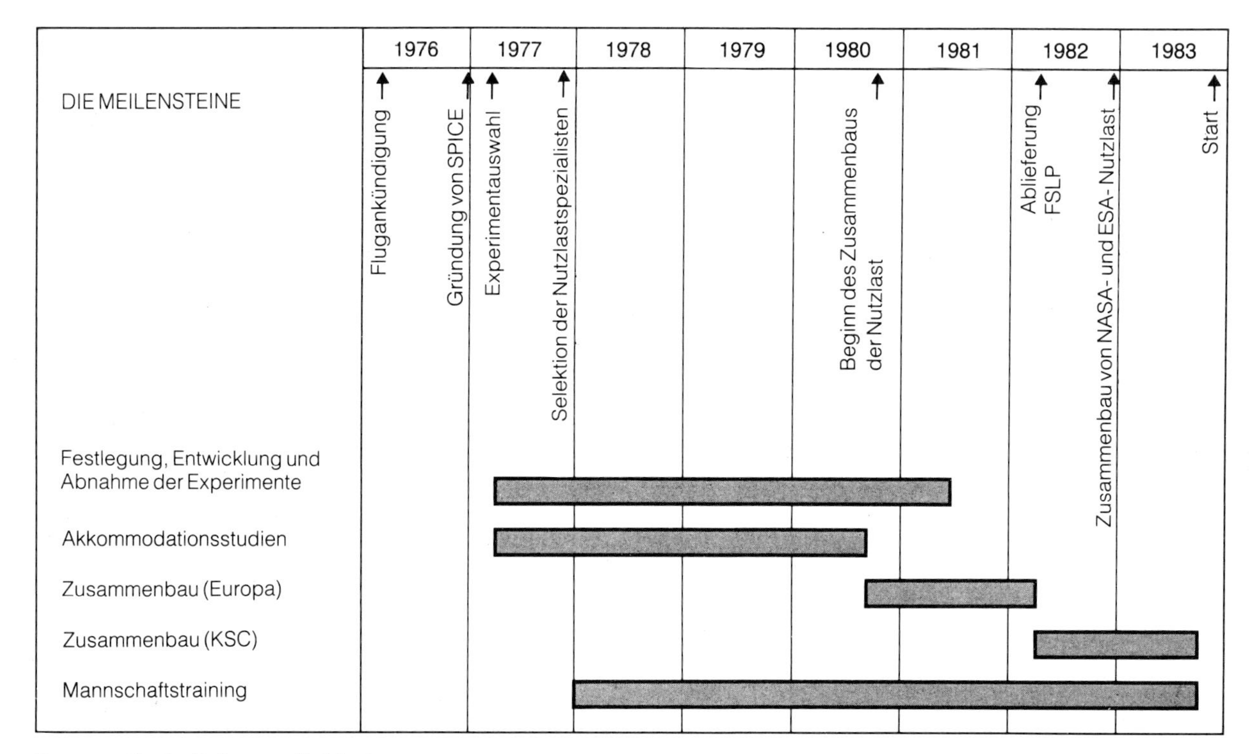

Der europäische Beitrag zur Nutzlast von Spacelab-1 wurde in der zweiten Hälfte der siebziger Jahre entwickelt. Unter der Leitung von SPICE wurden die einzelnen europäischen Experimente zu einer Nutzlast integriert, die man später mit dem Nutzlastteil der NASA kombinierte.

Flugplanung. Hierzu stand ihnen die time-line, die jeden Handlungsablauf während des Fluges minutiös vorschrieb, zur Verfügung. Sie war den Anforderungen der Experimente entsprechend erstellt worden und berücksichtigte Faktoren wie Fluglage des Shuttle, Sichtbarkeit des TDR-A-Satelliten, Datenanfall, erforderliche Beobachtungsrichtung der Experimente und Verfügbarkeit der Besatzung. Die einzelnen Schritte der time-line (gerechnet vom Zeitpunkt des Starts) wurden in den Spacelab-Computer einprogrammiert. Die time-line diente somit als genauer Flugfahrplan, der auf den Sichtgeräten im Spacelab und am Boden ständig ablesbar war.

Der Einbau des europäischen Nutzlastteils geschah bei der Firma MBB-ERNO in Bremen. Diese Aufnahme zeigt den Palettenteil, der nur europäische Experimente trägt ('European Bridge').

Die europäischen Geräte, die auf der Palette zu befestigen sind, werden bei ihrem Eintreffen im Kennedy Space Center besichtigt.

Die Instrumente, die zur Messung dem Weltraum ausgesetzt sein müssen, sind auf der Palette angeordnet. Man erkennt hier links die europäischen und rechts die Experimentalvorrichtungen der NASA. Instrumente, die mit besonderer Vorsicht behandelt werden müssen, sind mit roten Anhängern, die vor dem Start entfernt werden, versehen.

Während der Monate August und September 1983 wurden kritische Abschnitte der time-line im Beisein von Nutzlastspezialisten und Experimentatoren am Boden durchgespielt. Dabei hielten sich die Nutzlastspezialisten im Spacelab-Simulator in Huntsville auf, während die Experimentatoren vor ihren inzwischen im POCC in Houston installierten Bodenkontrollgeräten saßen. Zu diesen höchst wichtigen Simulationen oder 'Generalproben' wurden gelegentlich auch die Shuttle-Piloten hinzugezogen, für die ein aufwendiger Shuttle-Simulator in Houston bereitstand. Der Simulationsab-

Die Racks – Einheiten, die die meisten Spacelab-Experimente aufnehmen – werden mit einem Kran zum Modul transportiert.

Das geöffnete Modul, fertig zur Aufnahme der Racks und der Subsysteme von Spacelab.

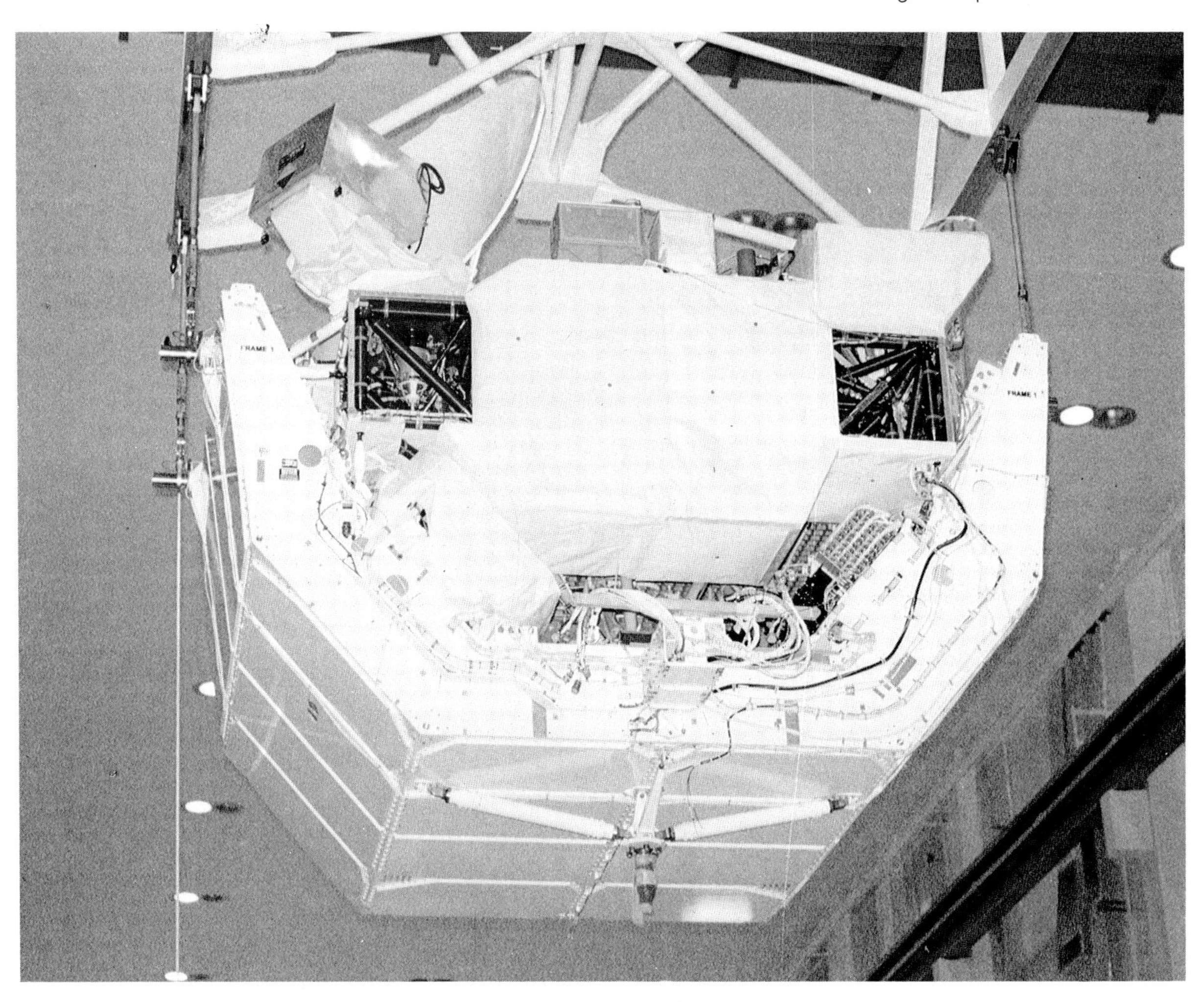

Die mit Apparaturen bestückte Palette wird mit einem Kran zum Modul befördert.

Die Kombination aus Modul und Palette wird in eine Attrappe des Laderaums (CITE: Cargo Integration Test Equipment) hinuntergelassen, um die richtige Anordnung der Befestigungspunkte zu überprüfen.

Modul und Palette von Spacelab in der Attrappe des Shuttle-Laderaums (CITE).

Die Spacelab-1-Konfiguration, mit allen Experimentalvorrichtungen bestückt, wird aus der CITE-Anlage in einen riesigen Kanister gehoben, in dem sie in die Montagehalle des Shuttle (OPF: Orbiter Processing Facility) überführt wird.

In der Montagehalle des Shuttle (OPF) wird Spacelab aus dem Transportkanister gehoben und in den Laderaum des Shuttle herabgesenkt.

Hier ist Spacelab komplett im Laderaum der Columbia installiert. Im Vordergrund erkennt man den Verbindungstunnel. Alle Außenwände sind zum Zweck der thermischen Isolation mit Spezialfolien verkleidet.

lauf wurde von einer Zentralstelle (Mission Operations Control Room: MOCR) im Johnson Space Center beaufsichtigt, in der alle während der Mission benötigten Datenverbindungen und Sichtgeräte bereits frühzeitig installiert worden waren.

Nach dem erfolgreichen Abschluß der Simulationstests gab es doch noch einige Rückschläge. Das geplante Startdatum, der 28. September 1983, konnte wegen Schwierigkeiten bei der Umstellung der time-line von zwei auf einen TDR-Satelliten nicht eingehalten werden. Ferner richtete ein Hurrikan über Houston größere Gebäudeschäden im Johnson Space Center an. Das größte Problem war jedoch das Auftreten eines technischen Fehlers in einer der Feststoffraketen (SRB) des Shuttle. Überprüfungen der SRB-Raketen vom STS-8-Flug hatten gezeigt, daß die Innenbeschichtung der Düse eines Triebwerkes beim Start stark angegriffen und zu weit abgebrannt war. So mußte die gesamte Startkonfiguration von STS-9, die schon auf der Abschußrampe stand, am 17. Oktober 1983 wieder ins VAB zurücktransportiert werden. Der Fehler an der Düse war aufgrund einer Änderung im

Fabrikationsablauf aufgetreten und wurde durch Einbau einer Düse aus einer früheren Serie behoben.

Der Austausch der Düse war jedoch äußerst aufwendig, da die gesamte Startkonfiguration demontiert werden mußte. Shuttle und Spacelab mußten ins OPF zurückgebracht werden, wo man Brennstoffzellen und andere empfindliche Systeme zu warten hatte. Auch Filme, Batterien und Treibgase von einigen Experimenten mußten ersetzt werden. Nach Behebung des Schadens an der Rakete wurde die Startkonfiguration erneut im VAB zusammengefügt und am 7. November wieder zur Startrampe transportiert. Als neues Startdatum war zuvor der 28. November 1983 festgelegt worden. Wegen verschlechterter Bedingungen für einige Experimente einigten sich NASA und ESA erst nach eingehenden Überlegungen auf diesen Termin.

Der genaue Startzeitpunkt einer Mission wird durch die Beobachtungsanforderungen der Experimente bestimmt. So hängt die Qualität fotografischer Aufnahmen vom Sonnenstand und somit von der Jahreszeit, in der der Flug stattfindet, ab. Dagegen ist es für astronomische Beobachtungen und

Spacelabs erste Begegnung mit dem Shuttle Columbia. Der Verbindungstunnel ist hier noch nicht installiert.

einige Untersuchungen der Atmosphäre von Wichtigkeit, bei großer und langanhaltender Dunkelheit durchgeführt zu werden. Deswegen muß der Flug in der Zeit um Neumond stattfinden und die Tageszeit des Abschusses so festgelegt werden, daß ein möglichst großer Teil der Umlaufbahn im Erdschatten liegt.

Bei der Festlegung der Tageszeit für den Abschuß ergaben sich jedoch einander widersprechende Anforderungen von Shuttle und Spacelab. Aus Sicherheitsgründen mußte der Start vom Kennedy Space Center so früh am Tage stattfinden, daß noch eine Notlandung in Spanien bei Tageslicht hätte stattfinden können. Hinsichtlich der Experimente wäre es günstiger gewesen, später am Tage zu starten. Man hätte dann längere Durchflüge durch den Erdschatten erzielt. In dieser Situation einigte man sich auf einen Kompromiß. Die Startzeit wurde auf 11.00 Uhr Ortszeit in Florida festgesetzt. Der Start durfte sich um nicht mehr als 14 Minuten verschieben, da sonst eine eventuelle Landung bei Tageslicht in Spanien nicht mehr möglich gewesen wäre.

Formal wurde die Entscheidung, den Start am 28. November durchzuführen, bei einer Sitzung der NASA- und ESA-Verantwortlichen am 18. November getroffen; allerdings erst, nachdem die NASA einen kostenlosen Wiederholungsflug für die sieben Experimente zugesagt hatte, deren wissenschaftliche Ausbeute durch die Flugverschiebung beeinträchtigt wurde. Der Countdown konnte am 25. November 1983 beginnen.

Der erste Flug von Spacelab fand also wegen der ungünstigen Startzeit und wegen der Verfügbarkeit von nur einem TDR-Satelliten nicht unter Idealbedingungen statt. Daß dennoch bemerkenswerte Ergebnisse erzielt wurden, spricht für die Qualität der Experimente und die Flexibilität der Missionsplaner auf beiden Seiten des Atlantik.

Ein fertig zusammengestelltes Rack (das sog. Minilab der NASA), das fünf raummedizinischen Experimenten dient, auf dem Weg zum Einbau ins Modul.

Letzte Startvorbereitungen für die STS-9-Mission. Im Morgengrauen des 28. November 1983 wird Columbia mit Spacelab in ihrem Laderaum letzten Tests unterzogen.

Höhepunkte

DER ERSTE SPACELAB-FLUG

Der Jungfernflug von Spacelab begann am 28. November 1983 vom Kennedy Space Center aus. Columbia mit Spacelab im Laderaum hob auf die Sekunde genau um 11.00 Uhr Ortszeit oder 16.00 Uhr Greenwich-Zeit (GMT) von der Startrampe ab. Es war dies der neunte Flug eines Shuttle, der darum STS-9 genannt wird. Spacelab blieb während des gesamten Fluges fest mit dem Shuttle verbunden und absolvierte 166 Erdumrundungen. Der historische Flug dauerte 10 Tage, 7 Stunden und 47 Minuten. Die Landung fand am 8. Dezember 1983 um 23.47 GMT auf der Edward Air Force Base in Kalifornien statt. Dabei kehrten 100 000 kg, und damit das bis dahin schwerste Raumschiff überhaupt, sicher aus dem Weltraum zurück. Der Flug war für alle Beteiligten ein großer Erfolg.

Das Hauptziel des ersten Fluges war der Nachweis der Funktionstüchtigkeit von Spacelab und seiner Einsetzbarkeit als Raumlaboratorium für ein großes Spektrum wissenschaftlicher und technischer Disziplinen. Auch sollte untersucht werden, inwiefern Spacelab die unmittelbare Umgebung des Shuttle beeinflußt, und es sollte gezeigt werden, daß alle Verbindungen zwischen Shuttle und Spacelab die beim Raumflug auftretenden Belastungen aushalten. Bei diesem ersten Flug kam eine Konfiguration, bestehend aus einem langem Modul und einer Palette, zum Einsatz, die einschließlich der Nutzlast ein Gesamtgewicht von 15 000 kg hatte.

'Hail Columbia! happy land!
Hail, ye heroes! heaven-born band!'
Joseph Hopkinson

Columbia hebt am 28. November 1983 um 16 Uhr GMT von der Startrampe ab.

Vor dem Ensteigen in den Transporter, der die Besatzung zur Startrampe fährt, winkt Ulf Merbold zum Abschied.

Mit Hinblick auf die Erprobung von Spacelab als Laboratorium für verschiedene Forschungsbereiche war die wissenschaftliche Zielsetzung von ESA und NASA gemeinsam festgelegt worden. Sie läßt sich wie folgt unterteilen:

(i) Beobachtung von Himmelserscheinungen im ultravioletten und Röntgenstrahlenbereich (Astronomie).
(ii) Präzisionsmessungen der von der Sonne abgestrahlten Energie (Sonnenphysik).
(iii) Studium der Ionosphäre und der Plasmaeigenschaften in der direkten Umgebung des Shuttle (Plasmaphysik).
(iv) Studium der Erdatmosphäre durch Messung ihrer Zusammensetzung mit Hilfe von Emissions- und Absorptionsspektroskopie bei verschiedenen Wellenlängen (Atmosphärenphysik).
(v) Erprobung neu entwickelter Geräte für die Fernerkundung der Erde.
(vi) Beobachtungen des Einflusses der Mikrogravitation auf feste, flüssige und gasförmige Substanzen und Versuche in der Flüssigkeitsphysik, zur Kristallzüchtung sowie in der Metallurgie (Material- oder Werkstofforschung).
(vii) Untersuchungen der Tribologie (also der Reibung und des Schmierverhaltens) unter Schwerelosigkeit (Technologie).
(viii) Studium des Einflusses der Weltraumbedingungen auf die Physiologie des Menschen und auf das Verhalten biologischer Systeme (Raummedizin und -biologie).

Für den ersten Spacelab-Flug war eine kreisförmige Umlaufbahn in 240 km Höhe festgelegt worden. Sie hatte einen Neigungswinkel von 57° zum Äquator, so daß die USA und große Teile Europas überflogen wurden. Bei einem Neigungswinkel von 57° werden alle Gebiete der Erde, die südlich einer geographischen Breite von 57° auf der Nord- wie auch auf der Südhalbkugel liegen, abgedeckt, also auch Australien, Neuseeland und Südamerika. Während des Fluges wurde die Fluglage des Shuttle – wie in der time-line vorgeschrieben – mehr als 200mal geändert, um für verschiedene Experimente optimale Beobachtungsmöglichkeiten zu schaffen. Insgesamt waren sechs Besatzungsmitglieder während des ersten Spacelab-Fluges an Bord der Columbia.

Die Besatzung

Owen Garriott im Verbindungstunnel auf dem Weg vom Shuttle-Cockpit ins Spacelab.

Beim ersten Spacelab-Flug waren John Young als Kommandant und Brewster Shaw als Pilot eingesetzt. Dr. Owen Garriott und Dr. Robert Parker fungierten als Missionsspezialisten. Zum ersten Mal in der Geschichte der Raumfahrt kamen Nutzlastspezialisten zum Einsatz: Dr. Ulf Merbold und Dr. Byron Lichtenberg, die aufgrund ihrer wissenschaftlichen Vorbildung und ihrer Geschicklichkeit von den Experimentatoren ausgewählt worden waren. Mit Ulf Merbold war auch der erste Nichtamerikaner an Bord des Shuttle und der erste ESA-Angehörige im Weltraum. Er eröffnete damit für die europäische Raumfahrt ein neues Kapitel in ihrer Geschichte: den bemannten Raumflug.

Zur Zeit des ersten Spacelab-Fluges war John Young 54 Jahre alt und hatte bis dahin bei früheren Missionen insgesamt 800 Stunden im Weltraum verbracht. Er ist der erste und bisher einzige Astronaut, der es auf sechs Weltraumstarts gebracht hat. Er war zweimal im Gemini-Programm (3. und 10. Flug) und zweimal im Apollo-Programm (10. und 16. Flug) zum Einsatz gekommen, bevor er zum Kommandanten des ersten Shuttlefluges (STS-1) bestellt wurde. Er hatte als neunter Mensch den Mond betreten und war Fahrer eines speziellen Mondfahrzeugs. John Young ist seit September 1962 im Dienst der NASA und leitet zur Zeit die Astronautenabteilung im Johnson Space Center. Seine Erfahrung hat entscheidend zum reibungslosen Ablauf und zum Erfolg des ersten Spacelab-Fluges beigetragen. Pilot der STS-9-Mission, seinem ersten Weltraumeinsatz, war Brewster Shaw. Mit 38 Jahren war er das jüngste Besatzungsmitglied. Shaw ist als Ingenieur ausgebildet und war Testpilot und Fluglehrer bei der US-Luftwaffe.

Als Missionsspezialisten waren Owen Garriott (53 Jahre) und Robert Parker (47 Jahre) von der NASA ausgewählt worden. Beide hatten wichtige Funktionen im Skylab-Programm, das am 14. Mai 1973 gestartet worden war. Skylab, die erste Raumstation der USA, umrundete die Erde insgesamt 3900mal in einer Höhe von 430 km und mit einer Bahnneigung von 50°. Dr. Garriott, der verschiedene akademische Grade erworben hat, war Anfang der sechziger Jahre Professor der Elektrotechnik an der Universität Stanford. Er trat 1965 in den Dienst der NASA und wurde Wissenschaftspilot bei der zweiten Skylab-Mission, während der er 59 Tage im Weltall zubrachte, davon 13 Stunden und 43 Minuten bei Weltraumspaziergängen. Dr. Parker war

Diese Landkarte zeigt die Projektion der Flugbahn des Spacelab-1-Fluges auf die Erdoberfläche. Es werden alle geographischen Breiten bis 57° abgedeckt. Während jedes Erdumlaufs dreht sich die Erde um 22,5° weiter, so daß immer neue Gebiete überflogen werden.

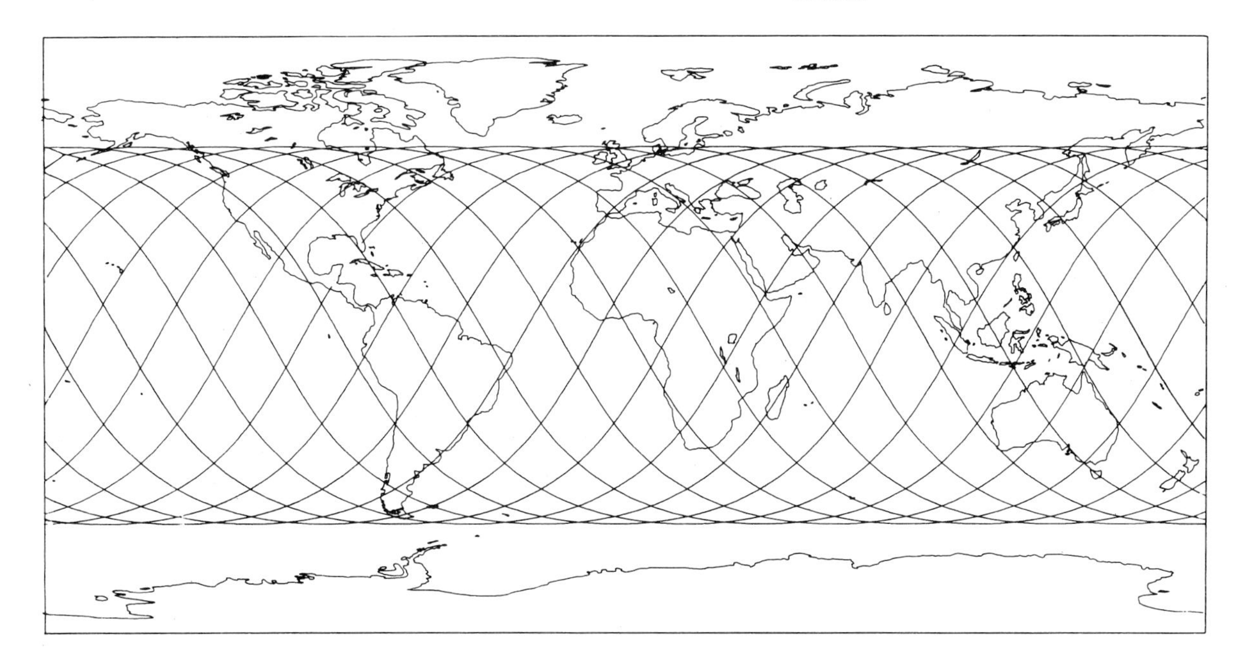

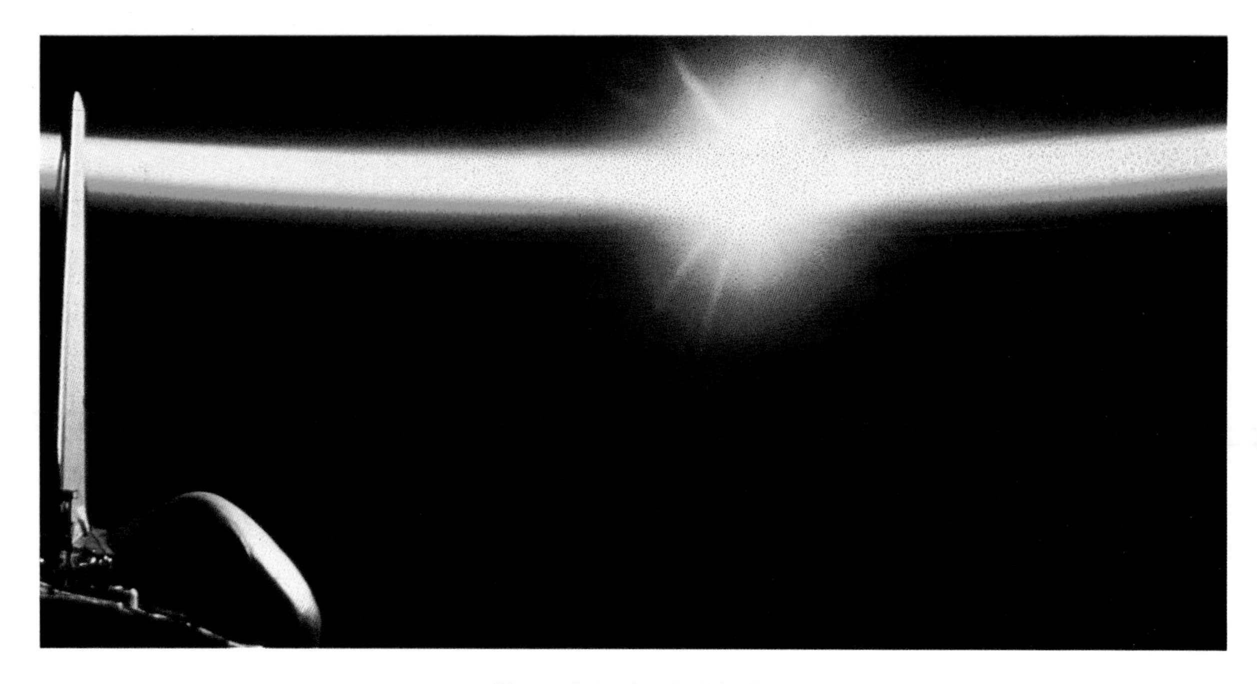

Dieses eindrucksvolle Bild eines Sonnenaufgangs und des Leuchtens der Erdatmosphäre wurde aus dem Rückfenster des Cockpits aufgenommen.

Programmwissenschaftler bei Skylab und sammelte seine ersten Erfahrungen im Bodenbegleitprogramm der Apollo-Missionen. Bevor er 1962 NASA-Angestellter wurde, war er Professor für Astronomie an der Universität Wisconsin.

Dr. Ulf Merbold, der von der ESA gestellte Nutzlastspezialist der ersten Spacelab-Mission, wurde 1941 in Greiz, Vogtland (heute DDR), geboren. Er erhielt seine Ausbildung in der Festkörperphysik am Max-Planck-Institut für Metallforschung in Stuttgart, wo er auf den Gebieten Kristallgitterfehlstellen und Tieftemperaturphysik arbeitete. Die Universität Stuttgart verlieh ihm das Diplom in Physik und den Doktorgrad. Er schloß sich im Dezember 1977 der ESA an. Die NASA-Experimente wurden von Byron Lichtenberg betreut, einem 35jährigen Ingenieur der Biomedizin vom Massachusetts Institute of Technology. Auch nach seiner Auswahl als Nutzlastspezialist im Jahre 1978 blieb er Mitglied dieses Instituts. Sein Vordiplom legte er an der Brown University ab, Diplom und Doktorgrad erhielt er am Massachusetts Institute of Technology. Er war Pilot bei der US-Luftwaffe und bekam eine hohe Auszeichnung für seine im Vietnamkrieg geflogenen Einsätze.

Merbold und Lichtenberg wurden erst im September 1983 endgültig als Flug-Nutzlastspezialisten nominiert. Gleichzeitig wurden ihre Mitbewerber, Wubbo Ockels für ESA und Michael Lampton für die NASA, als Ersatzleute bestimmt. Dr. Ockels, ein 37jähriger Physiker aus Holland, besitzt den Doktorgrad in Kernphysik von der Universität Groningen. Im Laufe seiner Astronautenausbildung hat er einen Trainingskurs zum Missionsspezialisten im Johnson Space Center erfolgreich absolviert. Dr. Lampton ist 42 Jahre alt und Mitarbeiter am Institut für Astronomie und Raumphysik der University of California in Berkeley, wo er auch seinen Doktorgrad erwarb.

Ockels und Lampton haben das gleiche Training wie Merbold und Lichtenberg absolviert. Sie wären in der Lage gewesen, jederzeit für letztere einzuspringen. Über ihre Reservistenrolle hinaus wurden sie an entscheidender Stelle während der Mission im Nutzlastkontrollzentrum eingesetzt. Aufgrund ihrer Ausbildung im Sprechfunkverkehr und ihrer guten Kenntnisse der Experimente waren sie hervorragend dazu geeignet, für die optimale Kommunikation zwischen Experimentatoren am Boden und Nutzlastspezialisten an Bord zu sorgen. Sie stellten sich auch als Testpersonen für mehrere medizinische Experimente zur Verfügung, die wertvolle Vergleichsdaten zu entsprechenden Untersuchungen im Spacelab lieferten.

Während der Spacelab-Mission war die Besatzung in zwei Teams, ein 'rotes', bestehend aus Young, Parker und Merbold, sowie ein 'blaues', bestehend aus Shaw, Garriott und Lichtenberg, aufgeteilt. Die Teams lösten sich im 12-Stunden-Rhythmus ab und stellten somit sicher, daß für Shuttle, Spacelab und die Experimente während der vollen zehn Tage ein 24-Stunden-Betrieb aufrechterhalten werden konnte.

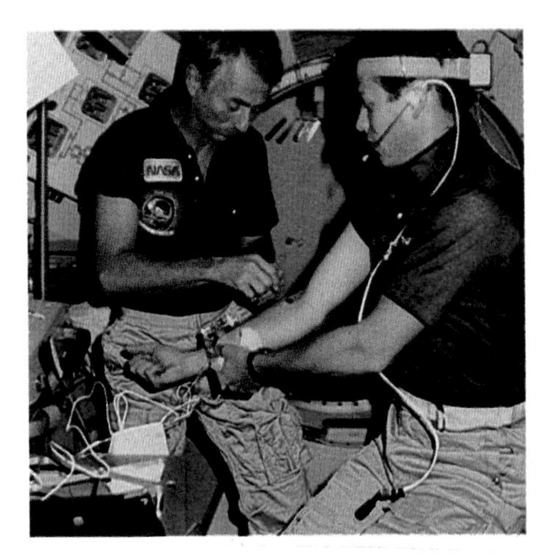

Die Wissenschaftsastronauten unterzogen sich einer Reihe von medizinischen Untersuchungen, um den Einfluß der Schwerelosigkeit auf die Verteilung der Körperflüssigkeiten, die Zirkulation der roten Blutzellen und die Widerstandsfähigkeit des Körpers zu ermitteln. Hier mißt Owen Garriott den zentralen Venendruck von Byron Lichtenberg und entnimmt gleichzeitig eine Blutprobe.

So sahen die Spacelab-Astronauten die Erde schon bald nach dem Start von der Umlaufbahn aus.

Gruppenaufnahme der Spacelab-1-Besatzung mit dem roten Team, bestehend aus John Young, Robert Parker und Ulf Merbold (oben) und dem blauen Team, bestehend aus Brewster Shaw, Owen Garriott und Byron Lichtenberg (unten).

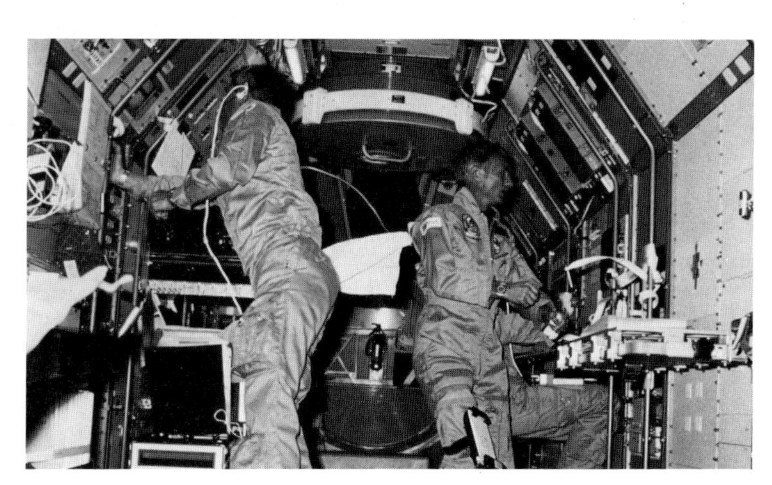

Die Missionsspezialisten Owen Garriott und Robert Parker bei der Arbeit im Spacelab-Modul.

Bewährungsprobe für Spacelab

Nach der Fertigstellung von Spacelab war es aus Kostengründen nicht möglich gewesen, das Gesamtsystem in Weltraumsimulatoren am Boden auszutesten. Zwar hatte man das Gesamtsystem unter Normalbedingungen und die Untersysteme teilweise unter simulierten Weltraumbedingungen in Betrieb genommen und dabei ein hohes Maß an Vertrauen in die Hardware gewonnen, doch stand der endgültige Test während des ersten Fluges an. Das Hauptziel der ersten Spacelab-Mission war es daher, das einwandfreie Funktionieren und Zusammenspiel von Tausenden von mechanischen und elektronischen Bauelementen nachzuweisen. Weiterhin mußte sich herausstellen, ob Shuttle und Spacelab miteinander kompatibel waren, und ob Spacelab seine Funktion als Laboratorium für eine Vielzahl von Experimenten auch hundertprozentig erfüllen konnte. Dabei war auch der Nachweis von großer Wichtigkeit, daß die Experimente nicht durch das Spacelab selbst gestört wurden.

Während des gesamten Fluges wurden deswegen alle wichtigen technischen Parameter, wie Temperaturen an kritischen Stellen, Druckwerte im Modul oder in Flüssigkeitstanks sowie die Spannung an einer Vielzahl von Meßpunkten im elektrischen und elektronischen System von Spacelab ständig registriert. All diese Messungen waren für den Nachweis des korrekten Funktionierens der Untersysteme erforderlich. Das Marshall Space Flight Center hatte ein umfangreiches Testprogramm (VFT) entwickelt, mit dessen Hilfe das Verhalten des Gesamtsystems unter konkreten Arbeitsbedingungen überprüft wurde. Besondere Aufmerksamkeit widmete man dem Verhalten der mechanischen Konstruktion, den Arbeitsbedingungen der Besatzung, der Klimaanlage, dem Stromversorgungssystem, der Datenverarbeitung, den Oberflächeneigenschaften von Spacelab sowie der direkten äußeren Umgebung von Spacelab. Im Rahmen dieses Testprogramms wurden Routinemeßvorrichtungen sowie speziell entwickelte Geräte (Verification Flight Instrumentation: VFI) eingesetzt, die auch während der Start- und Wiedereintrittsphase wichtige Funktionsdaten aufzeichneten.

Der amerikanische Nutzlastspezialist Byron Lichtenberg überprüft das Werkstofflabor, bevor er das erste der 30 materialwissenschaftlichen Experimente in Gang setzt.

Die wissenschaftliche Nutzlast

Die Nutzlast des ersten Spacelab-Fluges wurde von ESA und NASA gemeinsam eingebracht, wobei jeder Behörde etwa der gleiche Teil an Masse, Energie, Datenfluß usw. zum Betreiben der Experimente zur Verfügung stand. Die Gesamtmasse der Nutzlast betrug 2785 kg und die bereitgestellte Leistung 2000 W. In der time-line war der Gesamtstromverbrauch der Experimente mit 170 kWh festgelegt. Die Zuteilungen an Masse und Energie lagen unter den maximal zulässigen Werten, eben wegen des experimentellen Charakters der ersten Spacelab-Mission und auch, weil zusätzlich andere Geräte (z.B. das VFI) mitgeführt werden mußten.

ESA und NASA hatten die Experimente weitgehend unabhängig voneinander ausgeschrieben. Jede Behörde wählte dann die ihr zustehende Zahl von Experimenten unter Berücksichtigung ihres wissenschaftlichen Werts und ihrer Eignung für Spacelab aus. Insgesamt gingen mehr als 400 Vorschläge für Experimente ein, von denen 70 aus Europa, den USA und Japan akzeptiert wurden. Sie fielen in die Disziplinen Astronomie, Sonnenphysik, Plasmaphysik, Erdbeobachtungen (einschließlich Atmosphärenphysik), Materialforschung, Technologie, Medizin und Biologie. Die NASA

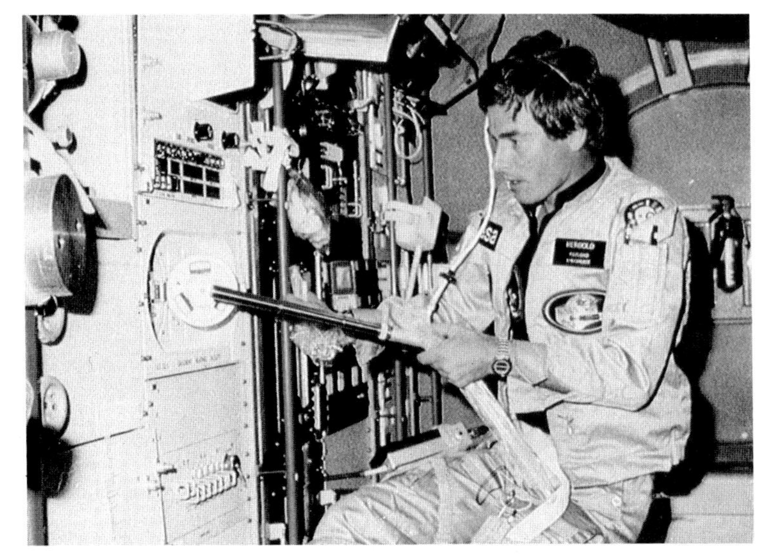

Der ESA-Nutzlastspezialist Ulf Merbold führt eine in einer Kartusche enthaltene Materialprobe in den Gradientenofen ein. An seiner Haltung erkennt man, daß der Körper selbst in der Schwerelosigkeit versucht, eine sitzende Haltung einzunehmen.

hatte bei der Zusammenstellung ihres Nutzlastanteils das Hauptgewicht auf Atmosphärenphysik gelegt, während der Nutzlastanteil der ESA mehr auf Materialforschung ausgerichtet war.

In Europa waren die Experimentatoren selbst für die Planung, den Bau und die Finanzierung ihrer Apparaturen verantwortlich. Im Gegensatz dazu entwickelten die US-Experimentatoren ihre Instrumente als Unterauftragnehmer der NASA. Das zentralisierte Datenverarbeitungssystem von Spacelab machte es aber erforderlich, daß die Entwicklung der Software für alle europäischen Experimente an zentraler Stelle von einem Team, das aus ESA- und DFVLR-Software-Ingenieuren bestand, durchgeführt wurde. So konnte auch die Kompatibilität der für die Experimente erstellten Programme (Experiment Computer Application Software: ECAS) mit den von der NASA entwickelten (Experiment Computer Operating System: ECOS) gesichert werden.

Der Flugfahrplan (time-line) zeigt die Hauptaktivitäten des zehn Tage dauernden Fluges. Besonders erwähnenswert ist, daß die Besatzung an einem der Missionstage in einer Direktschaltung gleichzeitig mit US-Präsident Reagan in Washington und Bundeskanzler Kohl sprach, der zu dieser Zeit in Athen weilte.

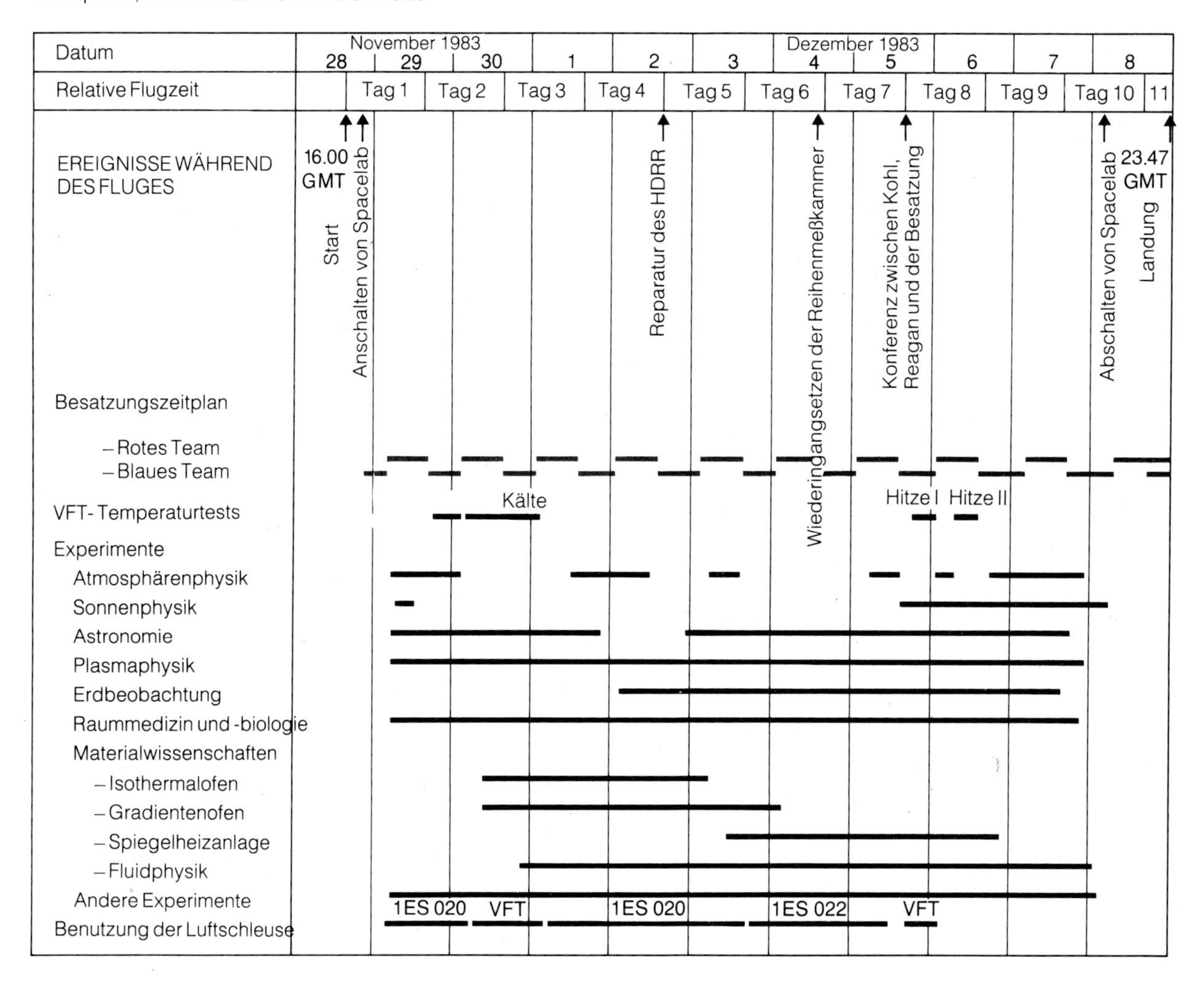

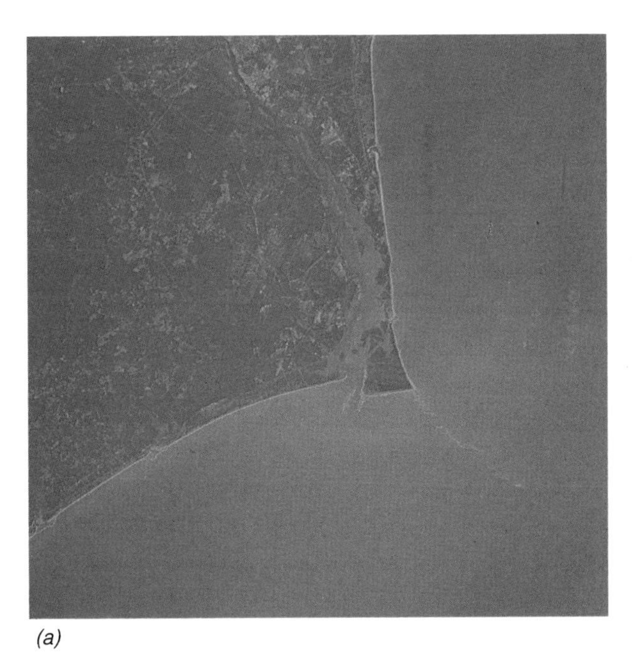

(a)

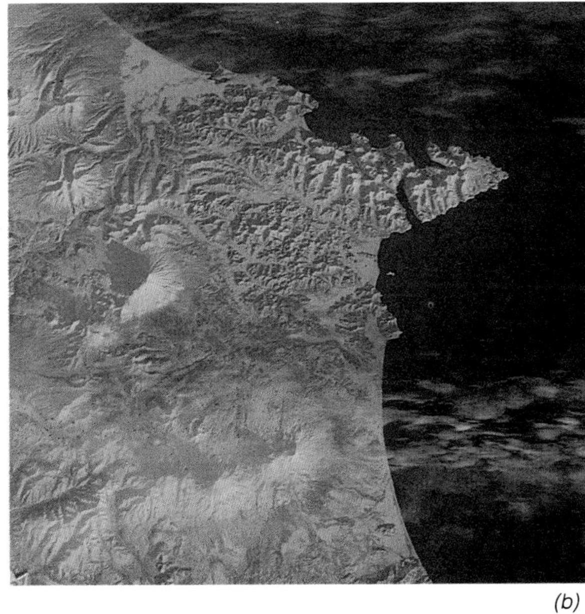

(b)

(c)

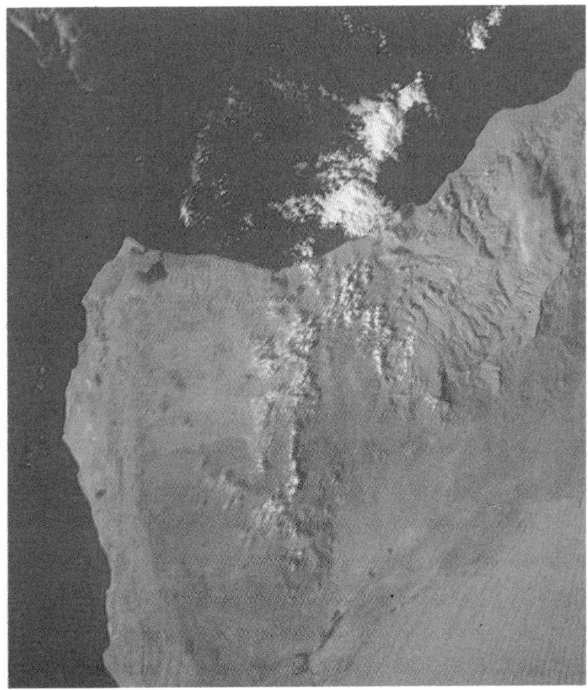

(d)

Diese Aufnahmen der Erdoberfläche wurden von Hand mit einer Hasselblad-Kamera während des Spacelab-1-Fluges gemacht. Sie zeigen a) Cape Fear und Wilmington, Nord-Carolina, USA; b) die Halbinsel Kamtschatka, UdSSR; c) die Inseln Teneriffa und Gomera, Kanarische Inseln (Spanien) und d) Ras al Hadd, Masqat, Oman.

Vom Nutzlastkontrollzentrum im Johnson Space Centre, Houston, Texas, konnten die Wissenschaftler die Durchführung ihrer Experimente im direkten Funkkontakt mit der Besatzung diskutieren.

Der Ablauf des ersten Spacelab-Fluges

Im großen und ganzen verlief der Flug wie vorausgeplant, und alle Hauptziele wurden erreicht. Zweieinhalb Stunden nach dem Start wurde Spacelab in Betrieb gesetzt, und eine Stunde später konnte es von den Nutzlastspezialisten betreten werden. Bereits viereinhalb Stunden nach dem Start wurden die ersten Experimente in Gang gesetzt. Während des ersten Tages arbeitete die Besatzung nicht so schnell wie erwartet. Trotz kleinerer Verzögerungen im Flugplan gelang es doch, die meisten der geplanten Experimente durchzuführen. Anfänglich ergaben sich auch Schwierigkeiten bei der Computersteuerung der Experimente und der Datenübertragung über die TDRSS-Strecke. Diese Anfangsschwierigkeiten wurden aber schnell gemeistert, und danach verlief zunächst alles reibungslos. Aufgrund einiger unerwarteter wissenschaftlicher Resultate mußte die time-line an einigen Stellen umgearbeitet werden. Auch stellte sich heraus, daß der Verbrauch der an Bord befindlichen Versorgungsmittel (hauptsächlich Brennstoff und Energie) geringer ausfiel als erwartet. Die Flugleitung entschied daraufhin, die ursprünglich auf neun Tage geplante Mission um einen Tag zu verlängern. Dieser Tag wurde dazu benutzt, die Verluste des ersten Tages bei der Sammlung von Daten wettzumachen und die Laufzeiten einiger besonders interessanter Experimente auszudehnen.

Der STS-9-Flug wurde vom Kontrollzentrum (Mission Operations Control Room: MOCR) in Houston, Texas, überwacht. Hier hielt der Flugdirektor zusammen mit einem Team von Navigationsspezialisten, Ingenieuren und Medizinern rund um die Uhr Kontakt mit der Raumfähre. Im gleichen Gebäude war auch das POCC untergebracht, in dem die Experimentatoren und Nutzlastkoordinatoren saßen. Zwischen den einzelnen Gruppen und Teams bestand ständige Verbindung; auch sie arbeiteten im Schichtbetrieb und lösten einander im 12-Stunden-Rhythmus ab. Insbesondere standen die Principal Investigators ständig oder auf Abruf zur Verfügung, um in den Ablauf der time-line eingreifen zu können.

Die auf der Erde gebliebenen Nutzlastspezialisten (Ockels und Lampton) arbeiteten ebenfalls im 12-Stunden Rhythmus und übernahmen den routinemäßigen Sprechverkehr mit der Spacelab-Besatzung. Auch die Experimentatoren konnten direkt mit den Wissenschaftsastronauten sprechen, dabei den Ablauf ihrer Versuche sogar auf dem Bildschirm verfolgen und, wenn nötig, Änderungen veranlassen. Die am Boden empfangenen Daten wurden entweder direkt sichtbar gemacht oder auf Magnetbänder für die spätere Auswertung aufgezeichnet. Die Spacelab-Besatzung fügte sich hervorragend in den Missionsablauf ein. Sie erwies sich als unerläßlich für die Durchführung der Experimente. Da nahezu alle Experimente zur Materialforschung von europäischen Experimentatoren kamen, wurden die betreffenden Daten zur DFVLR in Oberpfaffenhofen übertragen. Einige Wissenschaftler brauchten also nicht eigens nach Houston zu reisen, um den Fortgang ihrer Experimente zu verfolgen.

Im POCC stand den Experimentatoren ein Team von ESA- und NASA-Flugingenieuren zur Seite, das bei der Fernbedienung der Experimente und der Sichtbarmachung der anfallenden Daten half. Ein weiteres Ingenieurteam war in Huntsville, im sogenannten HOSC (Huntsville Operations Support Center) stationiert. Seine Aufgabe war, das Flugverhalten von Spacelab selbst zu verfolgen. Auch hier wurde rund um die Uhr gearbeitet. Alle relevanten Daten über Spacelab wurden in Echtzeit auf den Kontroll-Bildschirmen angezeigt. So war man ständig über die aktuellen Werte von Temperatur, Druck und elektrischen Größen informiert und konnte einen wesentlichen Teil des VFT-Programms absolvieren. Das HOSC stand in direkter Verbindung mit dem MOCR und dem POCC, so daß ständige Konsultationen zwischen den einzelnen Teams möglich waren. Mit dem Spacelab-Simulator im HOSC war das Bodenpersonal in der Lage, alle auftretenden Flugprobleme sofort zu analysieren.

Die Flugkontrolle der STS-9-Mission ging vom Bodenkontrollzentrum im Johnson Space Center aus. Hier wurden alle technischen Gegebenheiten des Fluges verfolgt, und basierend auf diesen Daten konnte der Flugdirektor mit Kommandant Young den weiteren Flugablauf besprechen. Im Vordergrund sieht man den leitenden Arzt für die ESA-Besatzung.

Die Landung der Raumfähre Columbia verzögerte sich um acht Stunden, nachdem Probleme mit allen fünf Bordrechnern und einem Navigationsgerät aufgetreten waren. Als Landeplatz war die Edwards Air Force Base in Kalifornien vorgesehen, die an das Dryden Flight Research Center angrenzt. Unmittelbar nach der Landung wurde aus Sicherheitsgründen der restliche, leicht entzündbare Treibstoff abgesaugt; erst dann begann man mit dem Ausladen wichtiger Proben, Filme, biologischer Substanzen und dringend benötigter Instrumente. Kurz nach der Landung wurde festgestellt, daß gegen Ende des Fluges ein Brand in den Hilfsaggregaten der Stromversorgung aufgetreten war. Diese kleineren Probleme konnten den großartigen Erfolg der STS-9-Mission jedoch nicht schmälern. Wenige Tage nach der Landung wurde Columbia, in deren Laderaum sich immer noch Spacelab befand, auf dem Rücken einer Boeing 747 zum Kennedy Space Center überführt. Hier wurden Shuttle und Spacelab voneinander getrennt, und die Demontage der Nutzlast konnte beginnen. Schon Mitte Februar 1984 konnten die Ausrüstungen an die jeweiligen Institute und Firmen zurückgegeben werden.

Die Nutzlast- und Missionsspezialisten mußten sich unmittelbar nach der Landung eingehenden, raumfahrtmedizinischen Tests unterziehen, die noch zum medizinischen Gesamtprogramm der Mission gehörten. Diese Untersuchungen nahmen sieben Tage in Anspruch. In ihrem Verlauf wurde die Crew in Flugzeugen im freien Parabelflug und mittels spezieller Bodenanlagen Beschleunigungen unterschiedlicher Größe ausgesetzt. Auf diese Weise konnten die medizinischen Daten, die vor und während des Fluges gemessen wurden, mit denen nach dem Flug verglichen werden.

Müde, aber glücklich betritt die STS-9-Besatzung, Kommandant John Young an der Spitze, wieder festen Boden.

(Oben) Das Mannschaftsabzeichen des STS-9-Fluges zeigt das Shuttle Columbia mit Spacelab im Laderaum sowie die Namen aller Besatzungsmitglieder.

Die Auswertung der während der ersten Spacelab-Mission gewonnenen wissenschaftlichen Daten wird viele Monate dauern. Alle Daten, einschließlich der Fernseh- und Sprechfunkaufzeichnungen, sind auf mehr als 1500 Magnetbändern festgehalten. Diese Bänder werden im Goddard Space Flight Center und bei der DFVLR verwaltet. Sie sind mit zusätzlichen Informationen wie Bahndaten und genauen Zeitmarken versehen und werden an Experimentatoren und Spacelab-Ingenieure für die wissenschaftliche und technische Analyse der Flugergebnisse weitergegeben.

Die erste Spacelab-Mission kann erst dann als beendet angesehen werden, wenn alle Ergebnisse ausgewertet und publiziert sind. Das bedeutet für die Ingenieure hauptsächlich, die aufgetretenen Flugstörungen genau zu analysieren, damit notwendige Verbesserungen von Hardware, Software und Flugplänen für spätere Missionen in Angriff genommen werden können. Letztendliches Ziel der Wissenschaftler ist es, die Ergebnisse des Fluges zu veröffentlichen. Es deutet sich jedoch schon jetzt an, daß zumindest einige Experimente mehr Fragen aufwerfen als sie beantwortet haben. Spacelab wird auch bei weiterführenden Untersuchungen zur Verfügung stehen.

(Unten) Gleich nach der Landung auf der Edwards Air Force Base wird Columbia für den Transport auf dem Rücken einer Boeing-747 zum Kennedy Space Center vorbereitet. Von dort wird sie, nach gründlicher Überholung und Austausch der Nutzlast, zum nächsten Flug in den Weltraum starten.

VORLÄUFIGE RESULTATE DER ERSTEN MISSION

'Man lernt erst durch Taten; auch wenn man glaubt, etwas zu wissen, so ist man sich dieses Wissens solange unsicher, bis man es durch Tun überprüft hat.'
Sophokles

Die Weltraumerprobung von Spacelab

Das Hauptziel des ersten Spacelab-Fluges war es zu beweisen, daß Spacelab weltraumtauglich ist. Dazu mußten eine Vielzahl von Messungen vorgenommen und ausgewertet werden.

Besondere Aufmerksamkeit war auf das Verhalten der mechanischen Konstruktion gerichtet, weil von dieser die Sicherheit der Astronauten und die Anzahl der vertretbaren Weltraumeinsätze wesentlich abhängt. Das Modul erwies sich als absolut luftundurchlässig, kein einziges Leck wurde registriert, durch das die lebenswichtige Atemluft hätte entweichen können. In diesem Zusammenhang muß die Luftschleuse, also das verschließbare Verbindungsstück zwischen Modul mit normalen Luftdruck und Weltraumvakuum, als ein überaus kritisches Element angesehen werden. Ingesamt wurde die Luftschleuse sechsmal betätigt, und immer arbeitete sie dabei einwandfrei.

Das gleiche kann über das optische Fenster im Kernsegment gesagt werden, an das die metrische Kamera (auch Reihenmeßkammer genannt) angeflanscht war. Allerdings machte sich an seiner äußeren Oberfläche eine leichte Verunreinigung bemerkbar. Die aus einer dreifachen Glasschicht bestehenden Bullaugen an den Seitenflächen des Moduls boten während des gesamten Fluges eine ausgezeichnete Sicht nach außen.

Mehr als 50 Dehnmeßgeräte registrierten Deformationen von Spacelab selbst und die an seinen Verankerungen am Shuttle auftretenden Belastungen. Axiale und azimutale Verwindungen der Konstruktion aufgrund niederfrequenter Belastung wurden mit Hilfe von mehr als 30 Beschleunigungsmessern, die an kritischen Punkten von Tunnel, Modul und Palette angebracht waren, gemessen. Das Aufzeichnen dieser Parameter in Abhängigkeit von der Flugzeit lieferte Daten über Belastungszyklen und Metallermüdung. Dabei wurde besonders auf das dynamische Verhalten von Strukturelementen großer Masse, wie der Verbindungsteile Rack-Boden und Palette-Raumfähre, geachtet. Die Reaktion von Modul, Palette und Tunnel auf mechanische Stöße und Vibrationen wurde über einen weiten Frequenzbereich beobachtet. Weiterhin waren Mikrophone an den verschiedensten Stellen von Spacelab, innen wie außen, angebracht, um die während des Starts auftretenden akustischen Belastungen zu registrieren. Es zeigte sich bei allen aufgezeichneten Meßdaten, daß sie in etwa den vor dem Flug berechneten Werten entsprachen.

Die hier abgebildete Luftschleuse, mit der Instrumente aus dem Modul in den Weltraum gebracht werden können, arbeitete während des ersten Spacelab-Fluges absolut fehlerfrei.

Aufgrund der Bewegung der Astronauten und Erschütterungen durch bewegte Teile (Pumpen, Ventilatoren usw.) läßt sich absolute Schwerelosigkeit auf Spacelab nicht erreichen. Die so verursachten Restbeschleunigungen wurden dann auch während des Fluges mit Hilfe von 12 hochempfindlichen Beschleunigungsmessern gemessen. Diese reagieren auf Frequenzen bis zu 20 Hz; sie wurden im Modul und auf der Palette plaziert. Die auftretenden Restbeschleunigungen liegen im allgemeinen zwischen 10^{-4} und 10^{-5} g und weisen gelegentlich Spitzenwerte von 10^{-3} g auf ($1g = 9{,}81\ \mathrm{m/s^2}$ = Erdbeschleunigung).

Die Strahlenbelastung im Inneren von Spacelab, verursacht durch Röntgen-, Gamma-, Neutronen- und kosmische Strahlung, wirkt sich nicht nur auf die Besatzung, sondern auch auf empfindliche Filme, biologische Proben, integrierte elektronische Bausteine und damit auf die Interpretation von Meßergebnissen aus. Es war daher wichtig, die Intensität dieser Strahlung zu registrieren und mit Vorausberechnungen zu vergleichen. Hierzu wurden neben gewöhnlichen Dosimetern Kernemulsionsdetektoren und Silberchloridkristalle verwendet. Energetische, geladene Partikel wurden mit Hilfe von Proportionalzählrohren nachgewiesen. Die Beobachtungen wurden über die Datenstrecke zum Boden übermittelt und dort für spätere detaillierte Analysen aufgezeichnet.

Was die Qualität der mechanischen Vorrichtungen angeht, so konnte die Crew beim ersten Betreten von Spacelab nach Erreichen der Umlaufbahn keine aus der Befestigung losgelösten oder abgebrochenen Gegenstände feststellen. Weiterhin zeigte sich, daß zwar die Haltegriffe und Behälter richtig dimensioniert, aber die elastischen Befestigungsschnüre zu steif waren. Für künftige Flüge ist eine entsprechende Modifizierung

Zum Flugverifikationsprogramm (VFT) gehörten Messungen, angefangen im Tunnel über das Modul bis zur Palette.

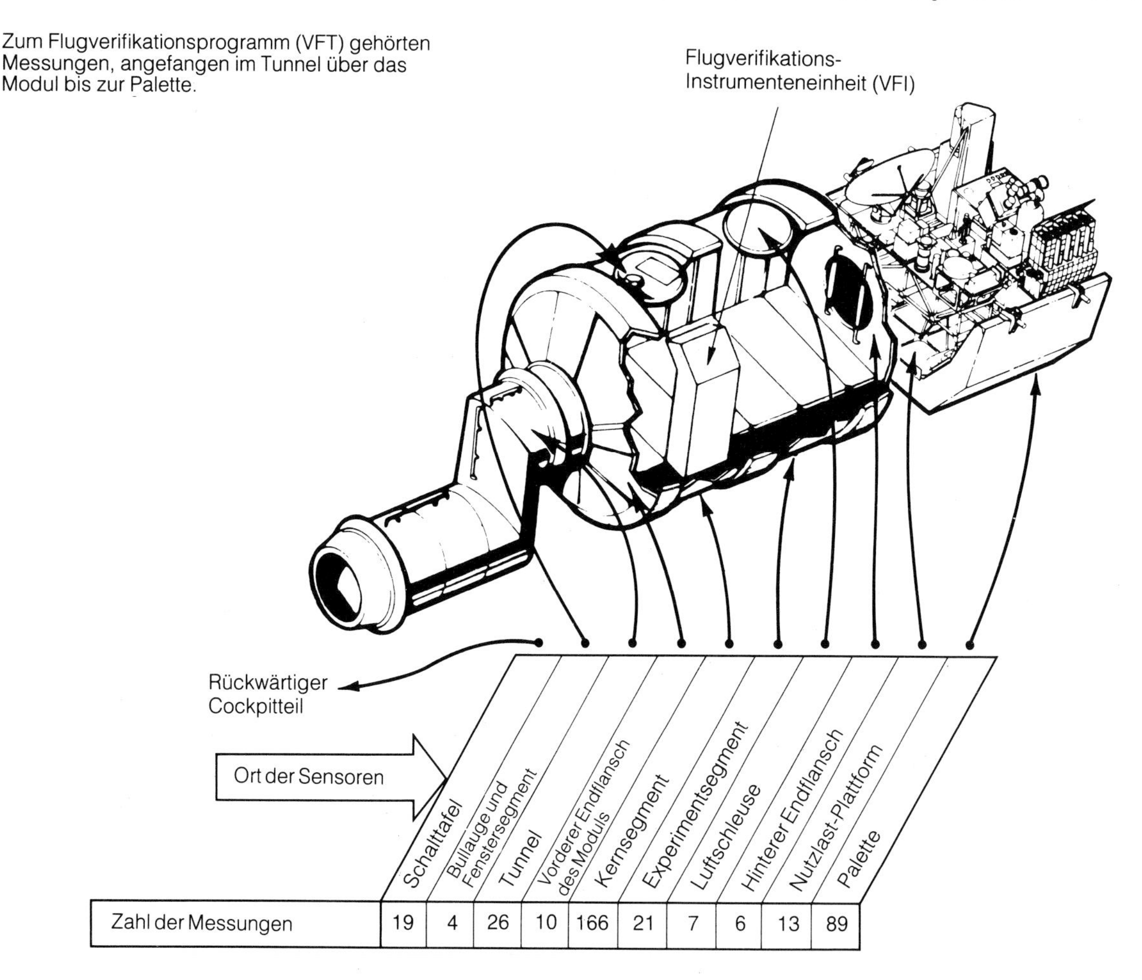

	Schalttafel	Bullauge und Fenstersegment	Tunnel	Vorderer Endflansch des Moduls	Kernsegment	Experimentsegment	Luftschleuse	Hinterer Endflansch	Nutzlast-Plattform	Palette
Zahl der Messungen	19	4	26	10	166	21	7	6	13	89

wünschenswert und zum Festhalten von kleineren Gegenständen der Gebrauch von doppelseitigem Haftmaterial (Velcro) zu empfehlen. Diese Schlußfolgerungen wurden aufgrund der Beurteilung durch die Besatzung sowie nach eingehendem Studium vorliegenden Videoaufzeichungen gezogen, die etwa einen Astronauten beim Entfernen eines Geräts aus einem Behälter zeigen.

Die Lärmbelastung in der Kabine wurde an sechs Punkten gemessen und auf Tonband aufgezeichnet. Die Auswertungen ergaben, daß im Inneren der Kabine ein angenehm niedriger Geräuschpegel herrscht, der für die meisten zukünftigen Experimente im Modul keine Störung darstellt. Ventilatoren und Pumpen verursachten praktisch überhaupt keine Geräusche, nur das schnell aufzeichnende Magnetbandgerät (HDRR) war beim Zurückspulen in unmittelbarer Umgebung etwas laut. Gelegentlich wurden von der Besatzung Knallgeräusche wahrgenommen, die wahrscheinlich durch Wärmeausdehnung des Tunnels verursacht wurden. Es handelt sich hier um die gleiche Erscheinung, die in manchen Häusern in den Rohren der Zentralheizung auftritt. Trotz des niedrigen Geräuschpegels im Modul empfahl die Besatzung, bei späteren Flügen die Lautstärke des Intercom-Systems zu erhöhen.

Während des gesamten Fluges wurden in regelmäßigen Abständen Luftproben in der Kabine entnommen und später auf Verunreinigungen untersucht. Unangenehmere Gerüche traten im Modul nicht auf. Nur wenn die Behälter mit Lithiumhydroxid, das der Luft das Kohlendioxid entzieht, ausgewechelt wurden und wenn die Stickstoffzuführung von Hand nachgeregelt wurde, sprach das Alarmsystem an. Nichts anderes war jedoch erwartet worden, es bestätigte somit die Zuverlässigkeit dieses Systems. Die gleichen positiven Erfahrungen wurden mit allen Sicherheitsvorrichtungen von Spacelab gemacht.

Während des ersten Spacelab-Fluges wurde eine Reihe von Versuchen mit frei schwebenden Flüssigkeiten durchgeführt. Das Entfernen der Flüssigkeitsreste aus der Kabine erwies sich als problematisch. Innerhalb einer Stunde war der Vorrat an Putztüchern aufgebraucht, so daß für spätere Flüge das Mitführen eines Schwammes anzuraten ist.

Die klimatischen Bedingungen im Spacelab wurden auf zwei verschiede Weisen überprüft. Gegenstand des einen Tests war das Temperaturkontrollsystem, dessen Funktionstüchtigkeit durch Temperaturmessungen an einer Vielzahl von kritischen Punkten im Modul und auf der Palette überprüft wurde. Dabei variierte man die thermische Belastung durch Ausrichtung des Laderaums zur Sonne, zum kalten Weltraum und zur Erde hin. Obwohl hierbei die beim Entwurf von Spacelab angenommenen extremen Werte nicht erreicht wurden, ließen die Ergebnisse doch eine Aussage über die Güte des mathematischen Modells zu, mit dem Temperaturwerte an allen Punkten und unter allen Bedingungen vorausberechnet worden waren. Der zweite Test befaßte sich mit dem einwandfreien Funktionieren des sogenannten Lebenserhaltungssystems. Dazu wurden Parameter wie Kabinendruck, Temperatur und Luftfeuchtigkeit ständig gemessen. Bei einer relativen Luftfeuchtigkeit von 40% und einer Temperatur von etwa 20°C wurde keinerlei Wasserkondensation beobachtet, und die Besatzung konnte unter äußerst angenehmen Bedingungen ihre Arbeiten verrichten.

Weitere 300 Temperatur-, Druck- und Durchflußmeßstellen sowie eine Reihe von Rauchdetektoren und Ventilfunktionen waren am Austesten des Lebenserhaltungssystem beteiligt. Die Sensoren waren im Tunnel, an den Endflanschen des Moduls und auf der Palette plaziert. Mit Ausnahme eines Wärmeaustauschers, der eine um vier Grad zu hohe Temperatur aufwies, verhielten sich alle Systemteile wie vorausberechnet. Erwartungsgemäß war nach jeder Betätigung der Luftschleuse eine Nachregelung des Kabinendrucks erforderlich; dafür wurden insgesamt 39 kg Sauerstoff aus dem Vorrat des Shuttle und 45% des Stickstoffvorrates von Spacelab verbraucht.

Die genaue Überprüfung des Stromversorgungssystems ist nicht nur für das Betreiben von Spacelab von größter Bedeutung, sein Versagen oder das Auftreten von Kurzschlüssen kann katastrophale Folgen für die

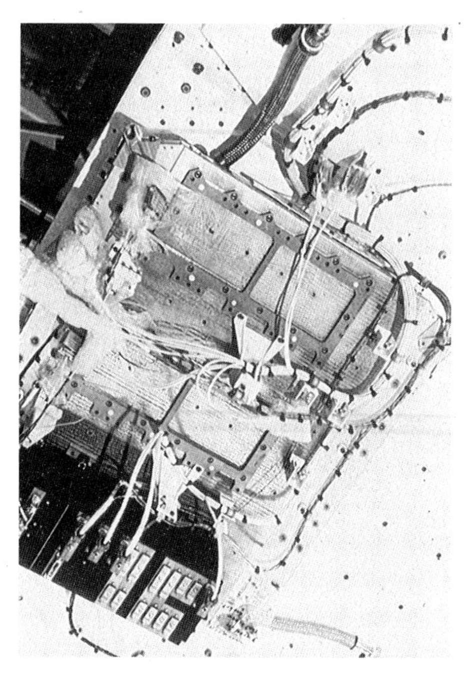

(Oben) Im oberen Teil dieses Bildes ist – auf einer Kühlplatte montiert – die RAU 21 zu sehen, die während des Fluges Funktionsstörungen hatte.

(Unten) Das Hochleistungsmagnetbandgerät (HDRR), das während des Fluges von einem Missionsspezialisten repariert werden mußte.

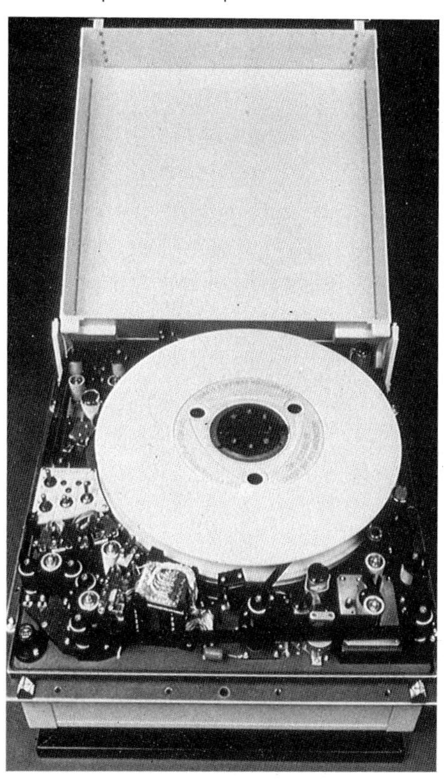

Sicherheit der Besatzung haben. Es war daher nicht übertrieben, 133 Spezialmeßköpfe und weiter 20 Meßeinheiten des VFI-Programms zu diesem Zweck einzusetzen. Hauptsächlich wurden Strom- und Spannungswerte an Schaltstellen des Verkabelungssystems und in wichtigen Untersystemen aufgezeichnet, und zwar unter Normalbedingungen wie auch bei wechselnder Belastung und bei verschiedenen Umgebungsbedingungen. Besonders aufmerksam wurden die bei Schaltvorgängen auftretenden Spannungsspitzen registriert. Wiederum zeigte es sich, daß alle Werte mit den Vorausberechnungen in etwa übereinstimmten, was für die ausgezeichnete Qualität des Stromversorgungssystems spricht.

Das interne Datenverteilungssystem (Command and Data Management Subsystem: CDMS) überwacht den gesamten Datenfluß und versorgt die Eingabe- und Sichtgeräte. In speziellen Tests wurden wichtige Funktionen wie Systemaktivierung, Rechnerverhalten und Softwaremodifikationen sowie das Arbeiten von RAUs, das Sichtbarmachen von Daten, die Funkverbindung mit dem Boden und die Bedienbarkeit des CDMS überprüft. Etwa 300 Testprogramme, in die zum Teil auch die Experimente eingeschlossen waren, brauchte man zum Austesten des CDMS. Dieses überaus komplexe Untersystem wurde besonders von der Besatzung sehr gelobt und arbeitete, abgesehen von drei Störungen, fehlerfrei. Zwei dieser Fehler hatten größere Auswirkungen und führten zu den beiden einzigen nennenswerten Schwierigkeiten während des Fluges.

Die erste relativ unbedeutende Anomalie war der Empfang falscher Programminstruktionen im Rechner eines Untersystems, verursacht durch einen Fehler im Shuttle-Computer.

Der zweite Fehler zeigte sich schon neun Stunden und zehn Minuten nach dem Start. Eine der RAUs auf der Palette (RAU-21) gab keine Experimentdaten weiter. Der Fehler trat immer dann auf, wenn die Kühlplatte, an der die RAU befestigt war, wärmer als 22° wurde. Eine zweite, ebenfalls auf dieser Kühlplatte montierte RAU arbeitete jedoch einwandfrei. Zur Behebung des Fehlverhaltens von RAU-21 wurde zunächst die Energieversorgung zu den in der Nähe befindlichen Experimenten gedrosselt und so die Temperatur reduziert. Ferner wurde die ECOS-Software im Kontrollzentrum umgeschrieben und das geänderte Programm Spacelab per Funk überspielt. Diese Modifikation hatte zunächst Erfolg, führte jedoch nach weiteren 50 Stunden zu einem völligen Zusammenbruch des geänderten ECOS-Programms. Der Computer war dadurch für 45 Minuten ganz außer Betrieb gesetzt, bevor er vom Hauptdatenspeicher aus neu geladen werden konnte und dann für den Rest der Mission störungsfrei blieb.

Insgesamt wurden während der Mission 19 Rechnerprogramme, die hauptsächlich die Experimente betrafen, am Boden modifiziert und anschließend Spacelab überspielt. Mit Hilfe der an Bord befindlichen Eingabegeräte war auch die Besatzung in der Lage, kleinere Programmänderungen durchzuführen, womit erneut die Vorteile der bemannten Raumfahrt demonstriert wurden.

Der dritte Fehler machte sich 86 Stunden nach dem Start bemerkbar. Es zeigten sich Laufwerkschwierigkeiten am Hochleistungsbandgerät (HDRR), was zunächst durch starken Anstieg im Motorstrom signalisiert wurde und schließlich zur automatischen Abschaltung dieses wichtigen Gerätes führte. Bei den anschließenden Reparaturarbeiten gelang es dem Missionspezialisten Parker, durch manuelles Hin- und Herbewegen einer festgelaufenen Walze, den Fehler zu beheben. Danach arbeitete das Gerät einwandfrei bis zum Ende der Mission. Insgesamt war das Hochleistungsbandgerät 11 Stunden lang außer Betrieb. Mit Hilfe des weniger leistungsfähigen Bandgerätes im Shuttle gelang es, den Datenverlust während dieser Zeit in erträglichen Grenzen zu halten. Ein Totalausfall des HDRR hätte katastrophale Folgen für die wissenschaftliche Ausbeute der Mission gehabt. Die Reparatur rettete den wissenschaftlichen Teil der Mission.

Während des Wiedereintritts in die Atmosphäre setzte das Bandgerät vom VFI für etwa neun Minuten aus. Auch in dieser Situation – dem einzigen Fehlverhalten im Bereich der VFI-Hardware – konnte ein Reserve-Bandgerät im Shuttle unverzüglich eingesetzt werden.

Überprüft wurde auch, ob die bei Spacelab verwendeten Oberflächenmaterialen im Weltraum etwa durch Strahlung angegriffen werden. Die Messungen von astronomischen Geräten können stark beeinträchtigt werden, wenn sich die optischen Eigenschaften von Linsen oder Spiegeln verändern. Ferner wird der Wärmehaushalt eines Raumflugkörpers gestört, wenn die Emissions- oder Absorptionseigenschaften einer Oberfläche nicht konstant bleiben. Auf der Palette von Spacelab-1 waren daher auf einem Tablett Muster aller verwendeten Oberflächenmaterialen angebracht und mit empfindlichen Thermoelementen versehen. Genaue Messungen der während des Fluges auftretenden Temperaturen und Vergleiche mit Bodenwerten, die vor und nach dem Flug gewonnen wurden, erlauben es, die thermischen Voraussagen für zukünftige Spacelabflüge noch weiter zu verbessern. Auf jeden Fall haben sich alle bei Spacelab verwendeten Oberflächenmaterialien unter Weltraumbedingungen bestens bewährt.

Ein letzter Bereich, auf den sich das VFT-Programm erstreckte, war die Kontrolle der unmittelbaren Umgebung von Spacelab. Es sollte sichergestellt werden, daß die bei früheren Shuttle-Flügen festgesetzten Grenzwerte für Verunreinigungen nicht überschritten werden. Hierfür war eine gewaltige, 350 kg schwere Meßeinheit, Induced Environment Contamination Monitor (IECM) genannt, entwickelt worden. Sie hat ein eigenes Stromverteilungs- und Datenaufzeichnungssystem, und verfügt über zehn Meßinstrumente: ein Massenspektrometer zur Identifikation von Stoffen, ein Photometer zur Messung von Streulicht, quarzgesteuerte Präzisionswaagen zur Ermittlung absorbierter oder abdampfender Verunreinigungen usw. Das IECM kam schon bei STS-2, STS-3 und STS-4 zum Einsatz. Während der Spacelab-Mission war es auf der Palette montiert, und es ist auch schon für weitere Spacelab-Missionen eingeplant.

Blick aus dem Fenster am Endkonus des Moduls auf die Palette. Links erkennt man den Behälter mit Geräten zum Aufspüren von Verunreinigungen (IECM), daneben das helmförmige Emissionsphotometer (Atmospheric Emission Photometric Imaging: AEPI) und das Sonnenspektrometer und -radiometer in einem quaderförmigen Behälter.

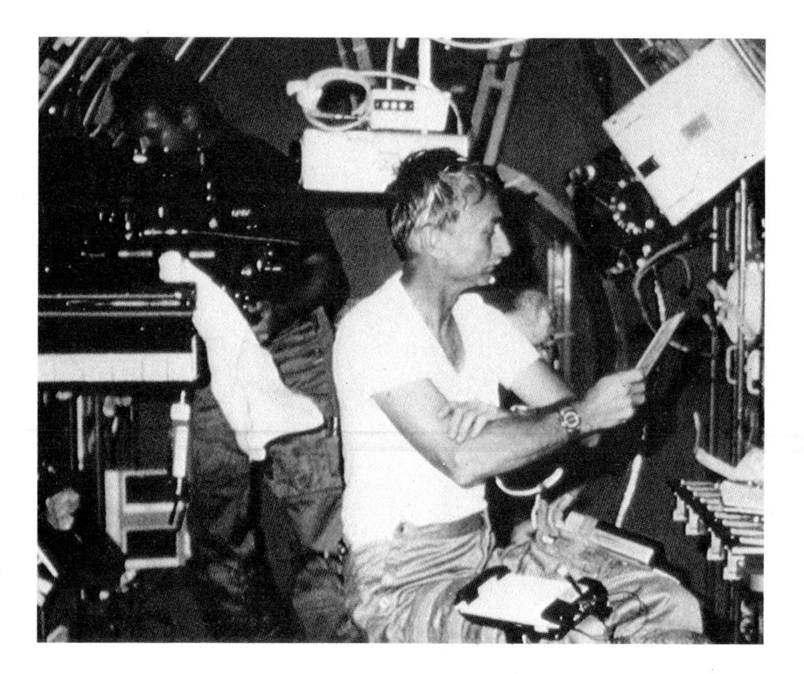

Dieses Bild verdeutlicht, wieviel Raum das Spacelab-Modul zum Durchführen der Experimente bietet. Owen Garriott liest gerade die Anleitung für das nächste Experiment. Im Hintergrund arbeitet Byron Lichtenberg am Flüssigkeitsphysik-Modul.

Einige Lehren aus dem ersten Spacelab-Flug

Die erste Spacelab-Mission war sorgfältig geplant worden. Der Flugplan war am Boden mehrmals durchexerziert worden, um später eine optimale wissenschaftliche Ausbeute zu erzielen. Es war jedoch nicht zu erwarten, daß alle Experimente genau nach Plan verlaufen würden. Schon heute, kurz nach Beendigung des Fluges, hat man sowohl aus den vorausgegangenen Simulationen als auch aus dem Flugverlauf eine Menge gelernt, und es wird möglich sein, die Projektierung künftiger Missionen entsprechend zu verbessern und Methoden, die bei Spacelab-1 zum ersten Mal überhaupt angewendet wurden, weiter auszufeilen und effizienter zu machen.

Der Umfang und die Substanz der zusammengetragenen Ergebnisse sprechen für die Qualität und Leistungsfähigkeit der angewandten Methoden. Die Arbeit aller Beteiligten in Teams hat sich als besonders nützlich erwiesen. Die Teamarbeit reichte von Diskussionen der Experimentatoren untereinander über die sorgfältige Ausbildung der Nutzlastspezialisten bis hin zur Integrationsphase. Die Sitzungen der IWG erwiesen sich als ausgezeichnete Gelegenheiten zum Gedankenaustausch zwischen allen Beteiligten. Der Teamgeist wurde auch durch die Bodensimulationen, an denen die gesamte Nutzlastmannschaft, Ingenieure, Wissenschaftler und Astronauten teilnahmen, stark gefördert.

Während des Fluges selbst erwies sich die Einrichtung eines Nutzlastkontrollzentrums als überaus wertvoll. Der direkte Kontakt zwischen der Spacelab-Besatzung und den Wissenschaftlern am Boden über Fernsehen und Sprechfunk trug wesentlich dazu bei, die Qualität der Ergebnisse zu verbessern. Die wissenschaftliche Vorbildung der Astronauten war hier von unschätzbarem Wert. Nach dem Flug wurde von der Besatzung angeregt, das Kommunikationssystem so zu verbessern, daß Gespräche auf drei Wegen gleichzeitig zwischen Shuttle, Spacelab und dem Boden stattfinden können.

Es wurden auch Möglichkeiten zur weiteren Verbesserung der timeline genannt. So sollte bei künftigen Flügen das Programm der ersten Flugtage, an denen sich die Astronauten an die Schwerelosigkeit gewöhnen müssen, nicht zu überladen sein. Auch sollte etwas mehr Zeit für unvorhergesehene Ereignisse und Beobachtungen freigehalten werden, so daß auch in solchen Fällen der Missionsfahrplan nicht durcheinanderkommt.

Auch Verbesserungen bei der Steuerung von Experimenten sollten ins Auge gefaßt werden. Zur Zeit sind etwa 75% des Speicherplatzes im Bordcomputer mit Betriebsinstruktionen besetzt, so daß ein größerer Speicher durchaus wünschenswert erscheint. Vieles spricht dafür, ein aus Mikroprozessoren bestehendes, dezentralisiertes Rechnersystem anstelle des CDMS zu verwenden. Hierdurch würde nicht nur die Integration der Software erleichtert, man würde auch größere Betriebsflexibilität erreichen. Die Schwierigkeiten mit der RAU-21 haben gezeigt, daß auf Redundanz bei der Datenverteilung geachtet werden muß und daß doppelte, ja sogar dreifache Datenleitungen durchaus angebracht wären. Als Alternative böte sich an, Reserveeinheiten mitzunehmen, um diese, wenn nötig, einzubauen.

Forschung rund um die Uhr und rund um die Welt

Die Nutzlast der ersten Spacelab-Mission bestand aus 71 Experimenten, von denen 58 aus Europa, 12 aus den USA und eines aus Japan kamen. Nie zuvor wurden so viele Experimente auf einem einzigen Raumflug durchgeführt. Spacelab war das bisher ehrgeizigste wissenschaftliche Weltraumprojekt. Spacelab hatte vom Gewicht her mehr Instrumentarium an Bord als alle bisherigen ESA-Satelliten zusammen. Von den 71 Experimenten versagten zwei materialwissenschaftliche Versuche ganz und ein Erdbeobachtungsexperiment zum großen Teil. Dagegen waren 51 Experimente hundertprozentig erfolgreich; die restlichen 17 erreichten ihre Hauptziele, was insgesamt als bemerkenswerter Erfolg eines nagelneuen Laboratoriums angesehen werden muß.

Die aus den verschiedensten Wissenschaftszweigen stammenden Experimente führte man innerhalb von zehn Tagen mit 38 Apparaturen durch. Montiert waren 16 ausschließlich auf der Palette, 20 ausschließlich im Modul, die übrigen waren mit Elementen auf Palette und im Modul vertreten. Das Werkstofflabor (Material Science Double Rack: MSDR) enthielt allein 30 Experimente aus acht verschiedenen europäischen Ländern. Ein Teil des Werkstofflabors, ein Gerät zur Untersuchung des Flüssigkeitsverhaltens in Schwerelosigkeit (Fluid Physics Modul), wurde für sieben Experimente aus acht Ländern benötigt. Fünf raummedizinische Experimente wurden im sog. Minilabor der NASA durchgeführt.

Astronomie und Sonnenphysik

Die astronomischen Experimente bei der ersten Spacelab-Mission erstreckten sich auf den UV- und Röntgenstrahlen-Bereich des elektromagnetischen Spektrums, wobei sowohl Übersichtsstudien wie auch detaillierte Beobachtungen einzelner Himmelskörper ausgeführt wurden. Obwohl eine Spacelab-Mission wegen ihrer relativ kurzen Dauer nur eine begrenzte Anzahl von Beobachtungen erlaubt, waren doch drei astronomische Experimente für den Flug ausgewählt worden. Sie arbeiteten einwandfrei und lieferten wichtige Ergebnisse.

Mit einer astronomischen UV-Kamera mit einem Öffnungswinkel von 60° fotografierte man ausgedehnte, aber lichtschwache Objekte. Die Kamera war zunächst im Modul verstaut und wurde durch die Luftschleuse nach draußen gebracht. Sie arbeitete am sechsten und siebten Flugtag perfekt. Obwohl nur ein kleiner Teil der Umlaufbahn im Erdschatten verlief, konnten doch 48 Aufnahmen bei Dunkelheit gemacht werden. Ihre Qualität ist im allgemeinen gut, und es wurden bisher keine Anzeichen dafür gefunden, daß

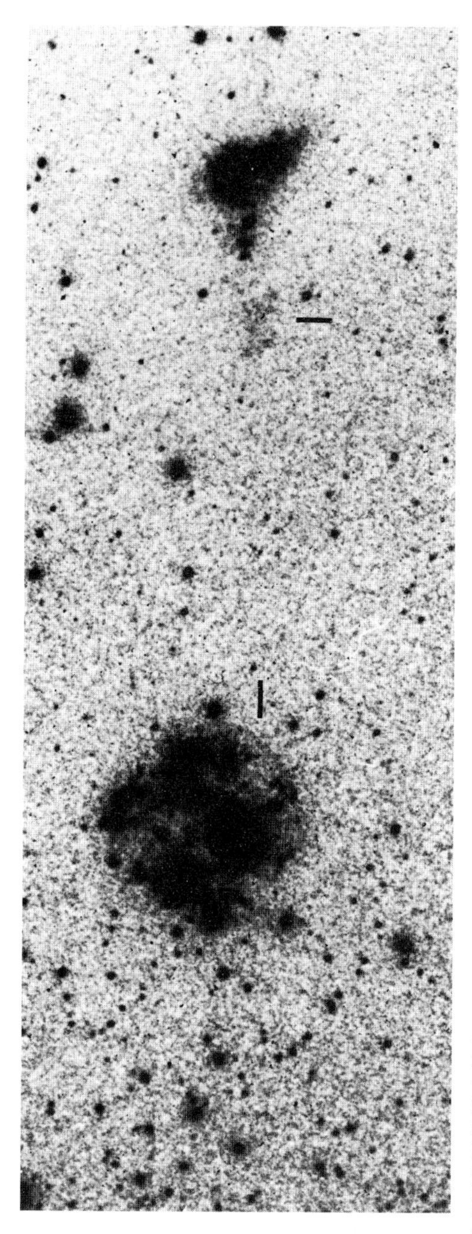

Eine Negativvergrößerung einer UV-Aufnahme von der Großen Magellanschen Wolke (unten) und der Kleinen Magellanschen Wolke (oben), aufgenommen mit der astronomischen Weitfeldkamera. Der horizontale Strich weist auf ein Gebiet heißer Sterne hin, die den Zwischenraum zwischen beiden Wolken überbrücken. Der vertikale Strich markiert eine dünne bogenförmige Besonderheit in der Großen Magellanschen Wolke.

die an der Shuttle-Oberfläche auftretenden parasitären Leuchterscheinungen zu Verfälschungen geführt hätten.

Ein für Beobachtungen im UV-Bereich gebautes Weltraumteleskop mit einem Öffnungswinkel von 7,5° diente dazu, schwache Quellen ultravioletter Strahlung wie entfernte Quasare und galaktische Haufen zu fotografieren. Die Beobachtungen wurden im Wellenlängenbereich zwischen 130 und 180 Nanometern gemacht, und es zeigte sich nach der Entwicklung des Films am Boden, daß fast alle Aufnahmen überbelichtet waren. Für dieses Mißgeschick läßt sich in erster Linie ein in der obersten Atmosphäre auftretendes schwaches Leuchtphänomen (tropical arcs), zum Teil auch parasitäres Oberflächenleuchten verantwortlich machen. Hinzu kommen als Quellen möglicherweise störender UV-Strahlung die Lagekontrolltriebwerke, denn diese müssen während astronomischer Beobachtungen besonders häufig gezündet werden.

Das dritte astronomische Meßinstrument, ein Röntgenstrahlspektrometer, war für insgesamt 200 Stunden während der Mission in Betrieb. Der größte Teil dieser Zeit wurde dazu benutzt, die in der erdnahen Umlaufbahn auftretende Hintergrundstrahlung zu registrieren. Diese erwies sich als äußerst niedrig, was der Qualität der eigentlichen astronomischen Beobachtungen zugute kam. Es wurden insgesamt zwölf schon vorher bekannte Quellen, so zum Beispiel die galaktische Quelle Cygnus X-3, mit hoher Spektralauflösung beobachtet. Dabei war es möglich, einzelne Spektrallinien zu identifizieren, eine davon bei einer Energie von 6,4 keV, die durch Fluoreszenzstrahlung hochionischer Eisenatome erzeugt wird. Die Intensität dieser Spektrallinie variierte im Falle von Cygnus X-3 mit einer Periodizität von etwa 4,8 Stunden, was man wahrscheinlich durch Rotationen eines Neutronensterns, der von einer Akkretionsscheibe umgeben ist, erklären kann.

Insgesamt drei Instrumente (ein amerikanisches und zwei europäische) waren auf die Sonne gerichtet, um deren Energieabstrahlung zu messen. Die über alle Wellenlängen integrierte Strahlung, die sogenannte Solarkonstante, wurde von zwei speziellen Hohlraumradiometern (eines verfügte über eine komplizierte interne Eichvorrichtung) mit hoher Präzision bestimmt. Diese Instrumente konnten von der gegen Ende der Mission ununterbrochenen Sonnenbestrahlung profitieren. Trotz starker Wärmebelastung trat keine Überhitzung auf. Bei den Messungen zeigte sich, daß die Ausrichtung der Spacelab-Shuttle-Kombination auf die Sonne mit hoher Genauigkeit erreicht wurde. Bei der endgültigen Ermittlung der Solarkonstante mit einem Fehler von nur 0,1% zeigte es sich, wie wichtig die Eichmessungen vor, während und besonders nach dem Flug waren. Leider beeinträchtigte das zeitweise Versagen der RAU-21 den direkten Meßvergleich. Ein drittes auf die Sonne gerichtetes Experiment ermittelte die Sonnenstrahlung in drei separaten Frequenzbereichen, einschließlich dem UV-Bereich, in dem bekanntermaßen beträchtliche Variationen auftreten. Die Wiederholung dieser Sonnenbeobachtungen bei späteren Spacelab-Flügen wird Aufschluß über Langzeitschwankungen der Sonnenabstrahlung geben.

Plasmaphysik im Weltraum

Das Plasma im erdnahen Weltraum, das durch Ionisation der obersten Atmosphärenschichten entsteht, wurde während der ersten Spacelab-Mission mit passiven (ausschließlich messenden) wie auch aktiven Experimenten untersucht. Insgesamt führte man in dieser Disziplin sechs Experimente (vier europäische, ein amerikanisches und ein japanisches) durch. Bei den aktiven Experimenten wurden Elektronen- und Ionenstrahlen in den Weltraum emittiert und die dabei hervorgerufenen Störungen von den passiven Experimenten registriert. Auf diese Weise wurde der Weltraum sozusagen als gewaltiges Plasmalabor benutzt.

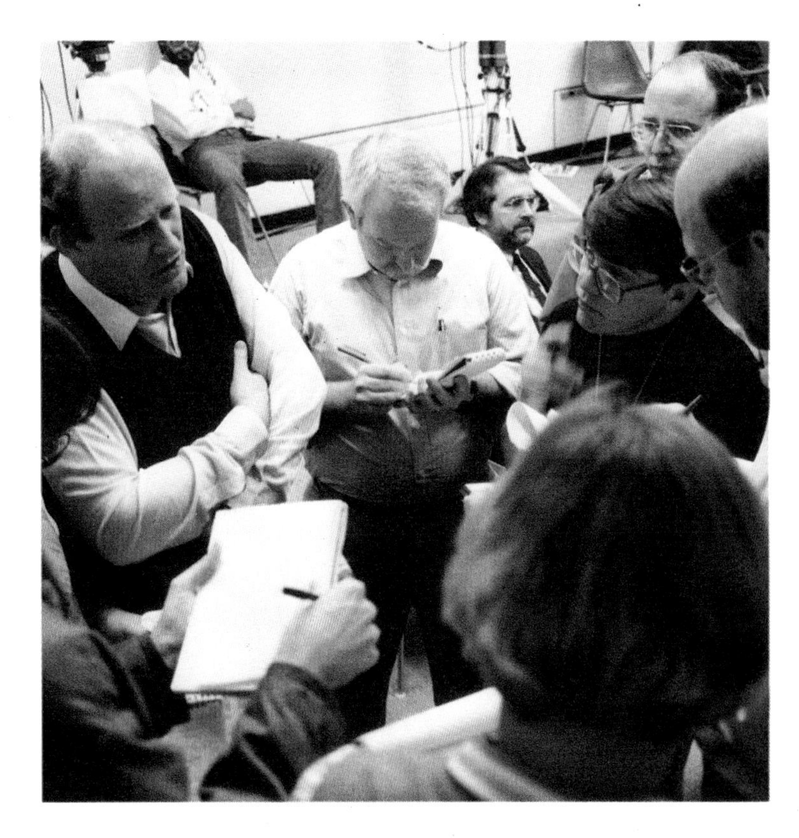

Der ESA-Wissenschaftler Dr. D. Andresen erklärt noch während der Spacelab-1-Mission vor Journalisten im Johnson Space Centre in Houston die ersten Meßergebnisse seines Röntgenspektrometers.

Die Universität Tokio stellte das größte und ehrgeizigste Experiment (SEPAC: Space Experiments with Particle Accelerators). Sein Kernstück war eine Elektronenkanone, die einen gepulsten Strahl mit einer Energie bis zu 7,5 keV und einem Spitzenstrom von 1,5 Ampere erzeugen konnte. Damit sollten ein künstliches Nordlicht produziert, die Geometrie des Erdmagnetfeldes gemessen und Plasmainstabilitäten hervorgerufen werden. Darüber hinaus sollte die Wechselwirkung zwischen einem Elektronenstrahl kleiner Leistung und dem nächtlichen Ionosphärenplasma, das nur eine geringe Dichte hat, untersucht werden. Bei der Elektronenemission lud sich Spacelab elektrostatisch auf, und es dauerte nach Abschaltung der Kanone nahezu 20 Sekunden, bis Spacelab sich wieder vollkommen entladen hatte. Es zeigte sich ferner, daß die Elektronen der Ionosphäre auf wesentlich höhere Energien beschleunigt wurden als die Elektronen in einer gewöhnlichen Plasmaentladung. Die genauen plasmaphysikalischen Prozesse, die das Verhalten des ionosphärischen Plasmas beim Einschuß von Elektronenstrahlen beschreiben, sind zwar qualitativ, aber noch nicht quantitativ verstanden. Mit dem SEPAC-Experiment war es auch möglich, neutrales Stickstoffgas oder ein künstlich erzeugtes Argonplasma in den Weltraum strömen zu lassen. Bei der Emission von Stickstoff war ein unerwarteter Anstieg der Plasmadichte in der Umgebung von Spacelab zu beobachten. Emission von künstlichem Argonplasma beschleunigte die elektrostatische Entladung von Spacelab. Dabei konnte auch die Ausbreitung des Argonplasmas mit den Fernsehkameras und Photometern eines NASA-Experimentes (AEPI) sichtbar gemacht werden. Die Ergebnisse von SEPAC wurden leider durch frühzeitiges Versagen der Hochleistungsstufe der Elektronenkanone beeinträchtigt.

Zum Glück hatte jedoch ein europäisches Plasmaexperiment (Phenomena Induced by Charged Particle Beams: PICPAB) ebenfalls eine, wenn auch leistungsschwächere, Elektronenkanone an Bord. Mit ihr konnte ein Strahl von 0,1 Ampere Spitzenstrom bei Energieen zwischen sieben und

Der PICPAB-Detektor außerhalb der Luftschleuse, während Columbia über die Sahara fliegt.

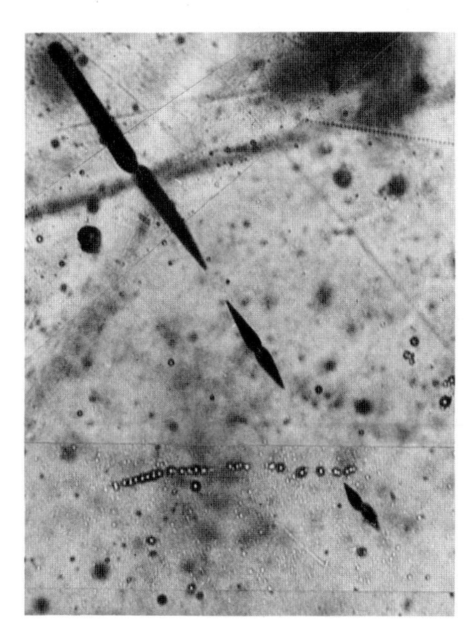

Diese Fotografie zeigt die letzten 1,6 mm der Reichweite eines Sauerstoffkerns der kosmischen Strahlung, nachgewiesen in einem Stapel von Kernemulsionsdetektoren und zum Vorschein gebracht durch spezielles chemisches Ätzen im Laboratorium nach dem Flug.

zehn keV erzeugt werden. Im Verlauf der Mission übernahm PICPAB eine Reihe von Aufgaben, die ursprünglich SEPAC zugedacht waren. Die passive Instrumentierung von PICPAB, bestehend aus Plasmaanalysatoren und breitbandigen Wellenempfängern, mußte möglichst weit von den aktiven Elementen entfernt angebracht sein. Hierfür erwies sich der Instrumententisch der Luftschleuse als günstigster Platz. Von hier aus wurden die auftretenden Plasmainstabilitäten registriert und mittels Plasmaanalysatoren die Auf- und Entladung von Spacelab gemessen.

Ein drittes, rein passives Plasmaexperiment hatte zum Ziel, den Fluß und das Energiespektrum der ionosphärischen Elektronen und eventuell auch der zurückkehrenden künstlich erzeugten Elektronen zu messen. Es deckte den Energiebereich von 0,1 bis 12 keV ab und konnte die Einfallsrichtung der Elektronen relativ zum Erdmagnetfeld, das ebenfalls registriert wurde, mit hoher Auflösung bestimmen. Teilchen höchster Energien, die sogenannte kosmische Strahlung, wurden von einem weitgehend passiven Instrument, das aus übereinandergeschichteten Kernemulsionsdetektoren bestand, gemessen. Diese Detektoren wurden erst nach dem Flug unter dem Mikroskop auf Kernspuren untersucht. Aus dem dann ermittelten Spurenprofil können Rückschlüsse auf Masse und Energie der eingefallenen Teilchen gezogen werden.

Das AEPI-Experiment (Atmospheric Emission Photometric Imaging) diente der Beobachtung sehr schwacher Leuchterscheinungen im ionosphärischen Plasma und in der oberen Atmosphäre. Mit ihm gelang es, eine schwache, in Richtung des Erdmagnetfeldes ausgedehnte Leuchtwolke zu identifizieren. Das Licht hat eine Wellenlänge von 280 Nanometern und stammt demnach von Magnesium-Ionen, die durch Meteoritenzerfall in der oberen Atmosphäre gebildet werden.

Um das Oberflächenleuchten von Shuttle und Spacelab näher zu untersuchen, wurde relativ spät noch ein weiteres Experiment an Bord genommen. Es bestand aus einer Kamera mit vorgesetztem hochauflösendem Beugungsgitter. Auf diese Weise konnten die parasitären Leuchterscheinungen nicht nur bildlich, sondern auch spektral aufgelöst festgehalten werden. Es war bereits von früheren Flügen bekannt, daß das Leuchten vornehmlich an Oberflächen auftritt, die senkrecht zur Flugrichtung des Shuttle orientiert sind. Das Licht ist bei Wellenlängen zwischen 450 und 780 Nanometern besonders intensiv. Es ist bekannt, daß molekularer Sauerstoff und Hydroxyl-Moleküle in diesem Wellenlängenbereich emittieren. Daher könnte die Leuchterscheinung durch Wechselwirkung von Sauerstoffatomen, die mit Shuttle-Geschwindigkeit von 8 km/s auf die Oberfläche treffen, mit dem an der Oberfläche absorbierten Wasser entstehen. Aus Wasser und Sauerstoff bilden sich dann angeregte Hydroxyl-Moleküle, die unter Lichtabgabe in den Grundzustand übergehen. Bei diesem Prozess müßte auch Licht im infraroten Spektralbereich emittiert werden, was jedoch nicht beobachtet wurde. Lichtemission durch Hydroxyl-Moleküle erklärt demnach nur einen Teil der Erscheinung. Es wird daher angenommen, daß Plasmainstabilitäten und insbesondere die sogenannte Plasmaentladung in unmittelbarer Nähe des Shuttle auch eine Rolle spielen.

Es gibt mehrere Möglichkeiten, einen Einfluß des Oberflächenleuchtens auf optische Experimente auszuschalten. Einmal kann eine höhere Umlaufbahn, in der weniger Sauerstoffatome angetroffen werden, für entsprechende Mission ausgewählt werden. Zweitens können die Geräte so angeordnet werden, daß keine Oberflächenelemente in ihren Sichtbereich fallen. Schließlich kann die Fluglage so gewählt werden, daß die Unterseite des Shuttle von der Restatmosphäre getroffen wird. Die sich dann dort ausbildenden Leuchterscheinungen haben keinen Einfluß auf Instrumente im Laderaum.

Die Erdatmosphäre

Fotografie großflächiger Infrarotabstrahlungen am nächlichen Himmel über La Silla in Chile am 1. November 1975. Diese Leuchterscheinungen entstehen in 85 km Höhe und stammen von Hydroxylmolekülen. Wegen der langen Belichtungszeit erscheinen die Sterne aufgrund der Erdumdrehung als Linien.

Im Bereich der Atmosphärenphysik kamen vier Experimente (drei von der ESA und eines von der NASA) zum Einsatz. Sie alle führten Spektralmessungen in verschiedenen Wellenlängenbereichen aus und ermittelten durch vertikales Abtasten der Atmosphärenschichten die genaue Verteilung der in Spuren vorhandenen Gase. Die verwendeten Geräte waren zum Teil recht aufwendig, da hohe Auflösung bei der nur minimalen Lichtintensität erreicht werden sollte. Das auf der Palette montierte Grille-Spektrometer identifizierte die Spurengase in der Atmosphäre durch Messung ihrer Absorptionslinien im Sonnenlicht, und zwar im infraroten Wellenlängenbereich. Ein zweites sehr aufwendiges Gerät (ISO: Imaging Spectrometric Observatory) beobachtete das durch Sonnenstrahlen und Partikel angeregte Atmosphärenleuchten über den gesamten Wellenlängenbereich vom Ultravioletten bis zum Infraroten.

Das hochauflösende Grille-Spektrometer hatte anfänglich mit einem unvorhergesehenen Problem im Bordrechner zu kämpfen. Der Spacelab-Computer erhielt vom Shuttle-Computer in regelmäßigen Abständen Zeit- und Lagekoordinaten. Erst während des Fluges stellte sich heraus, daß die Zeitangabe um einen ganzen Tage falsch war. Hierdurch waren natürlich die vom Spacelab-Computer berechneten Sonnenauf- und Untergangszeiten falsch und die zeitliche Abstimmung des Grille-Spektrometers hochgradig gestört. Nachdem der Fehler am Boden identifiziert worden war, gelang es, eine entsprechende Zeitkorrektur in das Computerprogramm einzufügen. Danach arbeitete das Gerät einwandfrei bis zum sechsten Missionstag, an dem das zur Detektorkühlung erforderliche Gas aufgebraucht war. In der Zwischenzeit waren zahlreiche Höhenprofile von Spurengasen wie Ozon, Kohlendioxid, Stickstoffoxiden, Wasserdampf und Methan aufgenommen worden.

Das ISO-Instrumentarium bestand aus fünf Einzelspektrometern, die zusammen den Spektralbereich von 30 bis 1200 Nanometern abdeckten und dabei Emissionslinien einer Vielzahl von atmosphärischen Bestandteilen identifizieren konnten. Die Qualität der aufgenommenen Spektren war ausgezeichnet, obwohl der teilweise Ausfall des RAU-21 die Datenausbeute minderte. ISO eignete sich auch für die Beobachtung des Oberflächenleuchtens. Die von ISO gewonnenen Messungen deuten darauf hin, daß das Leuchten durch eine Kombination von Plasmaentladungen und katalytischen Effekten an den Oberflächen verursacht wird.

Eine Infrarotkamera mit elektronischem Bildverstärker machte Aufnahmen der Atmosphäre, um großflächige (bis zu 1000 km) Infrarotabstrahlungen zu entdecken. Diese entstehen in einer Höhe von 85 km und werden durch Hydroxyl-Moleküle erzeugt. Die Bilder geben unter anderem Aufschluß über atmosphärische Turbulenzen; sie wurden hauptsächlich zwischen dem vierten und achten Tag der Mission aufgenommen.

Ein Spektralphotometer, das auf die Lyman-alpha-Linie des Wasserstoffs abgestimmt war, konnte die Strahlung des normalen Wasserstoffs (121,6 Nanometer) und des aus Proton und Neutron bestehenden schweren Wasserstoffs (bei 121,5 Nanometern) separieren. Mit diesem Gerät gelang es während der beiden ersten Tage, schweren Wasserstoff in einer Höhe von 110 km erstmals nachzuweisen. Mit dem gleichen Gerät wurde auch die von Nordlichtern ausgehende Lyman-alpha-Strahlung gemessen, und zwar auf Tag- und Nachtseite der Erde. Überraschende Ergebnisse erzielte das Spektralphotometer am zehnten Tag der Mission: Es konnte Wasserstoff im interplanetaren Medium nachweisen und entdeckte zwei Quellen besonders energiereicher Lyman-alpha-Strahlung; die eine wurde als Stern identifiziert, die andere als ein begrenztes Gebiet in der Erdatmosphäre.

Die in der obigen Aufnahme von der Erde aus gesehene Infrarot-Erscheinung, diesmal von Spacelab aus fotografiert. Von Spacelab aus ließ sich die globale Verteilung dieser Hydroxylemission ermitteln.

Ulf Merbold beim Vorbereiten der metrischen Kamera (Reihenmeßkammer). Bei diesem Gerät handelt es sich um eine weiterentwickelte Flugzeugkamera.

Erdbeobachtungen

Zwei Instrumente dienten der Fernerkundung der Erde. Eine Reihenmeßkammer machte Fotografien von 190 × 190 km großen Gebieten. Die Qualität der Optik und die verwendete Filmgröße von 23 × 23 cm machten es möglich, die hohe Bildauflösung von etwa 20 m zu erreichen. Die Kamera wurde von der Besatzung am optischen Fenster des Moduls befestigt. Schon nach drei Missionstagen waren 500 Aufnahmen auf Infrarotfilm gemacht. Die Besatzung legte dann einen Schwarz-Weiß-Film ein, der jedoch schon nach weiteren 20 Aufnahmen verklemmte. Daraufhin wurde im Bodenkontrollzentrum beschlossen, aus einem Schlafsack eine provisorische Dunkelkammer zu bilden und darin zu versuchen, den verklemmten Film zu lösen. In der Tat gelang es dem Wissenschaftsastronauten Parker, auf diese Weise den Filmtransport wieder in Gang zu bringen, wodurch es möglich wurde, 500 weitere Aufnahmen bis zum neunten Tag zu machen. Die Wetterbedingungen über den meisten Aufnahmegebieten auf der Nordhalbkugel waren ausgezeichnet, so daß kaum Bildverluste durch Wolkendecken auftraten. Der

Eine Falschfarben-Infrarotaufnahme der Küste von Saudi-Arabien auf der Höhe von Medina, die mit der Reihenmeßkammer am 2.Dezember 1983 gemacht wurde.

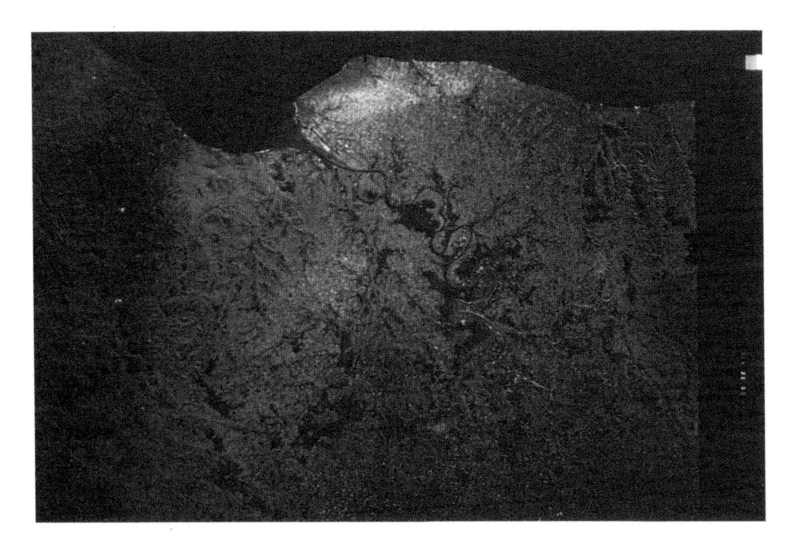

Le Havre, Frankreich, wurde von Spacelab aus mit der Reihenmeßkammer am 2. Dezember 1983 fotografiert. Die Seine windet sich durch grünbewachsenes Land, das auf dem Falschfarben-Infrarotbild rot erscheint.

Eine weitere Aufnahme der Reihenmeßkammer zeigt Gezira am Weißen Nil im Sudan. Die feinen roten Streifen sind bewässerte Gebiete, in denen Hirse und Baumwolle angebaut wird.

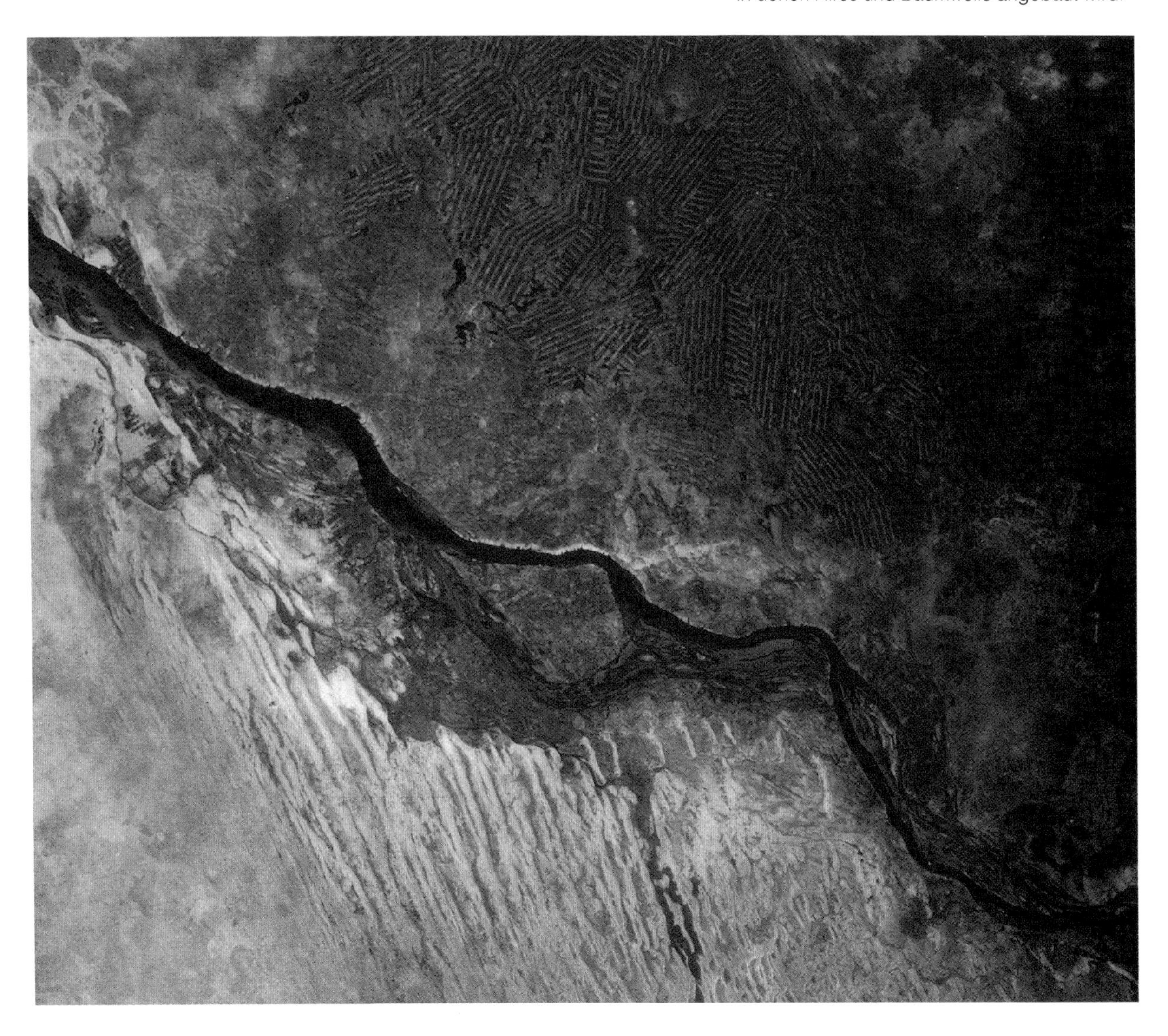

Schwarzweiß-Aufnahme mit der Reihenmeßkammer von Marseille und der Rhône-Mündung. Deutlich erkennt man das Einfließen von Schlamm ins Mittelmeer.

Ein Blick auf das deutsch-österreichische Grenzgebiet. Dieses Foto der Reihenmeßkammer zeigt Innsbruck (unten links), die Tiroler Alpen und die Stadt München (oberhalb der Bildmitte).

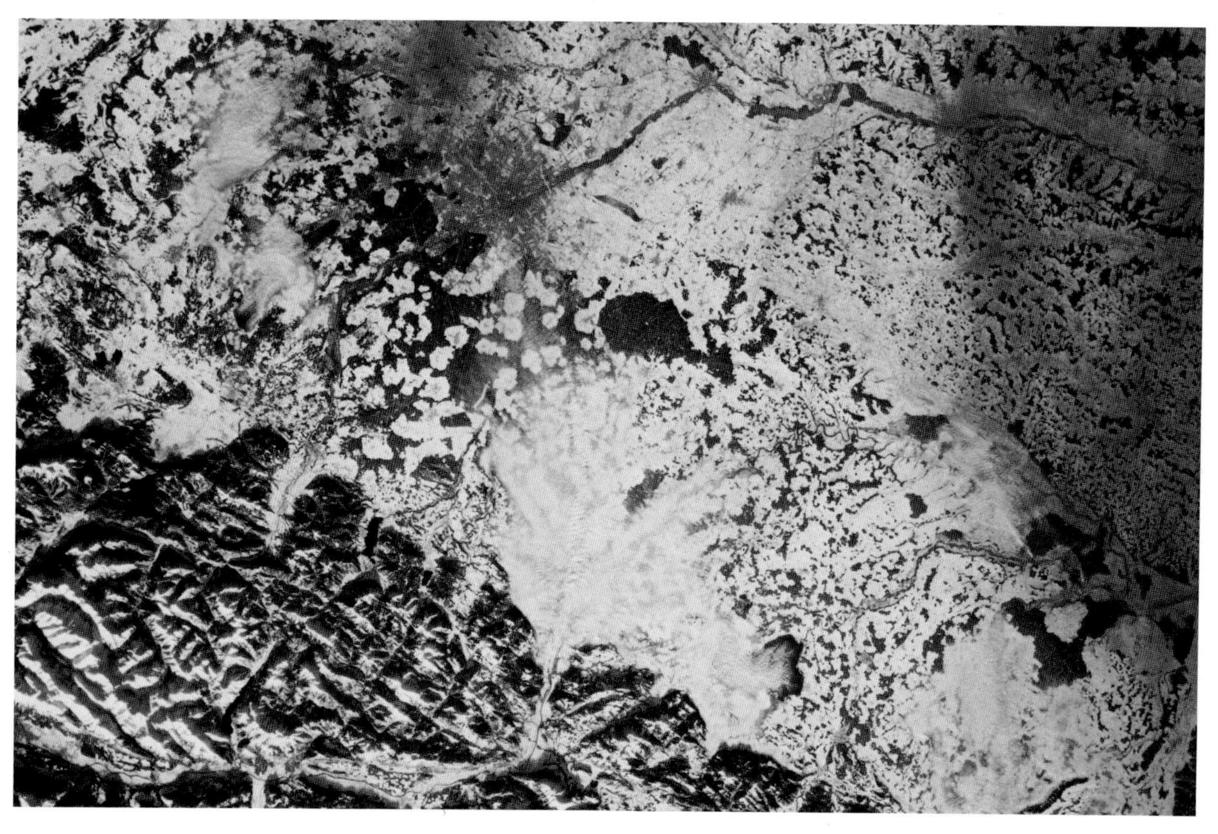

unvermeidbar niedrige Sonnenstand im Monat November führte jedoch dazu, daß die Beleuchtungsbedingungen über Europa und den USA nicht ideal waren. Insgesamt wurden von der Reihenmeßkammer etwa 11 Millionen Quadratkilometer der Erde fotografiert, was etwa fünf Prozent der Landoberfläche der Erde entspricht. Die zurückgebrachten Bilder werden zur Erstellung topographischer und thematischer Landkarten der Maßstäbe 1:50 000 bis 1:200 000 benutzt. An der Auswertung beteiligen sich über 100 Gruppen aus der ganzen Welt, von denen viele aus Entwicklungsländern stammen.

Ein zweites Instrument der Fernerkundung war eine Apparatur, die Mikrowellen aussendet und die am Erdboden reflektierten Signale wieder empfängt. Sie arbeitet im 10-Gigahertzbereich und kann ihre Beobachtungen unabhängig von Wolken und Dunkelheit durchführen. Das Gerät war auf der Palette montiert und diente als Vorläufer eines noch ehrgeizigeren All-Wetter-Radarerkundungsgeräts. Unglücklicherweise fiel nach kurzer Betriebsdauer der Hochleistungsverstärker aus, so daß nur noch passive Radiometermessungen durchgeführt werden konnten.

Ursprünglich waren zwei weitere Betriebsweisen vorgesehen, die SAR-Methode zur Erstellung von Oberflächenbildern und das Doppelfrequenz-Meßverfahren zur Ermittlung des Wasserwellenspektrums über den Ozeanen. Die passiven Messungen ergaben genaue Bestimmungen der Oberflächentemperatur der Weltmeere, die in Temperaturkarten zusammengefaßt wurden. Mit Hilfe dieser Karten läßt sich errechnen, wieviel Wärme durch Meeresströmungen vom Äquator in Polrichtung transportiert wird. Diese Information ist von beträchlichem Wert für ein besseres Verständnis der Klimaverteilung auf der Erde.

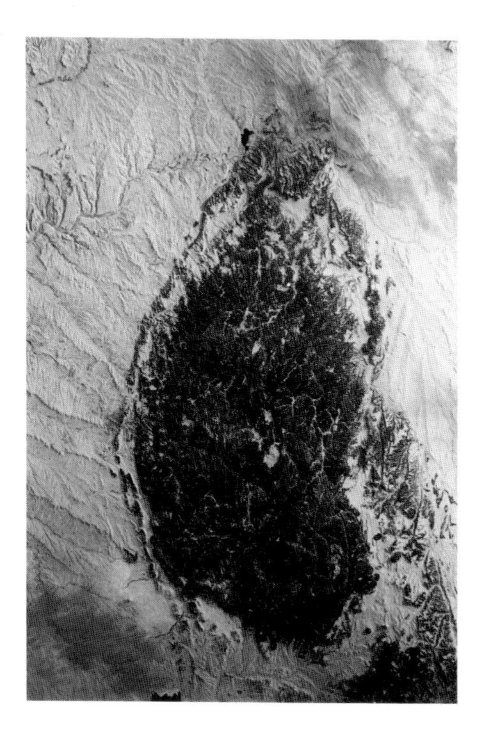

Schwarzweiß-Foto der Black-Hills, Süd-Dakota, USA, aufgenommen mit der Reihenmeßkammer.

Materialforschung unter Mikrogravitation

Die meisten Experimente aus dem Gebiet der Materialforschung waren im Werkstofflabor (MSDR) untergebracht. Sie beschäftigten sich mit der Züchtung von Kristallen, Flüssigkeitsphysik und Metallurgie. Ziel war, das Verhalten von vielen verschiedenen Materialproben unter Bedingungen der Mikrogravitation zu untersuchen.

Im MSDR, einem Beitrag der Bundesrepublik Deutschland, ist Platz für vier große Mehrzweckexperimente und für drei weitere kleinere Experimente. Bei den vier großen Anlagen handelt es sich um drei Schmelzöfen unterschiedlicher Charakteristik und ein Fluidphysik-Modul. Das MSDR enthält ferner eine eigene Bedienungs- und Kontrollkonsole, ein Vakuumsystem, eine Vorrichtung zum Fluten der Schmelzöfen mit Edelgasen, ein komplexes Kühlsystem sowie eine eigene Energieversorgungsanlage. Alle diese Einheiten arbeiteten während der ersten Spacelab-Mission zufriedenstellend. Die Besatzung hatte die Aufgabe, das Werkstofflabor zu bedienen, Materialproben zu wechseln und eine Reihe visueller Beobachtungen zu machen.

Einer der drei Schmelzöfen, der sogenannte Gradientenofen, war in Frankreich gebaut worden. Mit Hilfe von drei elektrischen Heizelementen und einem wassergekühlten Ring lassen sich Temperaturen von 1200° und örtlich verschiebbare Temperaturgradienten von 100 °C pro cm erreichen. Zur Probenhalterung wurden zylinderförmige Kartuschen von 27,5 cm Länge und 2,5 cm Durchmesser verwendet, die man in den Ofen einführt. Bei evakuiertem Ofen dauert es 20 Stunden, bis er von 1200°C auf Umgebungstemperatur abgekühlt ist. Diese Zeit läßt sich jedoch auf vier Stunden abkürzen, wenn der Ofen nach anfänglicher Abkühlung auf 800°C mit Helium geflutet wird. Die bereitliegenden 15 Proben wurden während des Fluges wie geplant aufgeheizt, bis sie schmolzen; nach Abkühlung erstarrten sie unter Mikrogravitation. Dabei wurden Legierungen aus Aluminium und Zink, Aluminium und Kupfer, sowie Silber und Germanium hergestellt. Mit Hilfe von speziellen Zinn-Legierungen wurde der Soret-Koeffizient bestimmt. Weiterhin gelang es, Bleitellurid-Kristalle zu züchten und tellur-dotierte Indiumantimonid-und Nickelantimonid-Halbleiter mit spezieller Faserstruk-

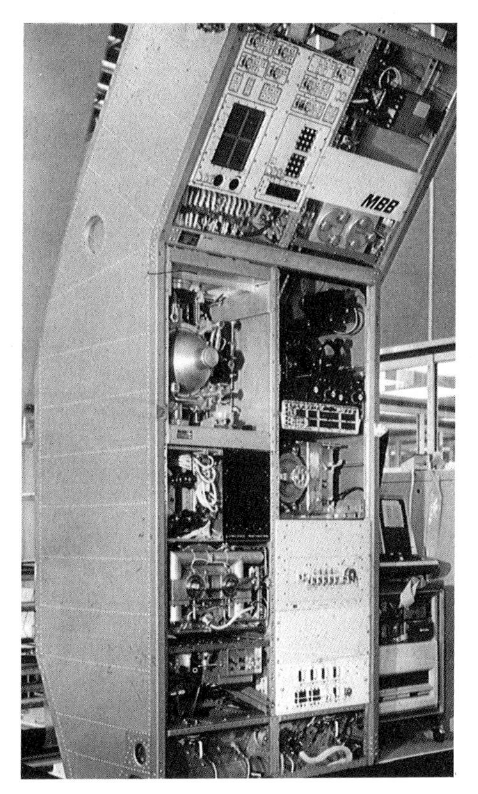

Das Werkstofflabor enthält drei Mehrzweck-Schmelzöfen, ein Flüssigkeitsphysik-Modul sowie Geräte für drei weitere Experimente. In diesem Labor wurden insgesamt 30 Untersuchungen durchgeführt. Der Fortgang der Experimente konnte von der Kontrolleinheit (links oben) aus beobachtet und gesteuert werden.

Abbildung einer Hülse (Kartusche), wie sie zur Probenhalterung im Isothermalschmelzofen benutzt wurde.

tur herzustellen. Letztere sind für die Produktion von Halbleiterbauelementen von großer Bedeutung.

Der zweite Ofen, die sogenannte Isothermalanlage, war in der Bundesrepublik Deutschland entwickelt worden. Sie besteht aus zwei Prozeßkammern, von denen die eine zum Aufheizen und die andere zum Abkühlen verwendet wird. In der Heizkammer können Temperaturen zwischen 200°C und 1600°C mit hoher Präzision eingestellt werden. Nach Behandlung einer Probe kann die ganze Kammer zurückgefahren, um 180° gedreht und wieder vorgefahren werden, so daß sich die fertige Probe nun in der Abkühlkammer und eine neue Probe in der Heizkammer befindet. Die Kartuschen der Isothermalanlage sind 10 cm lang und haben einen Durchmesser von 4 cm. Bei der Isothermalanlage ergaben sich während des Fluges eine Reihe von Schwierigkeiten. Zunächst mußte ein undichter Flansch von der Besatzung ausgewechselt werden. Die Anlage arbeitete dann fehlerfrei, bis die neunte Probe -wegen auftretender Deformationen der Kartusche- in der Heizkammer steckenblieb und nur mit Mühe entfernt werden konnte. Nach zwölf der insgesamt 22 geplanten Versuche versagte die Stromversorgung der Isothermalanlage. Es waren bis dahin jedoch schon so viele Proben verarbeitet worden, daß nur zwei Experimentatoren leer ausgingen.

Die meisten in der Isothermalanlage durchgeführten Experimente hatten zum Ziel, Metallegierungen herzustellen, die sich auf der Erde wegen der durch Schwerkraft verursachten Sedimentation nicht produzieren lassen. So wurden Mischungen von Aluminium und Indium, Aluminium und Blei sowie Zink und Blei unter Mikrogravitation geschmolzen und wieder erstarrt. Durch Beimischung schwererer Partikel, die sich in der Schwerelosigkeit gleichmäßig in der Schmelze verteilen, gelang es auch, sogenannte Kompositmaterialien herzustellen. Beispielsweise wurden nadelförmige Fasern und Kügelchen aus Siliziumkarbid beigemischt. Sie geben der entstehenden Legierung höhere Festigkeitseigenschaften. In weiteren Experimenten wurde das Verhalten von Schwefelbeimischungen beim Gießen von Eisen studiert sowie Kristallisationskernbildung in Silber-Germanium-Legierungen untersucht. Ferner gelang es, kleine Gasblasen in der Schmelze zu erzeugen, so daß bei der anschließenden Erstarrung eine leichtgewichtige poröse Legierung hoher mechanischer Festigkeit entstand.

Auch die dritte Heizanlage, der sogenannte Spiegelofen, stellte die Bundesrepublik Deutschland. Er besteht aus zwei Ellipsoidspiegeln, die von zwei an den getrennten Brennpunkten befindlichen, 400 Watt starken Halogenlampen angestrahlt werden. Eine aufzuheizende Probe (bis zu 11 cm Länge und 2 cm Durchmesser) ist im gemeinsamen Spiegelfokus angebracht. Diese Probe kann in Rotation versetzt werden, um eine einheitliche Temperatur zu erhalten. Die Temperatur läßt sich auf Werte zwischen 200°C und 2100°C einstellen. Das Aufheizen der Proben kann im Vakuum oder in Schutzgasatmosphäre erfolgen, und die Abkühlung läßt sich durch Fluten der Kammer mit Helium beschleunigen. Der Spiegelofen wurde am sechsten Tag zum ersten Mal eingesetzt. Wegen Schwierigkeiten am Kühlsystem mußte der Betrieb zunächst umgestellt und nach Versagen einer Wasserpumpe am neunten Missionstag ganz eingestellt werden.

Zuvor gelang es allerdings, jeweils eine von zwei Proben aller vorgesehenen vier Experimente zu verarbeiten. Dabei versuchte man erstmals im Weltraum, einen großen Silizium-Einkristall herzustellen, ein Produkt, das für die Halbleiterindustrie von großem Interesse ist. Der Kristall wurde ohne Wandkontakt mit Hilfe der Fließzonentechnik aufgeschmolzen. Bei der anschließenden Erstarrung kam es darauf an, Fehlstellen im Kristallgitter, die unter Mikrogravitation nur durch Marangoni-Konvektion in der Schmelze hervorgerufen werden können, zu vermeiden. In ähnlicher Weise stellte man Cadmiumtellurid- und Galliumantimonid-Halbleiterkristalle her. Schließlich wurde noch eine freihängende Siliziumkugel bei 1410° geschmolzen und langsam wieder abgekühlt. Auch dieser Versuch diente dazu, festzustellen, inwieweit die Marangoni-Konvektion Fehlstellen und Streifen beim Kristallwachstum unter Mikrogravitation hervorruft.

Zu den kleineren, im Werkstofflabor untergebrachten Experimenten, gehört der Hochtemperaturthermostat. Er besteht aus acht kleineren Öfen, mit denen Materialproben entweder isotherm oder unter Anlegen eines Gradienten bis auf 1400° C aufgeheizt werden können. Während des ersten Spacelab-Fluges wurde an acht Zinn-Proben die Diffusion zweier stabiler Isotope von Zinn (mit den Atommasseneinheiten 112 und 124) verfolgt und der Selbstdiffusionskoeffizient von Zinn mit hoher Genauigkeit bestimmt. Ebenfalls im Werkstofflabor untergebracht war eine Kammer, in der man ein extrem gutes Vakuum von etwa 10^{-12} Torr herstellen konnte. Diese Bedingungen waren nötig, um in der Schwerelosigkeit die Adhäsionskräfte zwischen einer Metallkugel und einer Metallplatte zu bestimmen. An der Metallplatte war ein piezoelektrischer Sensor angebracht, mit dem die beim Aufprallen der Kugel auf die Platte auftretende Verformung gemessen wurde. Dabei waren Hochvakuumbedingungen erforderlich, um den Einfluß von Oberflächenverschmutzungen zu vermeiden. Schließlich war noch der sogenannte Kryostat im Werkstofflabor vorhanden, eine Anlage, in der Temperaturen zwischen −10°C und +20°C mit hoher Genauigkeit eingestellt und konstant gehalten werden können. Im Kryostat wurden Proteinkristalle gezüchtet, und zwar Lysozym und Betagalaktosidase. Solche Kristalle lassen sich auf der Erde wegen Störungen durch thermische Konvektion nur in sehr kleinen Größen produzieren. Dagegen gelang es während des ersten Spacelab-Fluges, Kristalle herzustellen, die dreißig- bis tausendmal größer waren als die größten bisher auf der Erde gewachsenen. Diese aus dem Weltraum zurückgebrachten Kristalle sind groß genug, um sie in der Röntgenspektroskopie zur Ermittlung der Struktur komplizierter Enzymmoleküle einsetzen zu können.

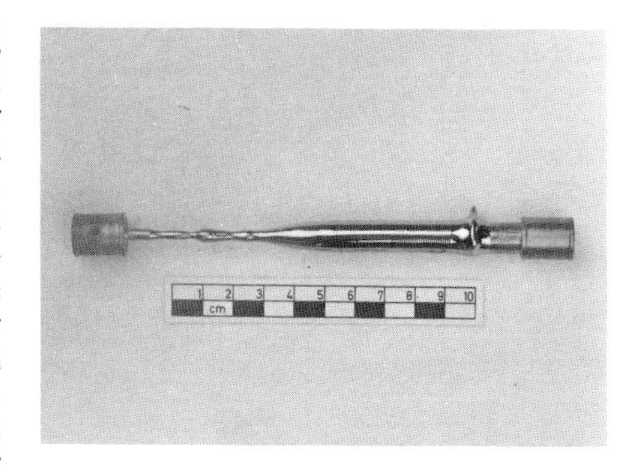

Ein während des ersten Spacelab-Fluges im Spiegelofen unter Mikrogravitation gewachsener Silizium-Kristall.

Im offenstehenden Spiegelofen erkennt man in der Mitte den vertikal angeordneten Stab eines Probenmaterials. Links eine Kamera, mit der Aufnahmen der Probe während des Experimentierens gemacht werden können.

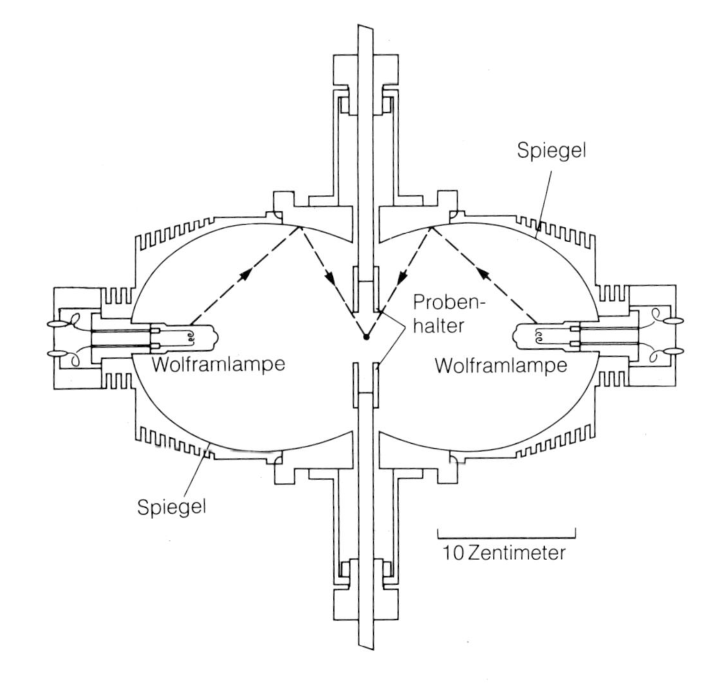

Das Diagramm zeigt den Spiegelofen im Querschnitt. Die ellipsoidförmigen Spiegel fokussieren das Licht von zwei Halogenlampen auf die Materialprobe. Während des Umschmelzens wird die Probe festgehalten und der Ofen vertikal verschoben. Dabei wandert die im Fokus auftretende Schmelzzone die Materialprobe entlang.

Weitere drei ESA-Experimente aus dem Bereich der Materialwissenschaften benutzten Geräte, die nicht zum Werkstofflabor gehörten. Zwei davon befaßten sich mit der Züchtung hochqualitativer organischer Kristalle aus Lösungen. Solche Kristalle zeichnen sich durch extrem hohe elektrische Leitfähigkeit aus. Im dritten Experiment, das über sieben Tage lief, wurde ein Quecksilberjodid-Kristall aus der Dampfphase gebildet, wobei die Substanz an dem einen Ende einer Röhre verdampft und am kühleren Ende abgeschieden wurde. Schließlich war noch ein NASA-Experiment an Bord, das der Tribologie, der Lehre von der Reibung gegeneinander bewegter Oberflächen, neue Ergebnisse bringen sollte. Die Benetzung der Oberflächen durch Schmiermittel und deren Ausbreitung in Radlagern wurde mit Hilfe von hochauflösenden Filmkameras in allen Phasen festgehalten, wobei zu bemerken ist, daß solche unter Mikrogravitation erfolgenden Untersuchungen besonders aufschlußreich sind.

Um das Verhalten von Flüssigkeiten unter Mikrogravitation zu untersuchen, stand eine besondere, in Italien gebaute Anlage zur Verfügung. In dieser Anlage, dem FPM (Fluid Physics Module), läßt sich in der Schwerelosigkeit eine Flüssigkeitssäule zwischen zwei Endplatten frei aufhängen und anschließend ihr Verhalten studieren. Die Flüssigkeitssäule wird mittels Einspritzen durch eine Öffnung in einer Endplatte und gleichzeitiges Auseinanderziehen der Platten hergestellt. Durch entsprechende Bewegung der Endplatten ist es möglich, die Säule in Rotation (bis zu 100 Umdrehungen pro Minute) oder Vibration (bis zu zwei Hertz) zu versetzen. Ferner kann ein Temperaturgradient und eine elektrische Spannung bis zu 100 V an die Säule angelegt werden. Die Reaktion der Flüssigkeit auf diese Beeinflussungen wurde von der Besatzung beobachtet und mit zeitlich hochauflösenden Kameras gefilmt. Während dieser Versuche wurden die Bilder der Flüssigkeitssäule über Fernsehen ins Nutzlastkontrollzentrum übertragen, so daß die Wissenschaftler in den Versuchsablauf über Sprechfunk eingreifen konnten.

Bei der Untersuchung der Marangoni-Konvektion wurde Silikonöl zwischen den Endplatten angebracht und dann von einer Seite aus erwärmt. Dabei wurde eindeutig festgestellt, daß eine Konvektionsströmung in der

Flüssigkeit auftrat. Im Weltraum lassen sich im FPM freischwebende Flüssigkeitssäulen von bis zu 8 cm Länge und einigen Zentimetern Durchmesser herstellen. Auf der Erde erreicht man wegen der Schwerkraft nur Längen von einigen Millimetern.

Die Form des Flüssigkeitszylinders und das Oberflächenprofil hängen von der Geometrie der Endplatten und von der Oberflächenspannung ab. Unter bestimmten Bedingungen nimmt das Profil die Form eines Katenoid an. Mögliche Abweichungen von dieser Form werden durch zwischenmolekulare Kräfte, die sogenannten Van-der-Waals-Kräfte, bewirkt. Ziel eines Experiments war es, die Form des Oberflächenprofils genau zu studieren und daraus die Größe der Van-der-Waals-Kräfte zu bestimmen. Bei einem weiteren Versuch wurden die Endplatten auseinandergefahren und das Abreißen der Säule mit zeitlich hochauflösenden Kameras fotografiert. Ein weiteres Experiment benutzte das FPM, um die Benetzungseigenschaften von porösen Stoffen durch Flüssigkeiten zu studieren.

Das Verhalten der freien Flüssigkeitssäule unter Zug, Vibration und Rotation hielt man im Bild fest. Ferner wurden kleine Gefäße unterschiedlicher Formen, die nur teilweise mit Flüssigkeit gefüllt waren, mechanisch bewegt und das Verhalten der eingeschlossenen Flüssigkeit beobachtet. Die Experimente sind für eine besseres Verständnis des Verhaltens von Kühl- oder Treibstoffen in den Tanks von Raumfahrzeugen von großem Nutzen.

Beim Anlegen eines elektrischen Feldes zeigte sich, daß eine zufällig anwesende Luftblase anstelle der erwarteten Kugelform eine eher konische Form aufwies. Diese Beobachtung ist für Elektrophorese-Experimente von Bedeutung, und es emfiehlt sich, weitere Untersuchungen in dieser Richtung bei künftigen Spacelab-Flügen anzustellen.

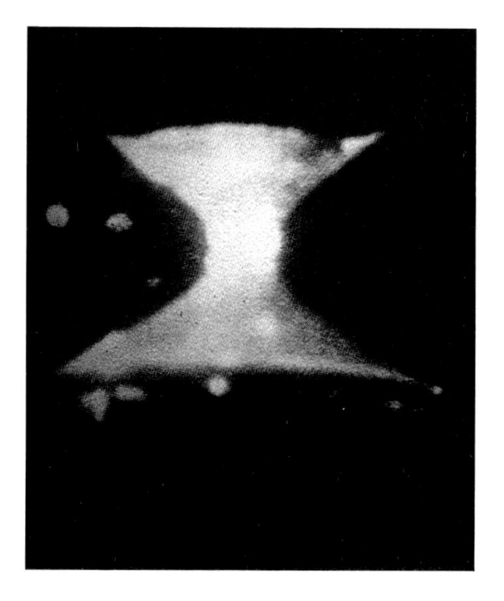

Im Flüssigkeitsphysik-Modul (FPM) gelang es, zwischen zwei Endplatten eine 8,8 cm lange Flüssigkeitssäule aus Silikonöl zu erzeugen. Auf der Erde lassen sich Säulen von nur einigen Millimetern Länge herstellen.

Bild des Flüssigkeitsphysik-Moduls (FPM), in dem während des Spacelab-Fluges insgesamt sieben Experimente zur Erforschung des Verhaltens von Flüssigkeiten unter Mikrogravitation durchgeführt wurden.

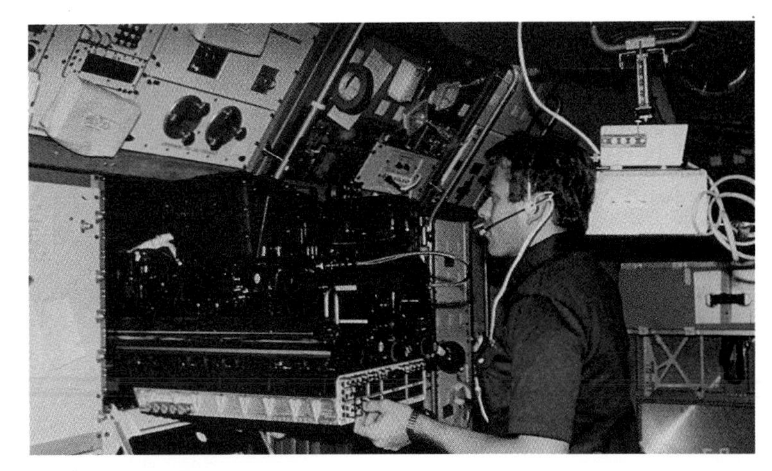

Byron Lichtenberg arbeitet am Flüssigkeitsphysik-Modul (FPM).

Mit Hilfe einer Injektionsnadel wird eine Luftblase in eine freischwebende Flüssigkeitsblase eingebracht.

Medizin und Biologie unter Mikrogravitation

Auf dem Gebiet der Weltraummedizin wurden 15 Experimente (acht von der ESA und sieben von der NASA) durchgeführt. Sie befaßten sich mit der Reaktion verschiedener biologischer Systeme auf Bedingungen der Schwerelosigkeit und auf korpuskulare und elektromagnetische Strahlung aus dem Weltraum. Die Fähigkeit, sein Gleichgewicht und seine Orientierung aufrechtzuerhalten, verdankt der Mensch einem Sinnesorgan, das in den inneren Ohrkanälen liegt, dem Vestibularsystem. Die beim ersten Spacelab-Flug durchgeführten Untersuchungen am Vestibularsystem müssen als Vorläufer genauerer Untersuchungen während späterer Missionen angesehen werden, bei denen der sogenannte Weltraumschlitten zur Verfügung stehen wird. Untersuchungen des Vestibularsystems im Weltraum liefern nicht nur wertvolle Zusatzinformation zu Experimenten am Erdboden, sie können auch zum besseren Verständnis der Weltraumkrankheit und damit zu deren Beherrschung beitragen. Die Missions- und Nutzlastspezialisten dienten als

Testpersonen bei diesen Untersuchungen, die nicht nur während des Fluges selbst, sondern auch mehrere Monate vorher und an den ersten sieben Tagen nach der Landung stattfanden.

Beim sogenannten Hop-and-drop–Test wurde ein Besatzungsmitglied aus hängender Position nach Ausklinken eines Haltegriffes von Gummizügen auf den Fußboden der Kabine gezogen. Dabei waren Elektroden an beiden Beinen angebracht, um den im Wadenmuskel auftretenden Reflex elektronisch aufzuzeichnen. Bei einem Zusatzexperiment wurde eine Nadel in das Gewebe der Kniekehle eingeführt. Die Muskulatur konnte auf diese Weise, während der beschleunigten Bewegung hin zum Kabinenboden, durch elektrische Impulse gereizt und der bekannte Kniemuskel-Reflex (Patellarreflex) hervorgerufen werden. Diese Untersuchungen tragen dazu bei, das Zusammenspiel zwischen Vestibular- und Muskelreflexsystem besser zu verstehen. Der Versuchsablauf konnte teilweise in Echtzeit am Boden mitverfolgt werden. Daneben wurden alle anfallenden Daten auf Magnetband gespeichert.

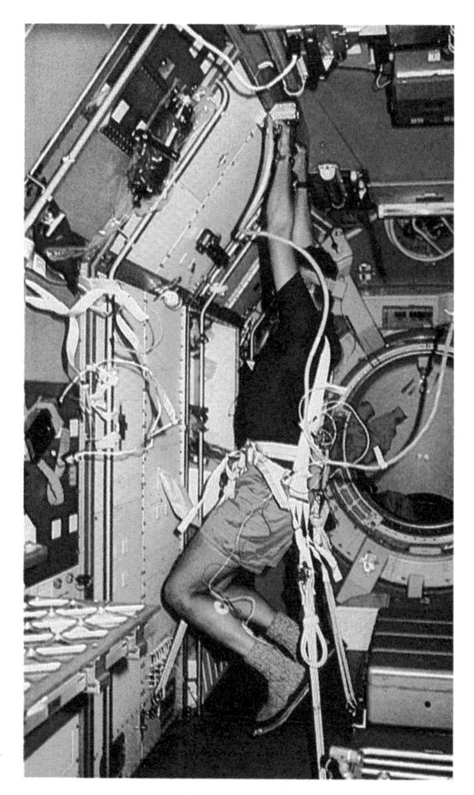

Ein Wissenschaftsastronaut als Testperson beim Hop-and-drop-Test. Die gezeigte Ausrüstung wird auch für den sog. Drop-and-shock-Test gebraucht, zur Untersuchung des bekannten Kniemuskel-Reflexes.

Ganz andere experimentelle Anordnungen waren erforderlich, um das Zusammenspiel zwischen dem optischen System der Augen und dem Vestibularsystem zu untersuchen. Hierbei wurden die Besatzungsmitglieder Linear- und Drehbeschleunigungen ausgesetzt und die resultierenden Augenbewegungen mit hochauflösenden Fernsehkameras beobachtet. Die Testperson war von einer Art Harnisch umschlossen, der Zusammenstöße mit der Kabinenwand verhindern und unerwünschte Kopfbewegungen unterdrücken sollte. Die Person trug einen speziellen Helm, in dem neben einer hochauflösenden Video-Kamera ein optokinetisches Reizsystem untergebracht war. Bei aufgezogenem Helm konnte der Astronaut seine Umgebung nicht sehen. Auf ein Auge wurden Muster projiziert, gleichzeitig beobachtete man mit der Kamera die Bewegungen des anderen Auges. Während der Untersuchungen mußte er auch versuchen, Aussagen über Größe und Richtung der wahrgenommenen Bewegungen zu machen. Im Rahmen dieser Untersuchungen wurde zunächst festgestellt, daß in der Schwerelosigkeit das Auge einen ganz wesentlichen Beitrag zur Orientierung leistet. Es versucht, die Funktionen des Vestibularsystems zu übernehmen. Ferner konnte gezeigt werden, daß schon nach wenigen Tagen im Weltraum ein Augenreflex, Nystagmus genannt, auftritt. Dieser Reflex besteht aus einem charakteristischen Augenzucken bei bestimmten Kopfdrehungen und resultiert aus dem Bestreben des Auges, bei Bewegung des Körpers ein ruhendes Objekt zu fixieren.

Bei einen weiteren Experimente wurde das innere Ohr stimuliert, indem warme beziehungsweise kalte Luft in das äußere Ohr geblasen wurde. Überraschenderweise stellte man wiederum ein deutliches Augenzucken fest. Dieses Ergebnis widerspricht einer schon lange bestehenden Theorie, nach der das Augenzucken durch thermische Konvektion in den inneren Ohrkanälen hervorgerufen wird.

Das Verhalten des optischen Systems wurde in einem weiteren Experiment untersucht. Ein Besatzungsmitglied mußte auf eine mit einem farbigen Muster versehene rotierende Scheibe schauen und seine Orientierungseindrücke beschreiben, während seine Augenbewegungen wiederum von einer Fernsehkamera aufgezeichnet wurden. Ein anderes Experiment befaßte sich mit dem Orientierungsvermögen in der Schwerelosigkit. Der Testperson wurden die Augen verbunden, und sie wurde an einer ebenen Wand festgeschnallt. Nach einer Ruhepause von fünf bis 15 Minuten mußte der Astronaut dann auf bestimmte, vorher festgelegte Orientierungspunkte in der Kabine zeigen. Hierbei wurde deutlich, daß das Orientierungsvermögen besonders schlecht ausfiel, wenn der Astronaut lose angeschnallt war. Im Rahmen eines ähnlichen Versuchs wurde nach der Rückkehr zur Erde festgestellt, daß die Astronauten zunächst Schwierigkeit hatten, mit verbundenen Augen aufrecht zu stehen. All diese Ergebnisse zeigen, daß sich das Gehirn in der Schwerelosigkeit nur bedingt auf die Signale des Vestibularsystems verläßt, und daß es einige Tage benötigt, um sich am Erdboden wieder umzugewöhnen.

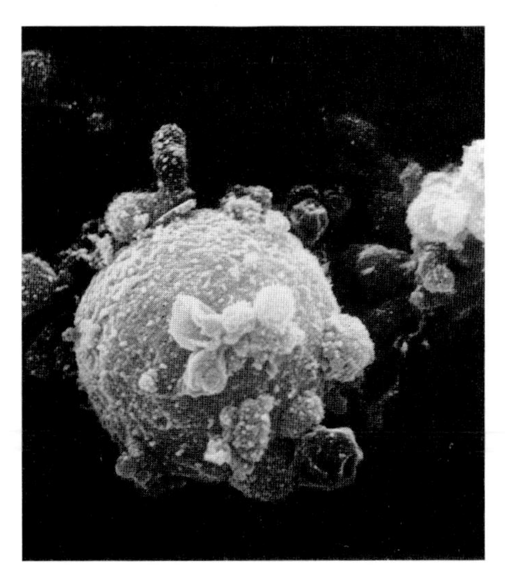

Aufnahme im Elektronenrastermikroskop einer menschlichen Lymphozyte, die an Bord von Spacelab mitgeflogen ist. Ihr Durchmesser beträgt etwa 4,5 Mikrometer.

Während des Fluges legten die Besatzungsmitglieder abwechselnd einen leichten, jedoch sehr festen Rucksack an. Er enthielt drei hochempfindliche Beschleunigungsmesser, elektronische Verstärker, ein Bandaufzeichnungsgerät und Batterien zur Stromversorgung. Außerdem war noch ein EKG-Gerät zum Messen der Herztätigkeit dabei. Mit dem Bandgerät wurden ballistokardiographische Aufzeichungen gemacht. Die angeschlossenen Sensoren registrierten die Beschleunigungen, die durch die Pumpwirkung des Herzens und das Strömen des Blutes im Körper hervorgerufen werden. Die Aufzeichnungen wurden bei normalem Atmen, mit angehaltenem Atem und in Hockstellung gemacht, und zwar jeweils vor und nach dreiminütiger Gymnastik.

Fast während des gesamten Fluges trug der Nutzlastspezialist Merbold ein kleines Aufzeichnungsgerät mit Sensoren, die auch häufig auf der Erde zum Registrieren der Gehirntätigkeit (EEG), der Augenbewegungen (EOG) und der Herztätigkeit (EKG) verwendet werden. In den Aufzeichnungen zeigte sich zum Beispiel eine erhöhte EOG-Aktivität während der ersten schlafend verbrachten Nacht im Weltraum. Mit diesem Gerät sollten die physiologische Reaktionen eines normal gesunden Menschen, der kein ausgebildeter Testpilot ist, auf die beim Raumflug auftretenden Belastungen, untersucht werden.

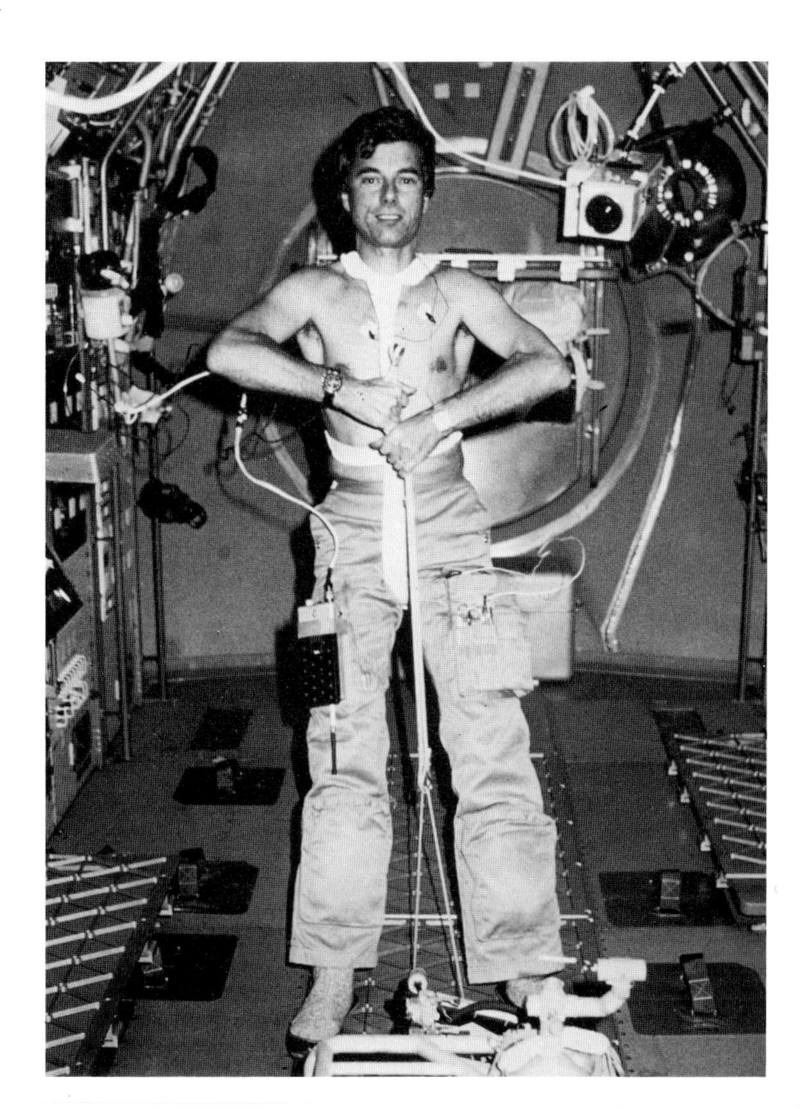

Ulf Merbold bei gymnastischen Übungen vor der Aufzeichung eines Ballistokardiogramms, bei der er frei in der Kabine schweben wird.

Zellbiologen und Immunologen sind besonders am Verhalten von Lymphozyten unter Mikrogravitation interessiert. Letztere stellen etwa 30% der weißen Blutkörperchen dar und sind für die Bildung von Abwehrkörpern zur Infektionsverhütung verantwortlich. Versuche in einem bei genau 37°C (Körpertemperatur) gehaltenen Inkubator basierten auf Resultaten früherer, bei den Missionen von STS-8 und den sowjetischen Sojus 6 bis Sojus 8 durchgeführten Experimenten. Es zeigte sich, daß die Aktivierung der Lymphozyten als Reaktion auf zugeführte Bakterien im Weltraum viel schwächer ist als am Erdboden. Dieser Befund kann Auswirkungen auf die maximal zulässige Dauer eines Weltraumfluges haben und ist für die Immunologieforschung am Erdboden ebenfalls von großer Bedeutung.

Während des gesamten Fluges wurden der Besatzung in regelmäßigen Abständen Blutproben entnommen, an Bord in einem Kühlschrank aufbewahrt und nach der Landung auf den Hormonspiegel hin untersucht. Besondere Aufmerksamkeit wurde auf den Gehalt an Prostaglandinen gerichtet, da dieser den Mineralhaushalt des Körpers während des Fluges bestimmt. Zu Beginn der Mission trat der bekannte Verlust an roten Blutkörperchen und eine gleichzeitige Abnahme des farblosen Blutplasmas auf. Während der Blutabnahme wurde mit Hilfe eines speziellen Manometers der Zentralvenendruck gemessen, der Aufschluß über Flüssigkeitsverlagerung im Körper nach Eintritt in die Schwerelosigkeit vermitteln kann. Es wurde überraschenderweise eine Druckabnahme registriert.

Bei einem ganz verschiedenartigen Experiment in der Schwerelosigkeit sollte die Crew versuchen, Objekte gleicher äußerer Form, jedoch unterschiedlichen Gewichts voneinander zu unterscheiden. Hierzu dienten 24 Kugeln von 3 cm Durchmesser, die Gewichte zwischen 50 und 64 Gramm hatten, wobei der kleinste Gewichtsunterschied zwei Gramm betrug. Der Astronaut mußte jeweils zwei vorher festgelegte Kugelpaare durch Bewegungen mit der Hand gewichtsmäßig voneinander unterscheiden und aufschreiben, welches die schwerere Kugel war. In etwa 20 Minuten ließen sich 74 Kugelpaare beurteilen. Bei vorausgegangenen Experimenten am Boden waren etwa 10 Paare falsch beurteilt worden, unter Mikrogravitation stieg die durchschnittliche Fehlerrate auf 17. Nach Rückkehr zur Erde dauerte es vier Tage, bis die Fehlerquote wieder auf 10 gesunken war. Als Ergebnis dieses Experiments kann konstatiert werden, daß ein Wissenschaftsastronaut auf der Erde zwei Kugeln eines Massenunterschieds von 4,5 Gramm mit einer Wahrscheinlichkeit von 75% zu unterscheiden vermag.

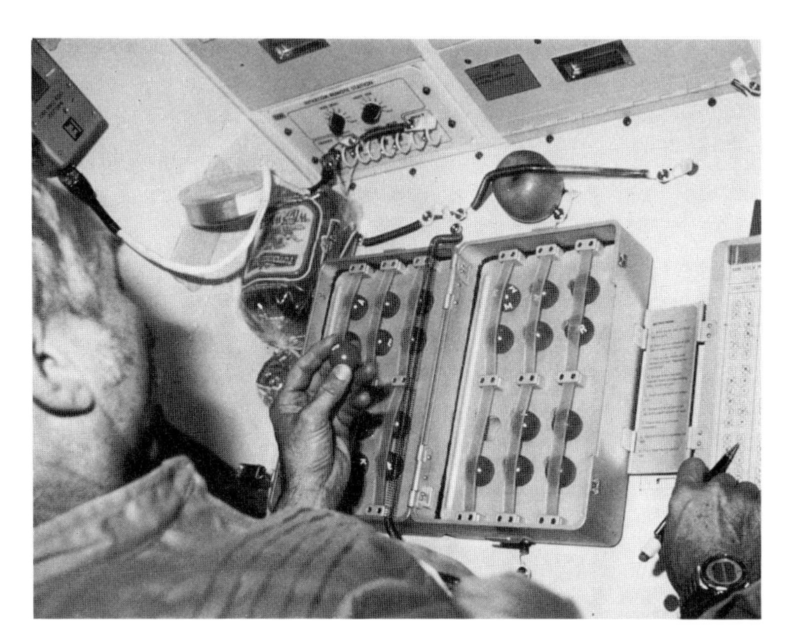

Owen Garriott versucht, völlig gleich aussehende Kugeln, die jedoch verschiedenes Gewicht haben, in der Schwerelosigkeit voneinander zu unterscheiden. Er hat einen Apfel vorübergehend mit Hilfe einer elastischen Halteschnur befestigt, damit dieser nicht davonschwebt.

Ulf Merbold bei der Gartenarbeit im Weltraum. Er versorgt Sonnenblumenkeimlinge.

In der Schwerelosigkeit ist ein Massenunterschied von 8,3 Gramm erforderlich, um die gleiche Trefferquote zu erzielen. Dieses Resultat deutet darauf hin, daß der Mensch eine Masse besser mit Hilfe der Schwerkraft als aufgrund der Massenträgheit beurteilen kann.

Ein biologischer Versuch zum Studium des Wachstums von Zwergsonnenblumen (Helianthus annuus) zeigte ein bemerkenswertes Ergebnis. Nach der Aussaat wurde das Wachsen der Keimlinge in absoluter Dunkelheit in Abständen von 10 Minuten mit einer Infrarotkamera verfolgt. Dabei wurde festgestellt, daß die Spitzen der Keimlinge ellipsenförmige Bewegungen ausführen, und zwar mit einer Periodizität von 108 ± 3 Minuten. Dieser Effekt ist durch irdische Versuche bekannt. Daß er auch unter Mikrogravitation auftritt, deutet darauf hin, daß diese Nutation in der Natur der Pflanze liegt und nicht durch eine Art Servomechanismus verursacht wird, mit dem die Pflanze eine Vorzugsrichtung relativ zum Schwerkraftvektor einzunehmen versucht. Das Ergebnis ist also eine Bestätigung des darwinistischen Weltbildes.

Mit Hilfe eines schnell wachsenden Pilzes (Neurospora crassa) wurde untersucht, ob der 24stündige Wachstumsrhythmus, der auf der Erde deutlich zu beobachten ist, auch im Weltraum auftritt. Der Pilz wurde in konstanter Dunkelheit gehalten. Es zeigte sich, daß der Rhythmus tatsächlich im Weltraum eingehalten wird, jedoch weniger deutlich ist als bei vergleichbaren Bodenexperimenten.

Schließlich wurden noch biologische Proben und Bakteriensporen (Bacillus subtilis) auf der Palette der kosmischen Strahlung und dem dort herrschenden Vakuum ausgesetzt. Es ist bekannt, daß energiereiche Partikel der Höhenstrahlung Zellen lebender Organismen beschädigen oder ganz zerstören können. Um diese Effekte näher zu studieren, wurden im sogenannten Biostack biologische Substanzen zwischen speziellen Strahlungsdetektoren schichtförmig übereinander angebracht. Auf diese Weise konnte jedes Teilchen der kosmischen Strahlung registriert und lokalisiert werden und nach der Landung die Verursacher aufgetretener Schädigungen leicht identifiziert werden. Weiterhin waren an verschiedenen Stellen im Inneren des Moduls gewöhnliche Strahlungsdosimeter angebracht, mit deren Hilfe die bei einem Spacelab-Flug auftretende Belastung durch Höhenstrahlung und Strahlung der Van-Allen-Gürtel gemessen wurde. Die erhaltenen Ergebnisse sind für die Abschätzung der Strahlenbelastung bei zukünftigen Spacelab-Missionen in Umlaufbahnen mit höherem Neigungswinkel wichtig. Beim ersten Spacelab-Flug stellte sich heraus, daß die Belastung in der Kabine absolut gesehen niedrig war. Allerdings ergab sich bei der gewählten Umlaufbahn mit 57° Neigungswinkel eine etwa doppelt so hohe Belastung wie bei den früheren Shuttle-Flügen, deren Bahnen alle einen Neigungswinkel von nur 28,5° hatten.

Schlußbemerkung

Der überaus große Erfolg des wissenschaftlichen Programms der ersten Spacelab-Mission muß dem Engagement aller Beteiligten auf NASA- und ESA-Seite zugeschrieben werden. Eine besonders hohe Leistung wurde von der Crew erbracht, die nicht nur höchste Geschicklichkeit im Umgang mit den Experimenten an den Tag legte, sondern auch mit unerwarteten Situationen ausgezeichnet fertig wurde. Sie modifizierte die Rechnerprogramme, half bei der Feineinstellung der Experimente, reparierte fehlerhafte Geräte und improvisierte eine fotografische Dunkelkammer. In enger Zusammenarbeit mit den Wissenschaftlern am Boden war sie in der Lage, Abläufe von Experimenten umzustellen und dann weiter durchzuführen. Der bei der ersten Spacelab-Mission gezeigte Teamgeist sollte zum Vorbild genommen werden für alle zukünftigen wissenschaftlichen Raumfahrtunternehmen dieser Art.

Folgeprogramme

Mit Spacelab hat Europa auf die bemannte Weltraumfahrt gesetzt. Die erste Spacelab-Mission demonstrierte ein neues Konzept – das eines internationalen und multidisziplinären Laboratoriums im All. Spacelab kann allerdings nicht nur bei künftigen Shuttle-Missionen eingesetzt werden, vielmehr wurde mit ihm der Grundstein für noch ehrgeizigere Unternehmen gelegt. Die beim Bau von Spacelab gemachte Erfahrung wird zwangsläufig zur Entwicklung einer permanenten Raumstation führen. Pläne für die Nutzung von Spacelab in den nächsten Jahren liegen bereits in konkreter Form vor.

ZUKÜNFTIGE LABORATORIEN IM WELTRAUM

'Unsere Träume vom Griff zu den Sternen werden Wirklichkeit, indem wir zum Nutzen von Frieden, Wirtschaft und Wissenschaft im Weltraum leben und arbeiten.'
Ronald Reagan,
Präsident der Vereinigten Staaten von Amerika

Weiterentwickelte Spacelab-Module sind, wie in dieser Zukunftsvision gezeigt, als Bausteine einer Raumstation denkbar. Des weiteren soll die Station riesige Sonnenpaneele zur Energieversorgung, Radiatoren zur Abstrahlung überschüssiger Wärme und Paletten für automatisierte Experimente haben. Auf der rechten Bildseite wird gerade eine Parabolantenne zusammengebaut, während eine Raumfähre Menschen und Material von der Erde herantransportiert.

Die vier nächsten Spacelab-Missionen

Es klingt paradox, doch wird Spacelab-3 vor Spacelab-2 fliegen. Die eingetretenen Verzögerungen bei der Entwicklung des für Spacelab-2 vorgesehenen Ausrichtungssystems für Instrumente (IPS) haben dazu geführt, daß die ursprünglich vorgesehene Startfolge umgekehrt werden mußte.

Bei ***Spacelab-3*** liegt die Betonung auf Raummedizin und Materialforschung. Getestet werden Geräte, die erst bei Spacelab-4 voll zum Einsatz kommen, wie Anlagen zur Züchtung von Quecksilberjodid-Kristallen aus der Dampfphase oder Triglycinsulfat-Kristallen aus der Lösung. Im übrigen sind auch Experimente aus den Bereichen Astronomie, Atmosphärenbeobachtung und Flüssigkeitsphysik vertreten. Insgesamt werden auf Spacelab-3 14 verschiedene Experimente mitgenommen, deren Gesamtmasse 2500 kg beträgt.

Zukünftige Spacelab-Flüge

Datum	***Name der Mission und der Raumfähre***	***Bahnneigung (°)***	***Spacelab-Konfiguration***	***Hauptdisziplin der Mission***
April 1985	Spacelab Drei SL-3 Discovery	57	Langes Modul u. palettenartige Struktur	Materialwissenschaften u. Weltraummedizin
Juli 1985	Spacelab Zwei SL-2 Challenger	50	Igloo und drei Paletten	Astronomie
Oktober 1985	Deutsche Mission D-1 Columbia	57	Langes Modul u. palettenartige Struktur	Mikrogravitation
September 1986	Erderkundungsmission EOM-1/2 Columbia	57	Kurzes Modul u. eine Palette	Atmosphärenphysik und Wiederflüge von SL-1-Experimenten
Januar 1987	Spacelab Vier SL-4 Columbia	28,5	Langes Modul	Weltraummedizin (SLS-1)
Mai 1987	Spacelab Acht SL-8 Columbia	57	Langes Modul u. eine Palette	Internationales Labor für Mikrogravitationsforschung
Januar 1988	Japanische Mission SL-J Columbia	57	Langes Modul u. eine Palette	Mikrogravitation
Februar 1988	Spacelab Zehn SL-10 Atlantis	57	Langes Modul u. eine Palette	Weltraummedizin (SLS-2)
Juli 1988	Deutsche Mission D-2 Atlantis	57	Langes Modul u. palettenartige Struktur	Mikrogravitation

Der Zeitplan künftiger Raumfahrtunternehmen kann sich jederzeit aufgrund unvorgesehener Schwierigkeiten ändern. Die hier angegebenen Daten entsprechen dem Stand von Juni 1985. Die Daten für 1987 und 1988 sind noch nicht von der NASA bestätigt.

Die Bahnneigung von Spacelab-3 wird, genau wie die von Spacelab-1, 57° betragen; allerdings wird die Flughöhe bei 370 km liegen. Die bevorzugte Fluglage ist die, bei der das Heck des Shuttle zur Erde weist. Diese Lage ist wegen des auftretenden Gravitationsgradienten besonders stabil und erfordert ein Minimum an Lagekorrekturen durch die Bordtriebwerke. Mit dieser Strategie gelingt es, optimale Bedingungen der Mikrogravitation für das Züchten von Kristallen zu schaffen, denn selbst kleinste Beschleunigungen stören das Wachstum perfekter Kristalle.

Ein Experiment, das ebenfalls unter ungestörter Mikrogravitation ablaufen muß, befaßt sich mit dem Verhalten von Flüssigkeitstropfen. Die Tropfen werden in Rotation und in Schwingungen versetzt, und die auftretende Verformung wird fotografisch festgehalten. Versuche dieser Art sind für Mikrokosmos und Makrokosmos von Bedeutung, da sich Parallelen zu den Vorgängen in Atomkernen und zur Dynamik von Sternen ziehen lassen. Ein anderes Experiment aus dem Bereich der Flüssigkeitsphysik simuliert Bewegungsvorgänge, Wellen und Instabilitäten, wie sie in der Atmosphäre eines rotierenden Planeten oder auch Sterns auftreten können. Bei diesem Experiment wird eine nichtleitende Flüssigkeit zwischen zwei konzentrische, elektrisch leitendende Schalen, die sich gegeneinander oder miteinander drehen können, gebracht. Durch Variation der Temperatur der Schalen läßt sich die Dielektrizitätskonstante der Flüssigkeit ändern. Beim Anlegen eines elektrischen Feldes wird auf die Flüssigkeitsdipole eine Kraft ausgeübt, die etwa die gleiche Wirkung auf die Flüssigkeitsmoleküle hat wie die Schwerkraft auf Gasmoleküle der Atmosphäre. Durch Beimischung von Farbstoff läßt sich dann die in der Testflüssigkeit hervorgerufene Bewegung sichtbar machen.

Spacelab-3 wird auch ein Absorptionsspektrometer zur Beobachtung der Absorption des Sonnenlichts im Infrarotbereich (2–16 Mikrometer) an Bord haben. Dieses Experiment verfolgt ein ähnliches Beobachtungsprogramm wie das Grille-Spektrometer auf Spacelab-1. Es mißt die Absorption der Sonnenstrahlung beim streifenden Durchgang durch die Atmosphäre bei Sonnenaufgang und – untergang. Auf diese Weise werden Spurengase in der Stratosphäre und Mesosphäre in Abhängigkeit von der Höhe sowie geographischer Länge und Breite registriert (Atmospheric Trace Molecule Spectroscopy: ATMOS).

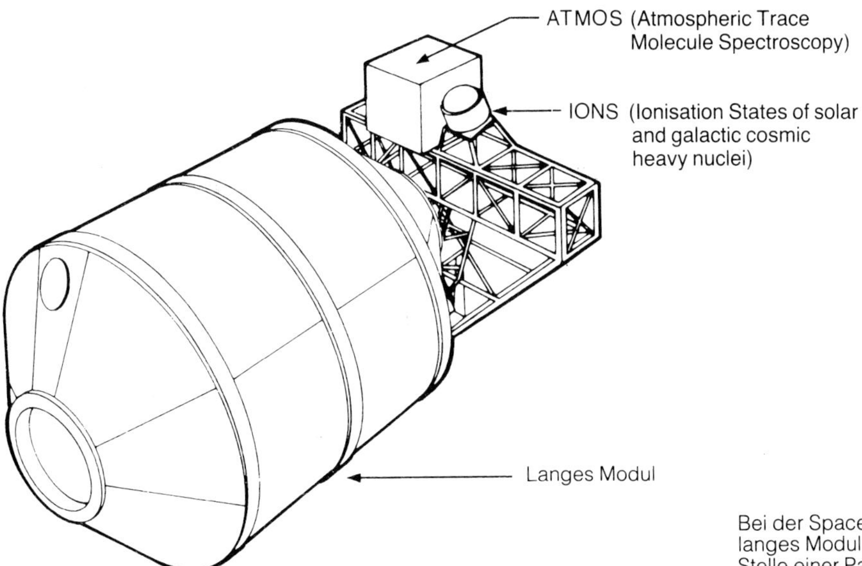

Bei der Spacelab-3-Mission kommen ein langes Modul und eine Spezialkonstruktion an Stelle einer Palette zum Einsatz. Diese Mission ist der erste Spacelab-Flug, der ausschließlich wissenschaftlichen Zielen gewidmet ist.

Aus Indien stammt ein Experiment zur Messung der solaren und galaktischen Höhenstrahlung. Ein spezieller Detektor registriert mehrfach geladene Ionen, angefangen beim Sauerstoff bis hin zum Eisen, bei Energien bis zu 100 Millionen eV (Ionisation states of solar and galactic cosmic heavy nuclei: IONS). Das Gerät hat einen Durchmesser von 40 cm und besteht aus aufeinandergeschichteten dünnen Plastikdetektoren. Die einzelnen Schichten werden nach der Landung im Labor geätzt, wobei die Spuren der eingefallenen Teilchen der kosmischen Strahlung sichtbar werden.

Spät wurde noch ein weiteres wichtiges Experiment ins Programm genommen: die sogenannt Weitfeldkamera, mit der die gesamte Himmelskugel im ultravioletten Teil des Spektrums aufgenommen werden soll. Dieses Gerät war schon mit Spacelab-1 zum Einsatz gekommen. Die NASA gewährte einen erneuten Flug, weil durch die Startvorzögerungen während der Spacelab-1-Mission nur sehr kurze Nächte zur Beobachtung zur Verfügung gestanden hatten.

Spacelab-2 hat alle größeren Experimente auf insgesamt drei Paletten angeordnet. Das auffälligste Gerät ist ein 1800 kg schwerer Detektor für kosmische Strahlung. Bei der Mission wird kein Modul benötigt. Die für die Nutzlast erforderlichen Untersysteme sind im sogenannten Igloo untergebracht, und die Nutzlastspezialisten bedienen die Experimente vom hinteren Teil des Shuttle-Cockpits aus. Eine siebenköpfige Besatzung wird die Erde sieben Tage lang in einer Höhe von 400 km umkreisen, zusammen mit einer Nutzlast, die insgesamt 5000 kg wiegt. Die aus den USA und England stammenden Experimente decken die Disziplinen Astronomie, Sonnenphysik, Plasmaphysik, Atmosphärenphysik, Raumtechnologie und Raummedizin ab.

Der Detektor für kosmische Strahlung dient zur Messung der chemischen Zusammensetzung und Energieverteilung von Ionen extrem

Das System zur Ausrichtung von Instrumenten (IPS) wird von Ingenieuren der Firma Dornier getestet. Die Instrumente sind an dem großen Ring befestigt. Das Gelenksystem, die Antriebsmotoren und die zugehörige Elektronik (durch einen Hitzeschild während des Fluges geschützt) können abgekoppelt werden.

Teile der Spacelab-2-Nutzlast: der riesige Höhenstrahlungsdetektor (rechts) und das Infrarot-Teleskop in der Montagehalle des Kennedy Space Center.

hoher Energie. Gleich daneben ist ein mit flüssigem Helium auf –269°C (oder vier Kelvin) gekühltes Infrarotteleskop angeordnet. Mit ihm sollen weit ausgedehnte kosmische Quellen infraroter Strahlung beobachtet werden und damit Forschungsprojekte des von den USA, Großbritannien und den Niederlanden gebauten, sehr erfolgreichen IRA-Satelliten ergänzt und fortgeführt werden; dieser war auf kompakte Quellen gerichtet. Das Gerät eignet sich auch zur Beobachtung des Oberflächenleuchtens des Shuttle.

Die mittlere Palette ist mit zwei identischen Röntgenstrahlteleskopen bestückt. Mit dieser Anordnung lassen sich Bilder galaktischer Haufen und anderer ausgedehnter Röntgenquellen aufnehmen. Dieses aus England stammende Instrumentarium ist mehr als drei Meter lang, hat ein eigenes Ausrichtungssystem und wird eine ganze Reihe von Himmelskarten im Röntgenbereich erstellen. Dabei wird den Spektrallinien des Eisens, die zwischen sechs und sieben keV liegen, besondere Aufmerksamkeit geschenkt.

Auf der dritten Palette befindet sich das 1265 kg schwere, von der Firma Dornier in der Bundesrepublik Deutschland entwickelte Feinausrichtungssystem (IPS: Instrument Pointing System). Es wurde als Teil des Spacelab-Programms gebaut und steht allen interessierten Spacelab-Experimentatoren zur Verfügung. Mit ihm kann nicht nur eine genaue Ausrichtung erzielt werden, es ist auch in der Lage, für Geräte bis zu einem Gewicht von 2000 kg über längere Zeiträume diese Ausrichtung einzuhalten. Auf diese Weise lassen sich zum Beispiel auf ihm montierte Fernrohre auf bestimmte Punkte am Himmel, auf der Sonne oder auf der Erde exakt ausrichten, und zwar mit viel höherer Genauigkeit als es das Lagestabilisierungssystem des Shuttle selbst schafft. Mit Hilfe des IPS ist es auch möglich, Fehler in der optischen Ausrichtung zwischen dem Shuttle und einem Experiment auf der Palette zu korrigieren.

Das IPS dient der Drei-Achsen-Lagestabilisierung, und zwar der optischen Achse des jeweiligen Instrumentes und zweier weiterer, dazu senkrechter Achsen. Für die beiden letzteren wird eine Genauigkeit von fünf Bogensekunden (nur wenig mehr als ein tausendstel Grad) erreicht, und Drehungen um die optische Achse können unterhalb von 20 Bogensekunden gehalten werden. Im Prinzip besteht das IPS aus einer um drei Achsen drehbaren Platte, die mit Hilfe spezieller Sensoren, die auf Sterne bekannter

Dieses Bild des Sternbilds Orion, ein Gebiet, wo neue Sterne gebildet werden, wurde nach Daten des Infrarot-Astronomie-Satelliten (IRAS) hergestellt. Es zeigt die Detailgenauigkeit, die im infraroten Spektralbereich inzwischen erreicht werden kann. Starke Strahlung bei Wellenlängen um 100 Mikrometer ist in Rot und Gelb gezeigt, solche von 12 Mikrometern in Blau. Der Pferdekopf- und der Orion-Nebel erscheinen als helle Flecken unterhalb der Bildmitte.

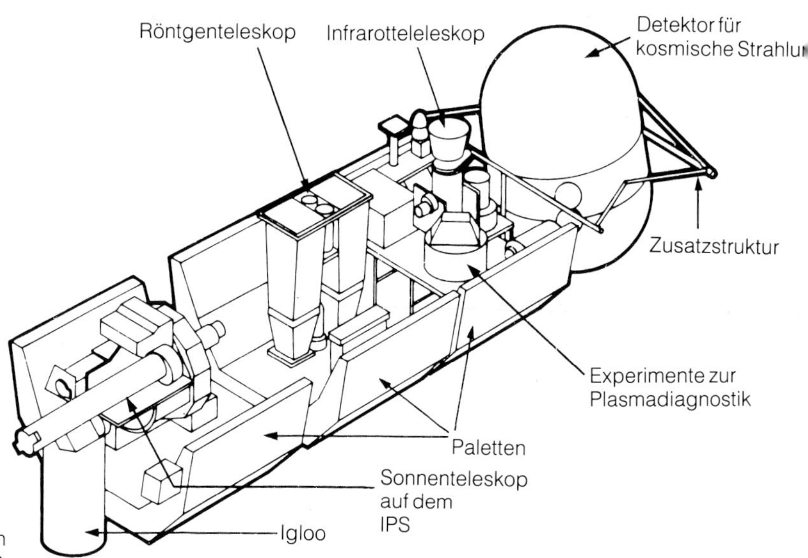

Die wissenschaftliche Zielsetzung der Spacelab-2-Mission gilt hauptsächlich astronomischen Untersuchungen. Es kommen nur Paletten zum Einsatz. Auf einer ist das von der ESA gelieferte System zur Ausrichtung von Instrumenten (IPS) montiert.

Position ausgerichtet sind, über ein Rückkopplungssystem ihre Lage festhält. Das Gerät ist gegenüber Störungen von außen, besonders gegenüber Bewegungen der Besatzung, sehr empfindlich. Wenn sich zum Beispiel ein Astronaut an einer Wand im Modul abstößt, um die gegenüberliegende zu erreichen, so wird dadurch eine Fehlausrichtung von vier Bogensekunden in den zur optischen Achse senkrechten Achsen verursacht. Die optische Achse selbst kann dabei bis zu 15 Bogenminuten verdreht werden.

Während der Start- und Landephase ist das IPS horizontal auf der Palette verankert. Es ist noch nicht mit seiner Nutzlast verbunden. Diese ist in geringem Abstand von der Ausrichtplatte in speziellen Halterungen gelagert. Hierdurch wird eine mechanische Beanspruchung des IPS durch die Nutzlast – und umgekehrt – während der Start- und Landephase vermieden. Nach Erreichen der Umlaufbahn wird die Nutzlast ausgeklinkt und mit Hilfe eines Druckflansches am IPS befestigt. Das IPS wird dann durch eine 90°-Drehung aufgerichtet und ist einsatzbereit.

Im Normalbetrieb wird das IPS von einer Kontrollkonsole im Spacelab aus über den Bordrechner bedient. In den Massenspeicher des CDMS sind die genauen Positionen der Referenzsterne und der zu beobachtenden Objekte eingegeben. Der IPS-Betrieb ist eine optimale Mischung komplexer automatisch ablaufender Funktionen und manuell vorzunehmender Tätigkeiten. Bei seinem ersten Einsatz mit Spacelab wird IPS mehrere Geräte mit hoher Präzision auf die Sonne ausrichten. Dabei soll die Konzentration von Helium ermittelt sowie die Struktur von Sonnenflecken und die Konfiguration solarer Magnetfelder vermessen werden.

Eines der sonnenbeobachtenden Experimente, CHASE (Coronal Helium Abundance Spacelab Experiment) genannt, kommt aus England. Es bedient sich einer neuentwickelten Resonanzstreutechnik im UV-Bereich, um mit hoher Genauigkeit den Überschuß an Helium relativ zur Menge des Wasserstoffs in der Sonnenkorona, der Atmosphäre der Sonne, zu messen. Das gemessene Verhältnis kann Aufschluß über die Zusammensetzung des interstellaren Gases zur Zeit der Sonnenentstehung geben. Ferner erlaubt es Rückschlüsse auf die beim Urknall erzeugte Heliummenge und ist deshalb ein wichtiger Test der verschiedenen kosmologischen Modelle.

Das Emblem der Spacelab-2-Mission zeigt die Sonne als eines der wichtigeren Beobachtungsziele, gibt die für den Flug gewählte Spacelab-Konfiguration wieder und nennt die beteiligten wissenschaftlichen Disziplinen.

Ein weiteres Experiment befaßt sich mit der Intensität des solaren Magnetfeldes und beobachtet Plasmabewegungen in der Nähe von Plage-Zonen und Sonnenflecken. Dabei ist hohe zeitliche und räumliche Auflösung erforderlich, um auch die Granulationsstruktur im Bild festzuhalten. Der Aufheizmechanismus der Chromosphäre und Korona wird von einem dritten Experiment untersucht, bei dem es auf hohe spektrale und räumliche Auflösung ankommt.

Ein letztes, ebenfalls auf dem IPS montiertes Experiment mißt die Intensität sowie die genaue Spektralverteilung der solaren UV-Strahlung und versucht, ihre Variabilität zu ermitteln. Wegen der starken Wechselwirkung zwischen solarer UV-Strahlung und der Erdatmosphäre sind diese Messungen für die genaue Beurteilung der photochemischen Prozesse in der Stratosphäre von großer Bedeutung.

Auf dem Gebiet der Plasmaphysik kommt auch ein kleiner Satellit, PDP (Plasma Diagnostic Package) genannt, zum Einsatz. Dieser Satellit ist zunächst auf der Palette neben dem Infrarotteleskop verstaut. Er wird später vom Greifarm aus dem Laderaum gehoben und frei im Weltraum ausgesetzt. In der gleichen Umlaufbahn fliegend wird er etwa 10 km hinter dem Shuttle postiert. Auf diese Weise soll der Plasmawindschatten des Shuttle vermessen werden. Danach wird das Shuttle wieder an den Satelliten heranmanövriert. Nach Abschluß der Messungen wird PDP wieder vom Greifarm gepackt und an Bord gehievt.

In einem weiteren Experiment wird der Einfluß der Bahnmanövertriebwerke (OMS) auf das ionosphärische Plasma untersucht. Man nimmt an, daß bei Zündung der Triebwerke die Plasmadichte abnimmt, weil Plasmaelektronen mit Ionen der heißen Treibstoffgase rekombinieren Die resultierende Plasmaverarmung wird mit Hilfe von Radiosendern und optischen Geräten am Boden – stationiert rund um die Welt – vermessen. Ziel des Experimentes ist es, mehr über die Ausbreitung elektromagnetischer Wellen in der Ionosphäre zu lernen. Möglicherweise gelingt es sogar, der Radioastronomie bei Höchstfrequenzen (VHF) ein neues Fenster zu eröffnen oder die Ausbreitung von 'Whistler'-Wellen bei sehr niedrigen Frequenzen (VLF) der Erforschung zugänglich zu machen.

Das CHASE-Instrument der Spacelab-2-Mission. Mit ihm wird die Sonnenkorona im extremen UV-Bereich des elektromagnetischen Spektrums gemessen. Das Instrument muß auf wenige Bogensekunden genau ausgerichtet werden. Hierzu wird das IPS verwendet.

Das IPS in Startkonfiguration, auf einer Palette montiert. Lange Teleskope, die am IPS befestigt sind, werden während Start, Wiedereintrittsphase und Landung durch zusätzliche Paletten abgesichert.

Ein drittes Experiment mit dem PDP untersucht mögliche elektrostatische Aufladungen des Shuttle. Hierzu wird ein Elektronenstrahl in den Raum geschossen und das resultierende Shuttle-Potential durch Messung des zum Shuttle zurückfließenden Plasmastromes gemessen.

Ein interessantes Experiment wird im Inneren des Shuttle durchgeführt, und zwar wird das Verhalten von flüssigem Helium unter Mikrogravitation studiert. Bei Temperaturen unter 4 K geht Helium in den suprafüssigen Zustand über und weist ungewöhnliche Wärme- und Viskositätseigenschaften auf. In diesem Zusammenhang ist es wichtig zu wissen, daß flüssiges Helium dazu benutzt wird, Magnetspulen supraleitfähig zu machen und so extrem hohe Magnetfelder herzustellen.

Von zwei an Bord befindlichen biologischen Versuchen wird einer die Bildung von Lignin in Pflanzen messen, die in einer kontrollierten Sauerstoffumgebung unter Schwerelosigkeit wachsen. Mit diesem Experiment ist schon auf der STS-3-Mission begonnen worden. Weiterhin werden den Astronauten wiederum vor, während und nach dem Flug Blutproben entnommen. Anhand der Ergebnisse erhofft man sich weitere Aufschlüsse über den Mineralhaushalt des Körpers und ein besseres Verständnis des Zustandekom-

Ein Satellit zur Untersuchung des Plamas in der direkten Umgebung des Shuttle wird vom Greifarm aus dem Laderaum gehoben. Dieser Satellit, der während des STS-3-Fluges stets mit dem Greifarm verbunden blieb, soll während der Spacelab-2-Mission losgelassen und gegen Ende der Mission vom Greifarm wieder eingefangen werden.

mens von Calciumverlusten in den Knochen, einem Effekt, der letzten Endes die maximal zulässige Dauer eines bemannten Raumfluges diktieren könnte.

Die Bundesrepublik Deutschland hat sich entschlossen, eine eigene Spacelab-Mission, ***D-1*** genannt, zu finanzieren (siehe auch hinteren Buchdeckel). Es wird dies die erste Spacelab-Mission sein, die nicht unter NASA-Verantwortung durchgeführt wird. Die Projektleitung liegt in Händen der DFVLR in Köln-Porz, und das Nutzlastkontrollzentrum wird in Oberpfaffenhofen stationiert sein. Die Mission ist in erster Linie den Disziplinen Materialforschung und Raummedizin gewidmet.

In der D-1-Mission kommt das bereits auf Spacelab-1 geflogene Werkstofflaboratorium erneut zum Einsatz. In ihm sollen wiederum fehlstellenfreie Kristalle und Legierungen ganz spezieller Eigenschaften hergestellt werden. Eine verbesserte Version des ebenfalls auf Spacelab-1 geflogenen Flüssigkeitsmoduls (FPM) wird wiederum einen Teil des Werkstofflaboratoriums ausmachen. Eine neue Experimentieranlage, MEDEA (ein Werkstofflaboratorium) genannt, wird zum ersten Mal eingesetzt. Sie enthält einen neuen Spiegelofen, einen Gradientenofen und einen Hochpräzisions-Thermostaten und dient der Erforschung des Verhaltens von Materialien bei hoher Temperatur. Neben dem Modul wird nur eine kleine Außenstruktur – keine Spacelab-Palette – verwendet, auf der die Gerätschaften eines Navigationsexperimentes (NAVEX) und eines von der NASA gestellten materialwissenschaftlichen Experiments (MEA: Material Experiment Assembly) montiert sind.

Für Untersuchungen des Gleichgewichtsorgans, die von europäischen wie amerikanischen Wissenschaftlern durchgeführt werden, steht ein gegenüber Spacelab-1 stark verbessertes Gerät zur Verfügung. Mit Hilfe dieses sogenannten Raumschlittens, einer von der ESA gestellten Anlage, wird es möglich sein, die Wissenschaftsastronauten wohldefinierten Beschleunigungswerten und – vorgängen auszusetzen und dabei die Funktion der inneren Ohrkanäle noch genauer zu untersuchen. Das Gerät besteht aus einem Sitz, der im Modul auf Schienen läuft und verschiedene Orientierungen relativ zu seiner Bewegungsrichtung annehmen kann. Der als Testperson fungierende Astronaut trägt einen Helm und kann so die Schlittenbewegung optisch nicht verfolgen, Beschleunigungswerte also nur mit Hilfe seines Vestibularsystems beurteilen. Während dieser Versuche wird die Augenbewegung der Testperson mit Hilfe einer im Helm eingebauten Infrarotfernsehkamera sichtbar gemacht. Es ist auch vorgesehen, dem Auge optische Signale zu übermitteln, die nicht den eingestellten Beschleunigungsprofilen entsprechen. Dadurch wird erreicht, daß dem Gehirn widersprüchliche Informationen übermittelt werden. Ziel des Experimentes ist es, die Reaktion der Testperson festzustellen.

Eine weitere Mehrzweckanlage an Bord der D-1-Mission ist das von der ESA entwickelte Biorack. In ihm werden eine Reihe von biologischen Versuchen an Pflanzen, Geweben, Zellen und Insekten im schwerelosen Zustand und unter Weltraumstrahlung durchgeführt. Das Biorack enthält auch eine Zentrifuge, so daß Vergleichsexperimente unter simulierter Schwerkraft gleichzeitig mitlaufen können. Es stehen weiterhin zwei Inkubatoren zur Verfügung, die 50 Proben von jeweils 50 Milliliter Inhalt und 20 Proben von jeweils 300 Milliliter Platz bieten. Die Inkubatoren können auf Temperaturen um 20°C beziehungsweise 40°C eingestellt werden. Zum Aufbewahren von verarbeiteten Proben sind ein Kühlschrank von 4°C und ein Tiefkühler von −15°C Betriebstemperatur vorgesehen. Die biologischen Kulturen und Substanzen können in einem abgeschlossenen und mit gefilterter Luft durchströmten Kasten über ein Schutzhandschuhsystem manipuliert werden. Die Proben lassen sich unter einem Mikroskop beobachten und fotografieren.

Im Biorack werden im Rahmen der D-1-Mission insgesamt 14 Experimente durchgeführt. Die meisten befassen sich mit Zellstruktur, Zellteilung, Zellfunktionen und anderen Aspekten des Zellverhaltens. Als Versuchssubstanzen dienen weiße Blutkörperchen, menschliche Lymphozyten, Wurzelspitzen von Linsensämlingen, grüne Algen, Bakteriensporen, die

Der von der ESA entwickelte Weltraumschlitten wird bei weltraummedizinischen Untersuchungen verwendet. Er soll eine Testperson wohldefinierten Beschleunigungen aussetzen. Die Testperson trägt dabei einen Helm, an dem eine Fernsehkamera zur Beobachtung der Augenbewegungen und ein Gerät zur optischen Stimulierung eines Auges angebracht sind. Der Schlitten kommt zum ersten Mal während der D-1-Mission zum Einsatz.

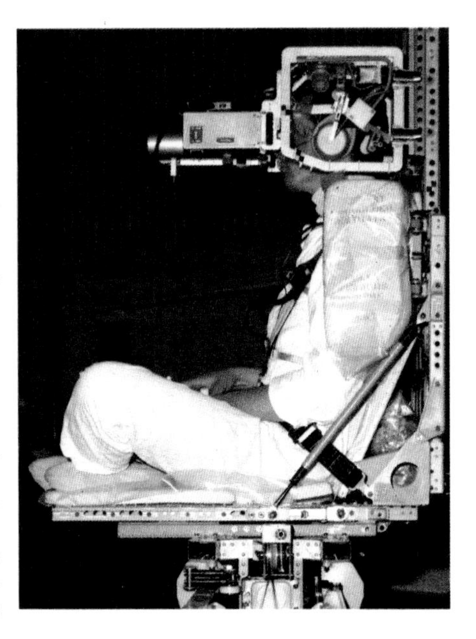

Die für die Nutzlast der D-1-Mission verantwortliche Besatzung während einer Trainingspause. Die NASA stellt die Missionspezialisten Guion Bluford (ganz rechts) und Bonnie Dunbar, Europa die drei Nutzlastspezialisten Wubbo Ockels (ganz links), Ernst Messerschmid (dritter von links) und Reinhard Furrer (zweiter von rechts). Ulf Merbold, ESAs erster Astronaut, steht als Ersatzmann zur Verfügung.

Bakterie Escherichia coli und die Eier der häufig als Untersuchungsobjekt dienenden Fruchtfliege Drosophila. An der Amphibie Xenopus wird das Frühstadium der embryonalen Entwicklung, in der die Rücken- und Bauchpartien des Körpers festgelegt werden, unter Mikrogravitation studiert. Die Strahlungsbelastung im Inneren der Inkubatoren wird ständig überwacht und mögliche Strahlenschädigung an Eiern von Stechinsekten bestimmt.

Die Zusammensetzung der Mannschaft von D-1 macht den internationalen Charakter von Spacelab deutlich. Als Missionsspezialisten kommen Bonnie Dunbar und Guion Bluford von der NASA zum Einsatz. Wubbo Ockels von der ESA und zwei Deutsche, Ernst Messerschmid und Reinhard Furrer, werden die Nutzlastspezialisten sein. Bluford war beim STS-8-Flug dabei, und Ockels hat als Nutzlastspezialist die Spacelab-1-Mission vom Boden aus betreut. Als Reservemann für die D-1-Mission ist Ulf Merbold, der erste Astronaut der ESA, vorgesehen. Einschließlich Kommandant und Pilot werden also acht Astronauten bei der D-1-Mission mitfliegen – das ist ein neuer Rekord in der Weltraumfahrt.

Die dann folgende ***Erdbeobachtungs-Mission*** (EOM: Earth Observation Mission) benutzt zum ersten Mal ein kurzes Modul und ist wiederum international zusammengesetzt. Das Missionsziel wird das Studium der Sonne und der Erdatmosphäre mit Geräten sein, die für die Missionen OSS-1, Spacelab-1 und Spacelab-3 entwickelt wurden. Zwei Experimente von Spacelab-1, für die damals die Lichtverhältnisse ungünstig waren, werden kostenlos wiederholt: die Messung von Spurengasen in des Atmosphäre mit dem Grille – Spektrometer und die kartographische Erfassung der Erdoberfläche mit der metrischen Kamera (Reihenmeßkammer).

Die anderen, schon auf Spacelab-1 begonnen Experimente sind einmal die Gruppe der Sonnenexperimente (1 NS 008, 1 ES 016 und 1 ES 021: im Anhang beschrieben) und die restlichen auf der Palette montierten NASA-Experimente, nämlich das japanische Experiment (1 NS 002) zur Erforschung von Ionosphäre und Magnetosphäre, das Raumteleskop für UV-Astronomie (FAUST, 1 NS 005) sowie die beiden Instrumente aus der Atmosphärenphysik, eine äußerst lichtempfindliche Fernsehkamera (1 NS 003) und ein Emissionsspektrometer (1 NS 001). Es ist vorgesehen, diese Gruppe von geophysikalischen und astronomischen Messungen in Abständen von etwa einem Jahr immer wieder vorzunehmen und ihre Daten zur Eichung neuer, ähnlicher Instrumente zu verwenden.

Claude Nicollier, ESA-Wissenschaftsastronaut und Schweizer Staatsbürger, ist zusammen mit Owen Garriott, der zur Crew von Spacelab-1 gehörte, als Missionsspezialist für die EOM-1-Mission vorgesehen. Als Nutzlastspezialisten werden Byron Lichtenberg und Michael Lampton eingesetzt, die beide viel experimentelle Erfahrung von ihren Spacelab-1-Aktivitäten mitbringen.

Die Reihenmeßkammer, die schon während der Spacelab-1-Mission ungefähr 1000 hochwertige Aufnahmen machte, wird bei der Erdbeobachtungsmission (EOM-1) wieder dabei sein, und zwar zu einer Zeit günstigerer Lichtverhältnisse über Europa. Die Kamera ist hier am optischen Fenster angeflanscht.

Zukünftige Spacelab-Missionen

Während der ***Spacelab-4***-Mission werden die im Rahmen von Spacelab-1 begonnenen Untersuchungen des Vestibularsystems fortgesetzt, wobei die Betonung auf den Hop-and-drop– und Drop-and-shock–Versuchen liegen wird (siche den Abschnitt über die weltraumedizinischen Ergebnisse von Spacelab-1). Die Mission ist für Januar 1986 geplant und wird das Minilab der NASA an Bord haben. Insgesamt hat die NASA 24 raummedizinische Experimente für diesen Flug ausgesucht. Sie befassen sich mit biomedizinischen Fragen des bemannten Raumflugs und dem Einfluß der Mikrogravitation auf lebende Organismen. In einem gutausgerüsteten Weltraumlabor für Biologie werden Probleme der Sicherheit, allgemeines Wohlbefinden und Effizienz bei der Verrichtung von Arbeiten im Weltraum untersucht. Die Besatzung, bestehend aus drei Amerikanern, zwei Europäern und einem Australier, wird wiederum der Medizin für Versuche zur Verfügung stehen.

Das ***Internationale Mikrogravitation-Laboratorium*** (IML) ist ebenfalls ein kooperatives Unternehmen. Die teilnehmenden Nationen beziehungsweise Behörden (ESA, Kanada, NASA, Japan) werden raummedizinische und materialwissenschaftliche Instrumentarien bereitstellen, die dann in einem Spacelab-Modul untergebracht werden. In Anbetracht des großen Interesses an Materialforschung stellt die NASA keine Einbau- und Flugkosten in Rechung, wenn sie die aufgenommenen Anlagen anderer Nationen mitbenutzen kann. Es wäre zum Beispiel möglich, daß ESA das Biorack und ein neu zu entwickelndes physiologisches Gerät, das sog. Anthorack, für einen solchen Flug zur Verfügung stellt. Das gesamte IML-Programm soll aus drei Flügen bestehen, die in Abständen von jeweils 18 Monaten durchgeführt werden.

Eine ganz von ***Japan*** finanzierte ***Spacelab***-Mission und ***Spacelab-10*** befinden sich noch im frühen Planungsstadium. Die Japaner wollen sich auch auf Materialforschung konzentrieren und eine entsprechende Nutzlast zusammenstellen. Spacelab-10 ist wiederum der Raummedizin gewidmet und wird wahrscheinlich viele Instrumente der Spacelab-4-Mission wiederverwenden. Die ESA hat bereits eine Einladung erhalten, sich an dieser Mission zu beteiligen.

Mit einer ***D-2***-Mission beabsichtigt die Bundesrepublik Deutschland, die mit der D-1-Mission begonnenen Forschungen auf den Gebieten der Raummedizin und der Materialwissenschaften fortzusetzen. Die Missionsplanungen sind noch nicht allzuweit fortgeschritten, und die Nutzlast ist noch nicht endgültig festgelegt. Das Werkstofflabor und der Raumschlitten, aber auch Anlagen anderer Nationen werden in Betracht gezogen. Die D-2-Mission wird wahrscheinlich an Stelle der ursprünglich geplanten D-4-Mission treten. Bei letzterer soll eine Kombination aus vier Paletten und der Igloo-Versorgungseinheit in den Weltraum geschickt werden. Die Projektführung für die D-4-Mission, die hauptsächlich astronomische Experimente an Bord haben wird, ist an die NASA zurückgegeben worden. Die Bundesrepublik hatte ursprünglich 50% der Nutzlastkapazität für sich reserviert, um Flugmöglichkeiten für das GIRL-Teleskop (GIRL: German Infrared Laboratory) und andere astronomische Experimente aus deutschen Instituten bereitzustellen. Aufgrund einer Anfang 1985 vom BMFT gefällten Entscheidung ist GIRL als Nutzlastelement der D-4-Mission gestrichen worden.

Abgesehen von diesen reinen Spacelab-Missionen werden bei künftigen Shuttleflügen sicher auch wieder Einheiten von Spacelab, wie zum Beispiel einzelne Paletten, zum Einsatz kommen. Die Shuttle-Nutzlast wird dann beispielsweise aus Nachrichtensatelliten und einer einzelnen Palette mit wissenschaftlichen Geräten bestehen.

Die gegenwärtige Auffassung der NASA geht dahin, bei einer Mission nur Wissenschaftsdiziplinen mit einheitlichen Anforderungen zu berücksichtigen. Das ermöglicht ein einfacheres Vorgehen als im Fall von Spacelab-1, wo gezeigt werden sollte, daß das Raumlaboratorium für eine große Zahl von

Das hier gezeigte Grille-Spektrometer mißt die Konzentration von Spurengasen in der Erdatmosphäre. Die Meßwerte ergeben sich aus der molekülspezifischen Absorption des Sonnenlichts im Infraroten. Messungen werden nur bei Sonnenaufgang und- untergang gemacht, wenn das Sonnenlicht streifend durch die Atmosphäre fällt. Auch dieses Gerät wird auf der EOM-1-Mission – unter besseren Lichtverhältnissen – nochmals eingesetzt.

Diese Fotomontage zeigt den Einsatz eines großen Infrarot-Teleskops vom Shuttle aus.

Wissenschaftszweigen nützlich sein kann. Einmal entwickelte Geräte sollen immer wieder geflogen werden, wie es bei der EOM-Mission bereits der Fall ist. Auf diese Weise lassen sich bestehende Geräte ökonomisch nutzen. Es sind eine ganze Reihe von Missionen in der Planung, bei denen bereits erprobte Instrumente immer wieder in entsprechend disziplin-orientierten Laboratorien zum Einsatz kommen.

Für eine solche disziplin-orientierte Mission wird ein großes optisches Sonnenteleskop (SOT: Solar Optical Telescope), ein Spezialfernrohr mit einem Spiegel von einem Meter Durchmesser, vorbereitet. Mit dem IPS kombiniert, wird es plasmaphysikalische Vorgänge auf der Sonne, wie Aufheizung und Energieabfluß, erforschen und dazu Beobachtungen im Bereich vom Ultravioletten bis zum Infraroten durchführen. Der Start von SOT ist für 1989 vorgesehen. Ein weiteres Teleskop ähnlichen Ausmaßes ist das SIRTF (Shuttle Infra-Red Telescope Facility). Mit Hilfe eines Kryogensystems kann die Optik auf 10 K, die Detektoren selbst auf 2 bis 3 K abgekühlt werden. Ein erster Flug ist für Mitte der neunziger Jahre geplant, wobei durchaus die Möglichkeit besteht, daß das Gerät auf einer freifliegenden Plattform zum Einsatz kommt.

Diese disziplin-orientierten Laboratorien werden wiederholt fliegen können, ohne zwischendurch wesentlich geändert werden zu müssen. Es wird auch daran gedacht, sie zu Elementen einer künftigen Raumstation zu machen, entweder als ein bemanntes Laboratorium oder als ein angeschlossenes, offenes Observatorium.

Für spätere Spacelab-Flüge plant Kanada drei Instrumente. Eines davon beobachtet das Leuchten, das von Molekülen und Ionen in verschiedenen Höhen der höchsten Atmosphäreschicht emittiert wird. Ein weiteres untersucht die Zusammensetzung und Energieverteilung magnetosphärischer Ionen mit einem äußerst empfindlichen Massenspektrometer. Das dritte befaßt sich mit elektrostatischen und elektromagnetischen Wellen, die in das ionosphärische Plasma gesendet wurden.

Einige weitere disziplinorientierte Raumlaboratorien

Erster Starttermin	***Bezeichung***	***Missionsziel***
Juni 1984	SPARTAN	Durchführung astrophysikalischer Beobachtungen mit relativ einfachen Instrumenten
Oktober 1984	Large Format Camera (LFC)	Gewinnung synoptischer und hochaufgelöster Bilder der Erdoberflache für die Kartographie und die Erkundung von Minerallagerstätten
Oktober 1984	Shuttle-Radar-Laboratorium (SRL)	Gewinnung von Radarbildern der Erdoberfläche
Dezember 1985	Materialwissenschafliches Laboratorium (MSL)	Untersuchung materialwissenschaflicher Phänomene unter Bedingungen der Mikrogravitation
März 1986	ASTRO	Gewinnung von UV-Daten von astronomischen Objekten (einschließlich des Kometen Halley) mit drei Teleskopen unter Verwendung von IPS
Oktober 1986	Shuttle-Hoch-Energie-Astrophysik-Laboratorium (SHEAL)	Durchführung von Präzisionsmessungen im Röntgenbereich mit vier Instrumenten
September 1987	SUNLAB	Studium der Sonne und ihrer Atmosphäre mit vier bereits auf Spacelab-2 geflogenen Instrumenten
December 1989	Space-Plasma-Laboratorium	Durchführung aktiver Experimente in den ionisierten oberen Schichten der Atmosphäre

Alle in der Zukunft liegenden Starttermine können sich durch unvorhergesehene Schwierigkeiten verschieben.

EURECA

Als Nachfolgeprojekt zu Spacelab entwickelt ESA zur Zeit eine freifliegende Plattform, EURECA (European Retrievable Carrier) genannt. Es handelt sich hierbei um einen großen freifliegenden Satelliten, der vom Shuttle gestartet, im Raum ausgesetzt und nach Beendigung der Experimente vom Shuttle zur Erde zurückgebracht wird. EURECA hat ein Startgewicht von etwa 4000 kg, wovon 1000 kg Nutzlast sind. Den Experimenten steht während der gesamten Missionsdauer 1 kW an Energie zur Verfügung; zu ihrer Wärmeregelung ist ein aktiver Kühlkreislauf vorhanden. Daten können über das S-Band-System zu den Bodenstationen überspielt werden, und zwar mit einer Maximalrate von 256 Kilobits pro Sekunde. Besteht kein Kontakt mit Bodenstationen, werden die Daten in einen Bordspeicher, der eine Kapazität von 128 Megabits hat, eingegeben.

EURECA kombiniert in vieler Hinsicht die Vorteile der bemannten und unbemannten Raumfahrt, wie sie von Spacelab beziehungsweise unbemannten Satelliten geboten werden. Die durch die Anwesenheit von Menschen in einem Raumschiff auftretenden Störungen werden vermieden, andererseits kann man die Hilfe von Astronauten beim Aussetzen des neuen Flugkörpers im Raum in Anspruch nehmen. Diese Möglichkeiten kommen besonders astronomischen und materialwissenschaftlichen Experimenten zugute, bei denen Menschen zur Ingangsetzung der Versuche erwünscht sind, beim späteren Ablauf jedoch nur störend wirken. Ferner sind die bei der bemannten Raumfahrt zu beachtenden Sicherheitsvorschriften für EURECA weniger streng. Für viele Experimente ist auch die bei einem Spacelab-Flug zur Verfügung stehende Zeit nicht ausreichend. EURECA bietet eine Flugdauer von sechs bis acht Monaten und den zusätzlichen Vorteil der Rückführbarkeit und Wiederverwendbarkeit. Es kann daher davon ausgegangen werden, daß die Zuverlässigkeits- und Redundanzanforderungen für EURECA weniger streng als für einen freifliegenden Satelliten sind. Ferner sind die Startkosten wesentlich niedriger als bei Spacelab, da EURECA nur 2,5 m des Shuttle-Laderaums einnimmt, und die Nutzlast entsprechend geringer ausfällt.

Der Ablauf einer EURECA-Mission sieht folgendermaßen aus. Die Experimente werden auf der EURECA-Plattform integriert und ausgetestet. Die flugfertige Plattform wird per Flugzeug nach Cape Kennedy überführt und in das Shuttle eingepaßt. Nach Erreichen der Umlaufbahn wird EURECA mit Hilfe des Greifarms aus dem Laderaum gehoben und frei im Weltraum ausgesetzt. EURECA besitzt ein eigenes Flüssigkeitstriebwerk (OCS), das einen Schub von 400 Newton entwickelt und die Plattform aus der Umlaufbahn des Shuttle in eine kreisförmige Umlaufbahn in 500 km Höhe beschleunigt. Hier werden die Sonnenpaneele entfaltet, die die Energie für die

Bei ihrem ersten Flug im Jahre 1988 wird die freifliegende Plattform EURECA hauptsächlich eine Nutzlast für automatisierte Versuche der Materialforschung tragen. Zwei 15 m lange Sonnenpaneele erzeugen die notwendige Energie. Die überschüssige Wärme wird von großen Radiatoren (hier in Grau) abgestrahlt.

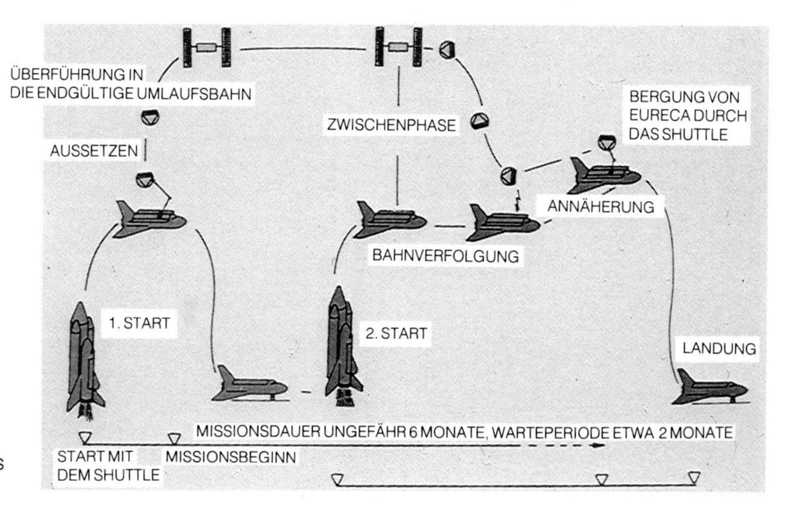

Dieses Diagramm veranschaulicht den Missionsablauf eines EURECA-Fluges. Start und Bergung werden mit unterschiedlichen Shuttle-Flügen in einem Zeitabstand von sechs bis acht Monaten durchgeführt.

Plattform selbst und die Nutzlast liefern, so daß der Nutzlastbetrieb starten kann. In der ersten Version der EURECA sind die Sonnenpaneele nicht drehbar, die Plattform muß also ständig zur Sonne ausgerichtet bleiben. Die Ausrichtungsgenauigkeit beträgt etwa 1°.

Nach einem Nutzlastbetrieb von sechs Monaten wird EURECA wiederum mit Hilfe des OCS in die Shuttle-Umlaufbahn heruntermanövriert. Nach Bergung mit Hilfe des Greifarms wird EURECA zur Erde zurückgebracht, wo die Nutzlast ausgewechselt wird und eine neue Mission vorbereitet werden kann.

EURECA wird so angelegt sein, daß auftretende Restbeschleunigungen und Vibrationen weniger als 10^{-5} der Erdbeschleunigung betragen. Die Plattform wird damit zum idealen Platz für materialwissenschaftliche Experimente, aber auch für biologische Wachstumsversuche unter Mikrogravitation. Die erste EURECA-Mission ist für 1988 geplant. Zum Start soll das Shuttle Challenger, zur Bergung das Shuttle Columbia verwendet werden. Der Hauptteil der Nutzlast besteht aus Experimentieranlagen, die zur Zeit von der ESA entwickelt werden: verschiedene Öfen für materialwissenschaftliche Untersuchungen und Probenhalter für biologische Substanzen. Insgesamt werden 35 Experimente von diesen Anlagen Gebrauch machen. Zusätzlich werden vier auf die Sonne gerichtete Experimente und drei technologische Experimente an Bord sein. Eines von diesen besteht darin, eine neue Datenübertragungsstrecke zu testen, bei der die anfallenden Daten über Richtfunk zum geostationären Satelliten L-Sat (auch Olympus genannt) und von dort weiter zur Erde übertragen werden. Diese Übertragungsstrecke ist für die erste Mission nicht unbedingt erforderlich und wird nur zu Demonstrationszwecken betrieben. Sie wird für spätere Missionen jedoch fest eingeplant werden. Als Ergänzung zu Spacelab wird EURECA besonders im Materialforschungsprogramm der ESA eine ganz wichtige Rolle spielen.

Die Plattform wird jedoch auch für Untersuchungen anderer wissenschaftlicher Fachbereiche geeignet sein. Disziplinen wie Astronomie, Sonnenphysik, Atmosphärenphysik, Erderkundung und Technologie werden bei späteren Missionen berücksichtigt werden. Für solche Missionen muß aber die Datenübertragungsrate erhöht, die Ausrichtungsgenauigkeit verbessert und das kontinuierliche Beobachten gewählter Ziele möglich gemacht werden. Techniken, die EURECA erlauben, ein Rendezvous mit einem anderen Flugkörper durchzuführen und ihn anzudocken, sind zu entwickeln.

Als Einzelprojekt stellt EURECA einen wertvollen Beitrag zur Weltraumforschung dar. Die Plattform sollte aber auch gleichsam als Brücke zwischen Spacelab und einer späteren Raumstation gesehen werden. In der Tat, sie ist ein wichtiger Meilenstein in die Zukunft.

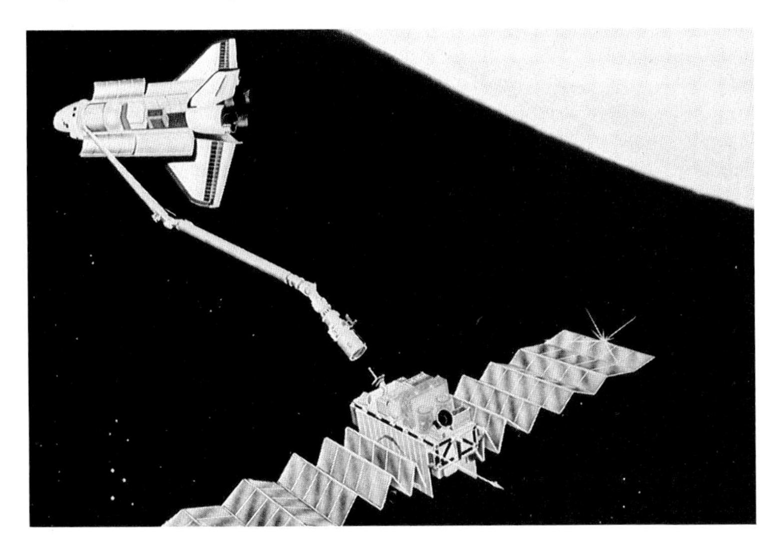

EURECA wird mit Hilfe des Greifarms vom Shuttle ausgesetzt. Wenn die Plattform sich in sicherer Entfernung vom Shuttle befindet, wird ihr eigener Raketenmotor gezündet, der sie in eine Umlaufbahn von 500 km Höhe befördert.

Raumstationen der Zukunft

Die Entwicklung des Shuttle und insbesondere auch des Spacelab-Programms haben den Grundstein für weitere Entwicklungen gelegt, die letzten Endes zu permanenten, bemannten Raumstationen für wissenschaftliche und industrielle Zwecke führen werden. NASA und ESA beabsichtigen, zunächst eine Station in einer Umlaufbahn mit kleinem Neigungswinkel (18,5°), die leicht vom Kennedy Space Center zugänglich ist, einzurichten. Es wird allerdings angenommen, daß gegen Ende des 20. Jahrhunderts auch eine große instrumentierte Plattform von der Vandenberg Air Force Base in Kalifornien aus in eine polare Umlaufbahn gebracht werden kann, in eine Bahn also, die für Erderkundung und -beobachtung am besten geeignet ist.

Ein erster Schritt in Richtung Raumstation wurde während des elften Shuttle-Fluges im April 1984 gemacht, als die Raumfähre an den defekten Satelliten der Solar Maximum-Mission anlegte und Astronauten dessen Lagesystem und einige der Meßinstrumente reparierten.

Im Prinzip wäre es möglich, die Kapazitäten des bestehenden Raumtransport-Systems soweit auszubauen, daß länger dauernde Missionen möglich werden. Hierzu müßten zusätzliche Brennstoffzellen für die Energieversorgung und zusätzlicher Treibstoff für Bahnmanöver mitgeführt werden. Die Missionsdauer könnte dann auf 60 Tage ausgedehnt werden, jedoch müßte man Einbußen in der Nutzlastkapazität in Kauf nehmen. Man könnte auch daran denken, mit Hilfe von großen Sonnenpaneelen die Sonnenenergie in elektrische Energie umzuwandeln. Die Paneele könnten in der Umlaufbahn zurückgelassen und bei einer Folgemission oder auch an einen freifliegenden Satelliten erneut eingesetzt werden.

Ebenso wäre es vorstellbar, das bemannte Spacelab-Modul vom Shuttle abzutrennen und zu einem freifliegenden, unabhängigen Labor zu machen, wobei dann vor allen Dingen Solarzellen für die Energieversorgung und Radiatoren zur Abstrahlung der überschüssigen Energie nötig wären. Ein in dieser Weise weiterentwickeltes Spacelab, eventuell in Kombination mit einer EURECA-Plattform, könnte sicher der Durchführung interessanter und neuartiger Experimente dienen.

Im nächsten Schritt würden dann mehrere Module und Paletten zusammengefügt, so daß man schon von einer kleinen Raumstation sprechen dürfte. Eine Kette von Modulen, von denen einige als Aufenthaltsräume, andere als Werkstätten dienen könnten, würden das Gerüst darstellen, an dem sich Plattformen mit wissenschaftlichen Geräten andocken ließen. Hieraus würde nach und nach eine Raumstation entstehen, die ständig bemannt ist und mit der der Traum von der Nutzung des Weltraums Wirklichkeit werden könnte.

Eine solche Station würde sowohl der Wissenschaft wie auch der kommerziellen Nutzung offen stehen. Ihre Vorzüge liegen, neben ihrer Lebensdauer von bis zu zehn Jahren, in der Möglichkeit, sehr große Apparaturen aufnehmen und mit entsprechender Energie versorgen zu können. Die ersten Raumstationen werden sicher in erdnahen Umlaufbahnen errichtet, später wahrscheinlich auch in der geostationären Umlaufbahn.

Der Einsatz großer Instrumente ist besonders für die Astronomie wichtig. Langzeitbeobachtungen würden sich der Sonne und der Erdatmosphäre widmen. Beobachtungen der Landflächen und Meere das ganze Jahre hindurch dürften sehr nützlich sein. Medizinische und biologische Experimente könnten ohne Unterbrechung im Weltraum ablaufen. Auf dem Gebiet der Technologie würde das Errichten großer Aufbauten in der Schwerelosigkeit neue Kenntnisse vermitteln, und die Entwicklung neuer Energiequellen würde vorangetrieben. Auch Computer-und Automatentechnik werden sich, mit den Problemen einer Raumstation konfrontiert, weiterentwickeln. Am meisten verspricht man sich jedoch von der kommerziellen Nutzung einer Raumstation. Schon seit längerer Zeit träumen Raumfahrtexperten von der Industrialisierung des Weltraums, und die Raumstation bietet alle Möglich-

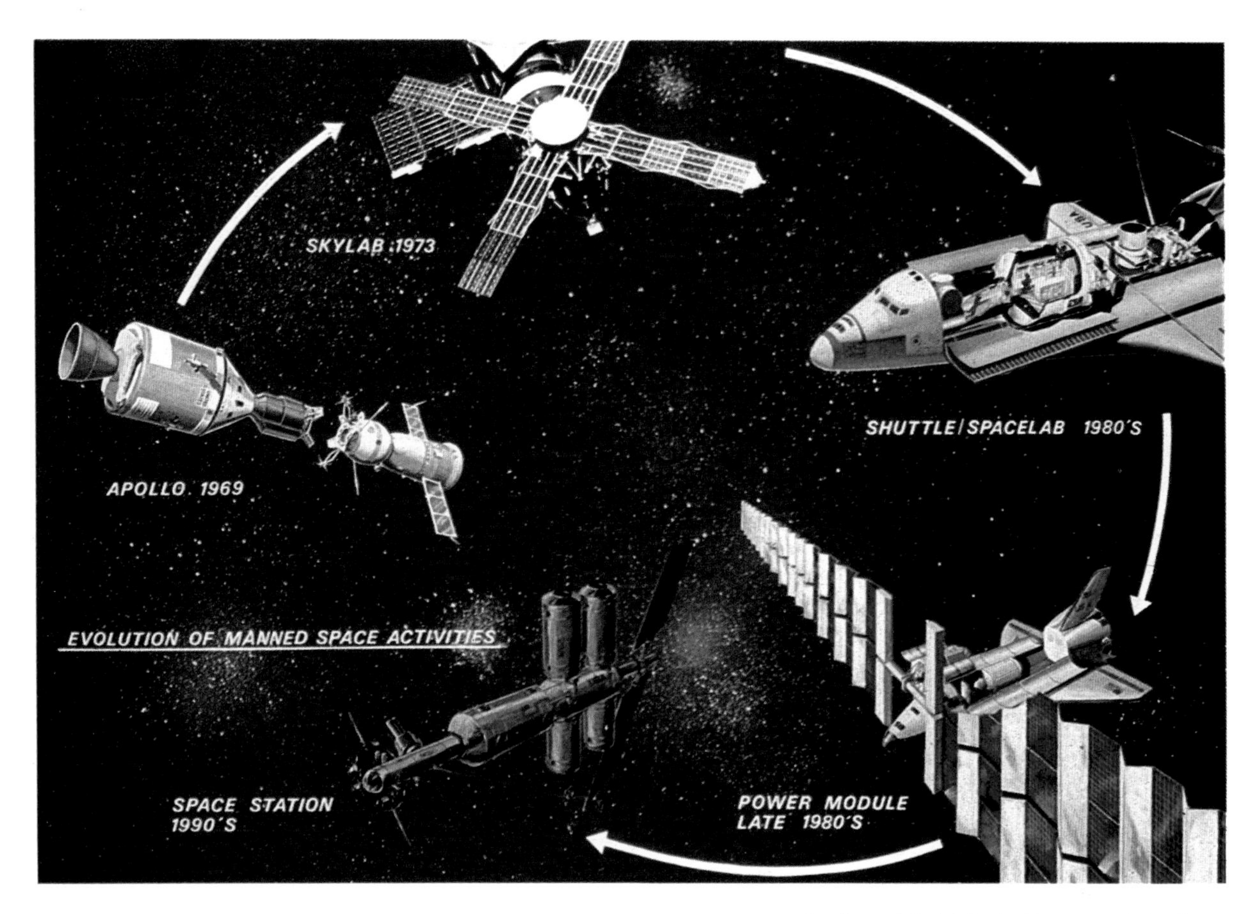

Apollo und Skylab in der Vergangenheit, die Raumfähre und Spacelab in der Gegenwart und Shuttle-Aktivitäten in der Zukunft veranschaulichen die Entwicklung der bemannten Raumfahrt hin zu einer ständig bemannten Raumstation. Mit Spacelab hat Europa den ersten Schritt in diese Richtung getan.

keiten, diesen Traum in Wirklichkeit zu verwandeln. Es sei nur an die Möglichkeit erinnert, hochwertige Werkstoffe oder bessere Medikamente und Impfstoffe unter Mikrogravitation herzustellen. Das Energieversorgungssystem der Station selbst könnte der Ausgangspunkt für die Entwicklung eines Kraftwerks im Weltraum sein, das Energie über Mikrowellenrichtstrahlen zur Erde liefert.

Die Raumstation kann auch als Versorgungsposten für Satelliten, die in andere Bahnen, wie zum Beispiel in die geostationäre Umlaufbahn, weiterbefördert werden müssen, angesehen werden. Zu diesem Zweck müßte ein neues Antriebsgerät, OTV (Orbital Transfer Vehicle) genannt, entwickelt werden. Es könnte sogar für die Weiterbeförderung von Mondmissionen und interplanetaren Sonden dienen und würde nach getaner Beschleunigungsarbeit wieder zur Raumstation zurückkehren, um überholt und neu aufgetankt zu werden.

Im nächsten Jahrhundert steht vielleicht schon eine Station in 400 km Höhe zur Verfügung, die mit dem Shuttle anreisende Touristen aufnehmen und beherbergen könnte. Nahrungsmittel müßten an Ort und Stelle angebaut werden, wobei Abfallprodukte als Düngemittel Verwendung fänden. Attraktionen für die Touristen wären: die Fernsicht auf die Erde und ins Universum, Turnübungen in der Schwerelosigkeit und Weltraumspaziergänge. Es ist nicht auszuschließen, daß viele Menschen eines Tages ganz in den Weltraum umsiedeln, wo sie dann in einer ganz von Menschenhand gebauten Umgebung leben und arbeiten werden.

Die Raumstation der UdSSR

Die beiden französischen 'Spationauten' Jean-Loup Chrétien und Patrick Baudry, hier vor einem Modell der Saljut-Raumstation im Kosmonautentrainingszentrum in der UdSSR. Chrétien war sechs Tage im Weltraum an Bord von Saljut-7 und führte dort raummedizinische Experimente durch. Baudry wird bei einer Shuttle-Mission zum Einsatz kommen und Kreislaufuntersuchungen in der Schwerelosigkeit durchführen.

Während der vergangenen 15 Jahre hat die Sowjetunion immer wieder gezeigt, daß die Raumstation einen hohen Stellenwert in ihrem Weltraumprogramm hat. Sie verfügt über einen Raumtransporter namens Sojus und eine Raumstation namens Saljut. Diese befindet sich in einer Umlaufbahn von 300 km Höhe und 52° Neigungswinkel. Die Rückkehr der Astronauten zur Erde erfolgt in einer kleinen Wiedereintrittskapsel, die mit Hilfe von Fallschirmen und Bremsraketen landet.

Das Sojus-Raumfahrzeug wurde 1967 zum ersten Mal eingesetzt und kann bis zu drei Astronauten befördern. Es wiegt etwa 6500 kg, ist 7 m lang und hat einen Durchmesser von 2,7 m. Die erste Saljut-Station wurde im Jahre 1971 in die Umlaufbahn geschickt. Sie ist 13 m lang, hat einen maximalen Durchmesser von 4,2 m und wiegt etwa 19 000 kg. Saljut besteht aus zwei bewohnbaren Modulen, einem zum Arbeiten und einem zum Erholen sowie einem Schleusen- und Andockteil. Es kann fünf Astronauten über viele Monate hinweg beherbergen. Die Stromversorgung wird durch Sonnenpaneele sichergestellt. Der Laborteil enthält Geräte für wissenschaftliche, technologische und medizinische Untersuchungen, wie zum Beispiel Schmelzöfen oder eine Multispektralkamera. Außerhalb der Druckkabine befinden sich Antriebsaggregate und weitere Forschungsgeräte.

Außer sowjetischen Kosmonauten sind Astronauten verschiedener Länder Osteuropas, der Mongolei, aus Vietnam und Kuba an Bord von Sojus und Saljut gewesen. Ein französischer 'Spationaut', Jean-Loup Chrétien, hat auch an einem bemannten sowjetischen Flug teilgenommen. Astronauten, die bis zu sechs Monate in der Schwerelosigkeit lebten, hatten große Probleme bei der Wiedergewöhnung an die Schwerkraft.

Im Juni 1983 wurde ein neues, großes Versorgungsraumschiff zur Saljut-7-Station geschickt. Es hat eine Länge von 13 m, eine Gesamtmasse von 20 000 kg und befördert etwa dreimal soviel Nutzlast wie das ältere Versorgungsraumschiff mit dem Namen Progreß. Es besitzt Sonnenpaneele von 40 m^2 und kann mit Hilfe seines Triebwerks die Umlaufbahn der ganzen Station

Die russische Saljut-6-Raumstation verfügt über zwei Vorrichtungen zum Andocken von kleineren Raumschiffen. Die Energieversorgung wird durch große Sonnenpaneele sichergestellt. Es können bis zu fünf Kosmonauten mehrere Monate lang in der Station leben.

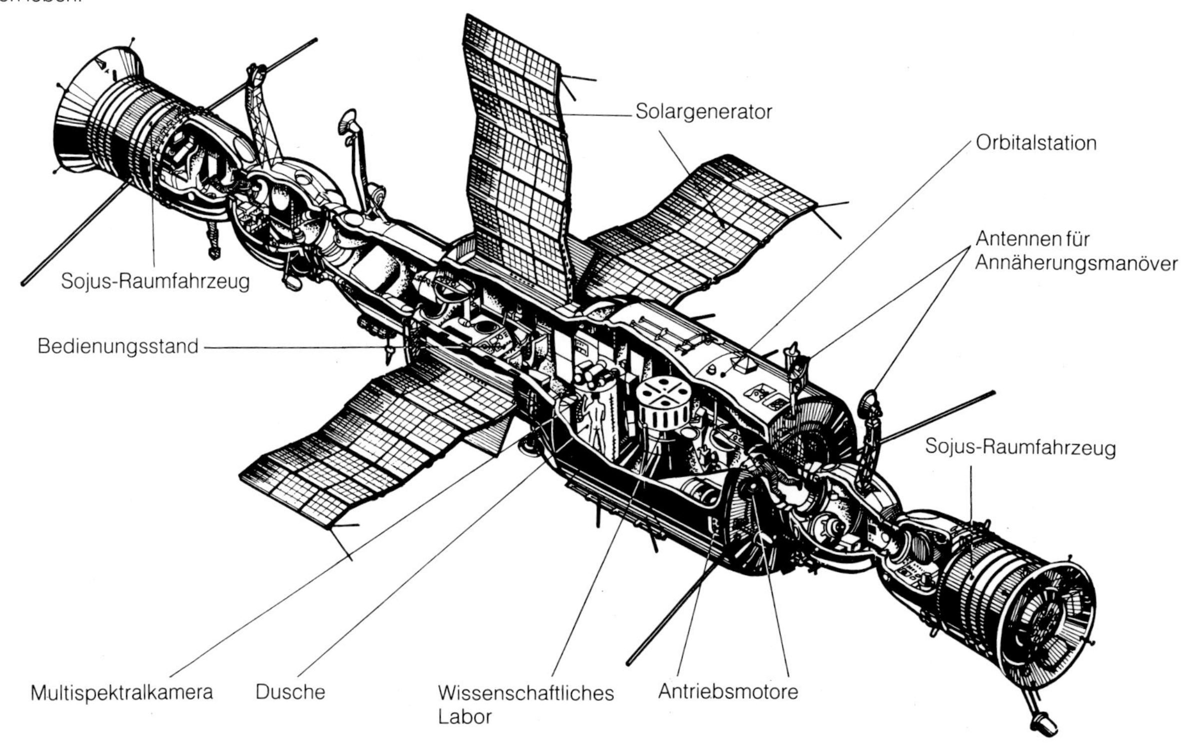

korrigieren. Schließlich ist in ihm noch ein Transportbehälter vorhanden, in dem 500 kg Ladung verstaut und zur Erde zurückgebracht werden können, zum Beispiel im Raum produzierte Werkstoffe, zu reparierende Geräte oder auch Filme.

Für 1986 ist der Start einer neuen Orbitalstation geplant. Zentrales Element wird eine dem augenblicklichen Saljut ähnliche Druckkabine sein, die als Aufenthaltsraum dienen soll. Sechs weitere Module sollen an dieses Zentralement angeflanscht werden: zwei Laboratorien für Astronomie, Erdbeobachtung, Materialwissenschaften und Raummedizin; zwei Sojus-Kapseln, die der Beförderung der Besatzung dienen, und zwei Versorgungsraumschiffe vom Typ Progreß. Die Rückkehr der Astronauten zur Erde wird in einer kleineren Kapsel, einem Unterteil der Sojus-Kapsel, erfolgen. Für dieses Projekt ist eine neue Rakete entwickelt worden, die noch mehr Schubkraft besitzt als die amerikanische Saturn-5-Rakete.

Neben diesen Projekten beschäftigt man sich in der UdSSR auch mit Projekten der Wiederverwendbarkeit von Raumfahrzeugen. Im Rahmen des betreffenden Programms wurde im Juni 1982 und März 1983 ein kleines, 4,6 m langes, rückführbares Raumflugzeug gestartet. Bei jedem Flug umrundete es einmal die Erde, trat wieder in die Atmosphäre ein und landete sicher am Fallschirm im Indischen Ozean, wo es von einem sowjetischen Kriegsschiff an Bord genommen wurde. Der dritte Flug fand im Dezember 1983 statt, mit der Landung im Schwarzen Meer. Dieses Programm könnte der Auftakt zur Entwicklung einer russischen Raumfähre sein, von der angenommen wird, daß sie etwa 10 m länger sein wird als ein NASA-Shuttle. Ferner erwarten Fachleute, daß keine Feststoffhilfstriebwerke, sondern Flüssigkeitsraketen verwendet werden und daß der Außentank Kryogentreibstoff enthalten wird. Außerdem gibt es Anzeichen dafür, daß die drei Haupttriebwerke am Außentank und nicht am Shuttle angebracht sind. Sie würden also mit dem Außentank verloren gehen. Ein solches Gegenstück zum NASA-Shuttle könnte von Tjuratam in der Nähe des Aralsees gestartet werden und auch auf der dortigen Landebahn zur Erde zurückkehren. Die Fachwelt sieht der weiteren Entwicklung dieses Projektes mit Spannung entgegen.

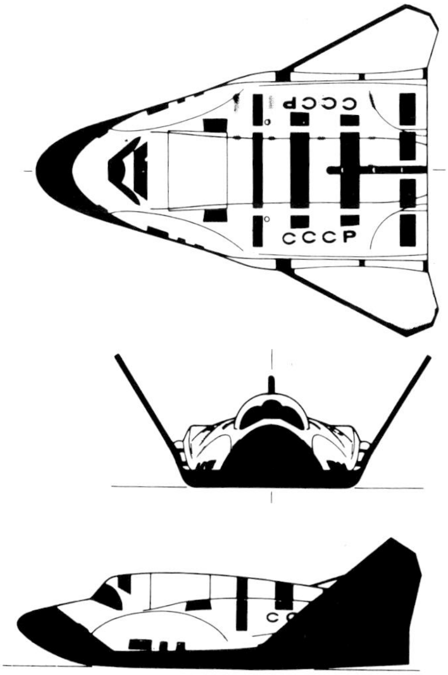

Drei Diagramme eines kleinen sowjetischen Raumflugzeuges, das bereits zum Einsatz gekommen ist. Es könnte die Entwicklung eines russischen Shuttle einleiten.

Die amerikanische Raumstation

In einer Regierungserklärung kündigte der amerikanische Präsident Reagan im Jahre 1984 an, daß die Vereinigten Staaten innerhalb des kommenden Jahrzehnts eine Raumstation verwirklichen würden. Die damit geschaffene Möglichkeit einer ständigen Präsenz im Weltraum ist schon immer als ein ganz entscheidender Schritt bei der Eroberung des Weltraums angesehen worden. Die amerikanische Raumstation soll unter NASA-Verantwortung entworfen und gebaut werden, und man schätzt, daß die reinen Baukosten etwa acht Milliarden Dollar betragen werden. Die Station wird aus einzelnen Elementen bestehen, die Stück für Stück vom Shuttle in eine erdnahe Umlaufbahn gebracht und dort nach und nach zusammengefügt werden. Man denkt daran, die Station mit sechs bis acht Leuten zu besetzen, die nach etwa einem Monat abgelöst werden. In der Station wird es neben Aufenthaltsräumen die nötige Infrastruktur für Stromversorgung, Temperaturregelung und Datenverarbeitung geben, um wissenschaftliche und auch praktische Arbeiten im Weltraum verrichten zu können. Wie es bei allen technischen Entwicklungen der Fall ist, wird auch die Nutzung der Raumstation intensiviert werden, sobald ihre Chancen noch klarer erkannt werden und mehr Betriebserfahrung vorliegt.

Das bisher entwickelte Konzept sieht vor, die bemannte Station in einer Umlaufbahn von 450 km Höhe und 28,5° Neigungswinkel zu betreiben. Die Druckkabinen werden in Aufenthaltsräume für die Besatzung und Laborräume für Experimente aufgeteilt sein. Es wird möglich sein, die Fluglage der Station im Raum stabil zu halten und, falls erforderlich, auch zu drehen. Zu den Aufgaben der Besatzung wird das Einholen und Aussetzen von Satelliten

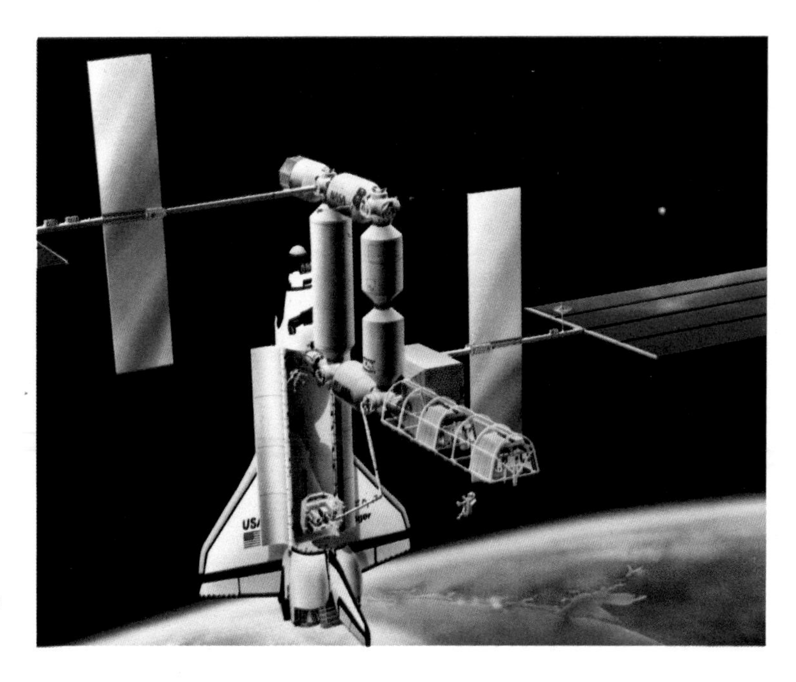

Fotomontage einer möglichen Konfiguration der amerikanischen Raumstation, in der einzelne Module als Aufenthaltsräume, Arbeitsräume und Vorratsbehälter dienen. Sonnenpaneele sorgen für die Stromversorgung. Das Shuttle wird zum Nachschub von Vorräten, wie z.B. Treibstoff, benutzt. Man erkennt zwei Besatzungsmitglieder beim Weltraumspaziergang. Der Greifarm hebt eine mit Instrumenten bestückte Palette aus dem Laderaum des Shuttle.

gehören sowie das Betreiben von Plattformen, die mit der Station die Erde im Formationsflug umkreisen werden. Besatzungsmitglieder werden diese Plattformen von Zeit zu Zeit mit Hilfe von angeschnallten Raketentriebwerken, MMU(Manned Manoeuvering Unit) genannt, aufsuchen und warten. Dabei können auch Instrumente repariert oder ganz ausgetauscht werden. Der Einsatz solcher freifliegender Plattformen ist für eine Reihe von empfindlichen Experimenten unbedingt erforderlich, damit die Beobachtungen nicht durch Störungen, die durch die Anwesenheit von Menschen zwangsläufig entstehen, beeinträchtigt werden.

Der amerikanische Präsident hat vorgeschlagen, 'Amerikas Freunde und Verbündete' sollten sich an diesem Programm beteiligen. Ganze Teile der Station könnten von anderen Ländern gebaut oder auch nach ihrer Fertigstellung benutzt werden. Interesse für eine solche Teilnahme besteht in Europa, in Kanada und in Japan. Im Falle Europas könnten sich die Länder einzeln oder im Rahmen des ESA-Verbandes an dem Projekt beteiligen.

Möglichkeiten für Europa

Im Februar und März 1984 hat der Generaldirektor der NASA, James Beggs, die Hauptstädte der an einer Beteiligung interessierten Länder besucht und ihnen die Möglichkeiten der Zusammenarbeit erläutert. Die internationalen Partner der NASA müßten sich zu einem Dreiphasenprogramm, bestehend aus Entwurfs-, Bau- und Operationsphase, verpflichten. Für die Art der Beteiligung bieten sich drei Möglichkeiten an. Bei der ersten würden alle Partner am gemeinsamen Projekt mitarbeiten. Bei der zweiten würde ein bestimmtes Land Zusatzelemente zur Hauptstation beisteuern und sich damit Vorzugsrechte für die Nutzung der gesamten Station erwerben. Schließlich gibt es noch die Möglichkeit, ein Zusatzelement einzubringen und dann als alleiniger Nutzer dieses Elementes aufzutreten. Damit würden natürlich keine Vorzugrechte für die Nutzung anderer Vorrichtungen der Station erworben. In allen Fällen sollte man danach streben, zu einer Art Tauschgeschäft von Hardware oder Dienstleistungen zu kommen, um finanzielle Transaktionen und den damit verbundenen Devisenaustausch so weit wie möglich zu vermeiden.

Raketentransportmittel, mit denen sich Astronauten frei im Weltraum bewegen können, sind für den Aufbau, den Betrieb und die Wartung einer Raumstation unentbehrlich. Das Bild zeigt den Astronauten Bruce McCandless auf einem durch Stickstoffgas angetriebenen Sitz während eines Ausfluges vom Shuttle Challenger.

Unabhängig davon, welche Art der Zusammenarbeit zustande kommt, muß der internationale Beitrag zusätzlich zu den der NASA zur Verfügung stehenden acht Milliarden Dollar aufgebracht werden. Die nichtamerikanischen Beiträge sollten in einer Art Verbesserung oder einem Ausbau der Basisstation bestehen. Bei einer solchen Regelung könnte die NASA ihre eigenen Pläne verwirklichen, ohne dabei von den Beiträgen der anderen Nationen abhängig zu werden.

Jede Art einer europäischen Beteiligung wird logischerweise von den mit Spacelab und EURECA gemachten Erfahrungen profitieren. Die modularen Elemente, aus denen Spacelab und EURECA aufgebaut sind, müssen als nahezu ideale Bausteine für eine künftige Raumstation angesehen werden.

Würde man zum Beispiel das Spacelab-Modul so ausbauen, daß es über längere Zeitspannen im Weltraum bleiben kann, könnte man es sofort als Zusatzmodul zur Basisstation benutzen. Es könnte als Aufenthaltsraum, Vorratsraum oder auch als Labor für solche Experimente eingesetzt werden, die der Hilfe der Besatzung bedürfen. In Anbetracht des großen Interesses Europas an den Materialwissenschaften wäre es wünschenswert, Spacelab als großes Werkstofflaboratorium einzurichten und es dann permanent an die Basisstation anzudocken.

Die EURECA-Plattform könnte so weiterentwickelt werden, daß sie als fest mit der Station verbundener oder als freifliegender Experimentalträger einsetzbar wäre. Dabei könnten auch mehrere EURECA-Träger zusammengefügt werden. Die für EURECA entwickelten großen Sonnenpaneele ließen sich ohne größere Modifikationen bei den verschiedensten freifliegenden Plattformen einsetzen. Obwohl die derzeitige EURECA-Version so geplant ist, daß die Wartung auf der Erde zu erfolgen hat, sind Modifikationen möglich, die eine Wartung des Trägers in der Raumstation erlauben würden.

Ein europäisches Konzept für eine Raumstation zeigt eine Konfiguration von vier Spacelab-Modulen, wobei jedes aus drei Segmenten besteht. Ein hoher Mast ist für das Andocken von freifliegenden Plattformen, wie zum Beispiel EURECA, vorgesehen. An einem Ende des Mastes ist ein ferngesteuertes Antriebsaggregat zum Manövrieren angedockt.

Europa besitzt zweifellos die Fähigkeit und die Erfahrung, um zumindest zwei der Hauptelemente einer Raumstation zu bauen. In Anbetracht des bestehenden Interesses für vollautomatische Systeme könnte man auch ein Fahrzeug zur Bedienung der Ausrüstung, bemannt oder unbemannt, als möglichen europäischen Beitrag anvisieren. Bei all diesen Projekten ist es von Vorteil, daß die bereits entwickelten europäischen Elemente mit der Raumfähre kompatibel sind, also in das Shuttle integriert werden können.

Die ESA und ihre Mitgliedsländer sind zur Zeit intensiv damit beschäftigt, die Möglichkeiten der Mitarbeit bei der Raumstation zu untersuchen. Das Columbus-Projekt, das auf eine Initiative Deutschlands und Italiens zurückgeht, ist auf Beschluß der Ministerkonferenz vom 30./31. Januar 1985 in das ESA-Programm aufgenommen worden. Das Projekt geht von Entwicklungen wie Spacelab, EURECA und SPAS (Shuttle Pallet Satellite) aus und würde die Raumfähre für den Start und die Versorgung benutzen. Die Hauptelemente bestünden aus einem bemannbaren Werkstofflabor, einer Plattform für weitere Experimente, einem Versorgungs-Modul und einem Service-Modul. Die einzelnen Element könnten zum Beispiel Teil einer amerikanischen Raumstation werden.

Für Europa gäbe es jedoch auch die Möglichkeit, eine Weltraumstation ganz allein zu realisieren. In diesem Fall könnten Teile von Spacelab und EURECA als Basisstation oder Plattform verwendet werden. Allerdings müßten Voraussetzungen für den eigenen europäischen Raumtransport geschaf-

Diese Montage zeigt zwei mögliche unbemannte ESA-Beiträge zu einer Raumstation, und zwar ein ferngesteuertes Versorgungsmodul und eine große freifliegende Plattform, eine Weiterentwicklung von EURECA.

Das Columbus-Projekt besteht aus einer Wartungseinheit, die bemannt oder auch unbemannt sein kann (rechts), einem Versorgungsmodul mit Sonnenpaneelen (links), einem bemannbaren Experimentiermodul sowie aus einer unbemannten Geräte-Plattform. Die beiden letztgenannten Elemente können an die US-Raumstation angedockt werden oder auch unabhängig fliegen. Alle Einheiten basieren auf Spacelab- und EURECA-Weiterentwicklungen.

fen werden. Die Hauptarbeit könnte von einer weiterentwickelten Ariane-5-Rakete übernommen werden. Für den Transport von Astronauten zu und von der Station müßte ein Vorschlag Frankreichs realisiert werden, nämlich ein Mini-Shuttle, Hermes genannt, zu bauen. Hermes würde etwa 15 000 kg wiegen, bei einer Nutzlastkapazität von 7000 kg; die bemannte Version könnte also zum Beispiel eine vierköpfige Besatzung und eine Fracht von 4000 kg befördern. Dieser Raumtransporter wäre 16,8 m lang, hätte eine Höhe von 5,5 m und eine Spannweite von 10,7 m. Er könnte mit einer Ariane-5-Rakete gestartet werden und würde wie die Raumfähre der NASA nach Beendigung der Mission in die Atmosphäre eintreten und im Gleitflug landen.

Es liegt jetzt an Europa, sich für ein geeignetes Konzept einer Raumstation zu entscheiden, zum Beispiel für eine Zusammenarbeit mit der NASA, um deren Raumstation zu einem echten internationalen Projekt zu machen. Die Entscheidung über die Art der Zusammenarbeit ist von großer Bedeutung, da sie die Weltraumaktivitäten in Europa bis ins nächste Jahrtausend hinein bestimmen wird.

Eine kleinere Ausgabe des Shuttle, die mit Hilfe der Ariane-5-Rakete gestartet werden kann und im Gleitflug zur Erde zurückkehrt, kann die Versorgung einer europäischen Raumstation sicherstellen. Die hier abgebildete Version eines europäischen Shuttle trägt den Namen Hermes.

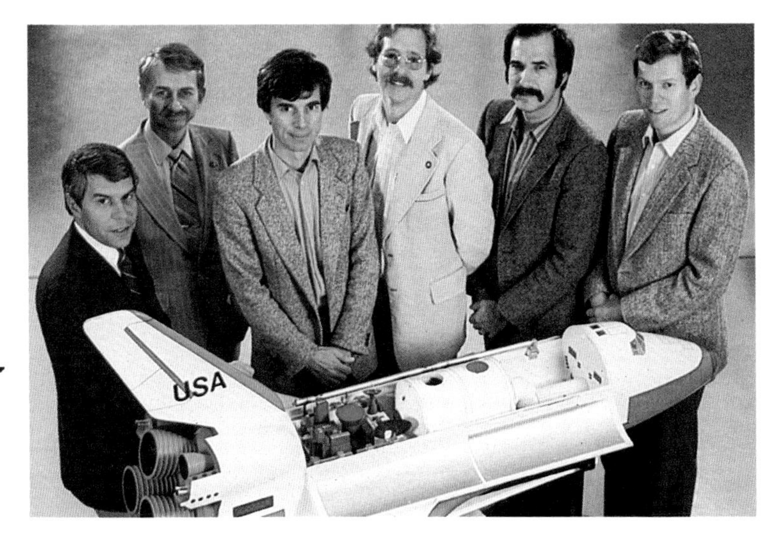

KOMMENTARE DER NUTZLAST-SPEZIALISTEN

Die Wissenschaftsastronauten der Spacelab-1-Mission vor einem Modell des Shuttle mit Spacelab in seinem Laderaum. Von links nach rechts: Robert Parker (US-Missionsspezialist), Owen Garriott (US-Missionsspezialist), Ulf Merbold (europäischer Nutzlastspezialist), Michael Lampton (US-Nutzlastspezialist in Reserve), Wubbo Ockels (europäischer Nutzlastspezialist in Reserve) und Byron Lichtenberg (US-Nutzlastspezialist).

Robert Parker

Im Rahmen meiner Teilnahme am Skylab-Projekt kam ich zum ersten Mal mit einem Weltraumlabor in Berührung. Noch bevor das Skylab-Projekt abgeschlossen wurde, führte die NASA bereits Diskussionen mit Fachleuten der ESRO, bei denen Fragen der bemannten Weltraumfahrt angesprochen wurden. Als dann Spacelab allmählich konkrete Formen annahm, überlegten wir, wie Spacelab zu bedienen sei; immer wieder kamen wir auf die Idee einer speziellen Nutzlastarbeitsgruppe zurück, die die beiden Vertragspartner ESA und NASA miteinander verbinden könnte. Gleichzeitig wurden die Möglichkeiten für die wissenschaftliche Nutzung dieses neuen Raumfahrzeuges untersucht. Während wir das Eintreffen der Nutzlastspezialisten abwarteten, entwickelten wir mit Hilfe unserer Erfahrung aus dem Skylab-Projekt neue Ideen für die Kommunikation, das Training und die Handhabung der Bordinstrumente. Als ich dann Missionsspezialist der Spacelab-1-Mission wurde, war es an der Zeit, zusammen mit der Gruppe der amerikanischen und europäischen Nutzlastspezialisten das Gelernte in die Tat umzusetzen. Unser Training begann in den Labors der beteiligten Wissenschaftler, womit eine weitere Gruppe zu unserem Team hinzukam. Während des Trainings, das uns zunächst die Funktion der einzelnen Instrumente und dann deren Zusammenspiel und die Bedienung des Raumfahrzeugs selber beibrachte, traten immer mehr Ingenieure von ESA/SPICE und NASA unserem vielseitigen und ständig wachsenden Team bei.

Sobald das Raumlabor und die Hardware der Experimente in das Kennedy Space Center geflogen worden waren, versammelten sich dort die Experimentatoren, um gemeinsam mit den Teams der NASA und ESA eine überraschend glatte Integration der Nutzlast und eine reibungslose Schlußabnahme zu erleben. In Huntsville beziehungsweise in Houston wurden im Rahmen von Simulationen die Flugpläne getestet und ausgefeilt. Am 28. November 1983 war es dann soweit: die Spacelab-1-Besatzung, sechs Mann aus unserer Gruppe, begann ihren Raumflug. Die tatkräftige Unterstützung der Bodenteams in den Kontrollzentren in Amerika und Europa sorgte mit dafür, daß Spacelab und seine Experimente einwandfrei funktionierten.

Für alle von uns war die Mitarbeit am Spacelab-Projekt ein wichtiger Abschnitt unseres beruflichen Lebens. Während dieser Zeit ergaben sich in unserem Leben viele Veränderungen, nicht zuletzt wegen all der neuen Freundschaften, die wir mit Mitgliedern der verschiedenen Teams schlossen. Sicherlich werden wir in der Zukunft auf dieses gelungene Projekt, die reibungslose Zusammenarbeit und die angeknüpften Freundschaften mit großer Befriedigung zurückblicken.

Owen Garriott

Spacelab hat sich als Weltraumlabor für Untersuchungen in den verschiedensten Wissenschaftszweigen bestens bewährt. Es stellt nicht nur die erforderlichen Versuchsanlagen zur Verfügung, sondern bietet auch alle Einrichtungen, die in der bemannten Raumfahrt verlangt werden. Atmosphärendruck und Luftzusammensetzung, Temperatur und Luftfeuchtigkeit sind reguliert, es existieren ein gut funktionierendes Stromverteilungssystem, ein mit dem Shuttle in Verbindung stehendes Kühlsystem sowie ein leistungsfähiges Datenverarbeitungs- und -übertragungssystem. Es hat sich als nützlich herausgestellt, daß praktisch alle diese Systeme automatisch arbeiten und nur minimale Anforderungen an die Besatzung stellen.

Während des Fluges konnten wir daher die meiste Zeit den wissenschaftlichen Experimenten widmen. Dabei war es etwas enttäuschend, daß wegen der Vielzahl der Experimente nicht alle instrumentellen Möglichkeiten in der relativ kurzen Flugzeit ausgeschöpft werden konnten. Hierzu werden weitere Spacelab-Flüge und hoffentlich eines Tages auch eine permanente Raumstation Gelegenheit bieten.

In den zehn Jahren, die zwischen dem Skylab-Projekt und dem ersten Spacelab-Flug liegen, hat sich die Art der bemannten Weltraumforschung grundlegend geändert. Heute übernimmt der Computer Routineaufgaben beim Experimentieren. Er selektiert die erforderlichen optischen Filter und die optimalen Belichtungszeiten und führt eine Menge anderer Funktionen aus. So bleibt dem Wissenschaftsastronauten genug Zeit, die anfallenden Daten zu interpretieren und Modifikationen des Experiments auszuarbeiten. Zweitens hat sich die Datenübertragung und Kommunikation zwischen Besatzung und Wissenschaftlern am Boden entscheidend verbessert. Das hat zur dritten großen Änderung geführt: der Wissenschaftler kann vom Boden aus den Ablauf des Experiments dirigieren. Dabei kann ein Experiment entweder ausschließlich durch Kommandos vom Boden gesteuert oder von der Besatzung in ständiger Konsultation mit der Bodenstation durchgeführt werden.

Für mich war es ein großartiges Erlebnis, mit Wissenschaftlern und Nutzlastspezialisten aus allen Teilen der Erde zusammenzuarbeiten. Spacelab war nicht nur ein glänzender technischer Erfolg, es hat auch die Vorteile eines internationalen kooperativen Projektes deutlich gemacht. Es ist zu hoffen, daß Spacelab-1 und unser Beitrag nur ein Anfang waren.

Ulf Merbold

Die Vorbereitung und Durchführung der Spacelab-1-Mission war für mich der wichtigste Abschnitt meines bisherigen beruflichen Lebens. Zunächst einmal war die Mission für mich eine große intellektuelle Herausforderung. Die Instrumente aus sieben verschiedenen wissenschaftlichen Disziplinen stellten eine abwechslungsreiche Mischung dar und boten uns Besatzungsmitgliedern eine einmalige Gelegenheit, unseren wissenschaftlichen Horizont zu erweitern. Die Tatsache, daß so viele Wissenschaftszweige vertreten waren, erlaubte mir, mich mit neuen Arbeitsgebieten wie Astronomie, Atmosphärenphysik, Fernerkundung der Erde, Biologie, Medizin und Plasmaphysik vertraut zu machen. Umgekehrt konnten jedoch auch die Wissenschaftler während des Phase, in der die Experimente simuliert wurden, von uns Astronauten eine Menge über Spacelab lernen. Durch die enge Zusammenarbeit zwischen den Wissenschaftlern im POCC und der Spacelab-Besatzung bildete sich im Laufe der Missionsvorbereitung ein einsatzfreudiges und leistungsfähiges Arbeitsteam beraus. Beim Spacelab-1-Projekt erlaubte es die NASA zum ersten Mal, daß die Wissenschaftler während des Fluges direkt mit der Besatzung sprechen konnten. Aufgrund dieses Zugeständnisses ließen sich alle Probleme, die während des Fluges auftraten, schnell lösen.

Die Mission war aber auch eine wertvolle soziale Erfahrung. Das Arbeiten in der großen internationalen Gruppe, bestehend aus Wissenschaftlern und ihren Mitarbeitern, der Besatzung sowie Ingenieuren von NASA und ESA, brachte uns alle dazu, bestehende Vorurteile abzubauen. Die gemeinsame Arbeit an dem Projekt vertiefte unsere menschlichen Beziehungen. Die freundschaftliche Zusammenarbeit erreicht ihren Höhepunkt, als wir sechs Astronauten zehn Tage im Weltraum verbrachten, auf das Raumschiff begrenzt, ohne daß irgendwelche Spannungen oder Reibereien aufkamen.

Drittens war der Spacelab-Flug für mich eine einmalige Lebenserfahrung, ein Erlebnis, das reich an Emotionen und Schönheit war. Wir überflogen praktische alle bewohnten Gebiete unseres schönen Planeten, weil die Umlaufbahn von Spacelab einen Neigungswinkel von 57° hatte. Innerhalb von einer Stunde sahen wir tropische Unwetter, Nordlichter, die über tausende von Kilometern ausgedehnt waren und die vielen verschiedenen Farbtöne der Wüsten. Am beeindruckendsten waren die hohen Berge. Das einzige, was wir nicht erkennen konnten, waren die Grenzen zwischen den Ländern. Erst wenn man einmal in einer Minute von einem europäischen Land zum nächsten geflogen ist, wird einem klar, wie klein doch unsere Welt ist. Unser Flug fand im Dezember statt, und niemals zuvor wurde mir die Weinnachtsbotschaft: 'Et in terra pax – Friede auf Erden' so deutlich bewußt.

Schließlich war es für alle europäischen Teilnehmer an diesem Projekt eine große Genugtuung, daß Spacelab als europäischer Beitrag zum NASA-Raumtransport-System während des Fluges absolut fehlerfrei arbeitete.

Byron Lichtenberg

Ich möchte zunächst meinen tief empfundenen Dank an alle diejenigen aussprechen, die so viele Jahre hart für die Spacelab-1-Mission gearbeitet haben. Die Zusammenarbeit mit ihnen war eine der eindrucksvollsten Erfahrungen meines bisherigen Lebens. Die dabei geknüpften Freundesbande haben meinen Horizont erweitert und mein Leben bereichert. Ich glaube und hoffe, daß die Ergebnisse unserer Mission eindrucksvoll demonstrieren, welche Möglichkeiten Spacelab und Shuttle für die Weltraumforschung eröffnen.

Meines Erachtens war es von großem Vorteil, daß die beteiligten Wissenschaftler in die Ausbildung der Besatzungsmitglieder einbezogen wurden. In der Tat war es ein einmaliges Erlebnis, mit solchen hervorragenden Fachleuten in Kontakt zu kommen. Die Zusammenarbeit mit ihren Laboringenieuren und Kollegen vermittelte uns eine genaue Kenntnis der Experimente. Zum ersten Mal wurde bei einem Raumflug eine direkte Sprechverbindung zwischen den Wissenschaftlern am Boden und den Wissenschaftsastronauten an Bord geschaffen.

Spacelab ist ein ausgezeichneter Platz, um Wissenschaft zu betreiben. Die Klimaanlage, das Stromversorgungssystem sowie das Datenverarbeitungs- und -übertragungssystem arbeiteten wie versprochen. Für einen ersten Flug gab es bemerkenswert wenig Probleme. Deswegen konnten wir praktisch unsere gesamte Zeit den wissenschaftlichen Experimenten widmen. Dabei lernten wir, wie wichtig eine direkte Funkverbindung zwischen Besatzung und Wissenschaftlern ist.

Die Erfahrung, wissenschaftliche Experimente in der Schwerelosigkeit, 240 Kilometer über dem Erdboden, durchzuführen, war beeindruckend. Die einzige Anregung, die ich hier geben möchte, ist eine genauere Festlegung der Ruhezeit zwischen den Arbeitsschichten, damit wir noch mehr Gelegenheit hätten, den Blick auf die wundervolle Erde, auf der wir leben, zu genießen. Die Betrachtung vom Weltraum aus machte mir bewußt, wie klein, zerbrechlich und schön unser Planet wirklich ist. Wenn ich eines durch meinen Weltraumflug gelernt habe, dann das Folgende: wir alle müssen für unseren Planeten verantwortlich sein und ihn mit größter Sorgfalt behandeln.

Wubbo Okkels

Meine schönste Erinnerung an den Spacelab-Flug ist die enge Zusammenarbeit zwischen Besatzung, den Wissenschaftlern, den Ingenieuren im POCC und anderen Schaltstellen während der 166 Erdumläufe von Spacelab. Als Nutzlastspezialist im POCC war ich im ständigen Sprechfunkkontakt mit Spacelab, und es kam mir dank Ulf Merbold so vor, als wäre ich selbst mit ihm an Bord.

Die Ausbildung der Wissenschaftsastronauten für die Spacelab-1-Mission begann im Jahre 1978. Ich war tief beeindruckt von den Arbeitsmethoden, der umfassenden Dokumentation, der Schwierigkeit bei der Beschaffung von Information, der Anzahl der Leute, die über den Ablauf der Mission Bescheid wissen mußten, der Aufmerksamkeit, die der Gesundheit und der Sicherheit der Besatzung gewidmet wurde und schließlich auch von den unterschiedlichen Ansichten darüber, was die Crew tun oder nicht tun sollte. Alles war eben ganz anders als in einem herkömmlichen Laboratorium auf der Erde. Wegen der Startverzögerungen wurde mir angeboten, in den USA ein eineinhalbjähriges Training zum Missionsspezialisten zu absolvieren. Dabei spielte der Spacelab-Simulator im Marshall Spaceflight Center eine bedeutende Rolle. Während der vielen Simulationen entwickelten alle Mitarbeiter des Teams die Fähigkeit, während einer Mission effektiv zusammenarbeiten zu können.

Zu Beginn des eigentlichen Fluges am 28. November 1983 kam es vielen im POCC zunächst so vor, als handelte es sich wiederum um eine Simulation. Für die Wissenschaftler war der Unterschied zwischen Simulation und Realität jedoch sofort deutlich, und nach all den Jahren der Vorbereitung versetzte sie das Auftauchen echter Daten auf den Bildschirmen in eine euphorische Stimmung. Während des Fluges wurde wirklich alles getan, um die Mission zu einem Erfolg zu führen. Eine Reihe von Reparaturen konnte an Bord ausgeführt werden, und in vielen Fällen ließ sich der Ablauf eines Experiments optimieren.

Im Augenblick sind wir damit beschäftigt, die deutsche D-1-Mission vorzubereiten. Sie wird ein weiterer Schritt in Richtung auf ein permanentes Weltraumlabor sein, in dem Wissenschaftler kreativ arbeiten und ihre Erfindungen machen können.

Michael Lampton

Nachdem sich die Aufregung der ersten Mission gelegt hat, die Schlußberichte geschrieben, die Datenbänder verarbeitet und die Public-Relation-Aktivitäten abgeschlossen sind, können wir uns fragen, was wir erreicht haben.

Erstens wurde bei Spacelab-1 ein hohes Maß an Kooperation demonstriert. Das wurde überdeutlich beim Erstellen des Missionsplanes, in dem die oft widersprüchlichen Interessen der einzelnen beteiligten Wissenschaftszweige berücksichtigt werden mußten.

Zum zweiten hat uns diese Mission wohl deutlich gezeigt, daß Produktivität nur durch Flexibilität erreicht werden kann, was für Weltraumprojekte genauso wie für Einrichtungen auf der Erde gilt.

Drittens ist während der Mission klar geworden, wie nützlich ein direkter Kontakt zwischen Wissenschaftlern und Wissenschaftsastronauten ist. Viele Experimente haben von dieser Möglichkeit profitiert. Es ist für uns eine gewisse Befriedigung zu wissen, daß wir in dieser Hinsicht einige Vorarbeit für zukünftige Missionen geleistet haben, bei denen eine enge Zusammenarbeit während der Vorbereitungs-, der Durchführungs- und der Interpretationsphase der wissenschaftlichen Projekte unabdingbar sein wird.

ANHANG

Im folgenden sind alle Experimente des ersten Spacelabfluges aufgeführt, einschließlich einer Bewertung ihres Erfolges während der Mission. Die Tabelle enthält auch die Namen der Experimentatoren, ihre Institute und die Gewichte der mitgeflogenen Geräte. Ferner ist noch angegeben, wo das Experiment integriert war, ob im Modul (M) oder auf der Palette (P).

Die Experimentnummern sind folgendermaßen kodiert:

1 bedeutet Spacelab-1
N bedeutet Experiment der NASA
E bedeutet Experiment der ESA
S bedeutet wissenschaftliches Experiment
A bedeutet anwendungsbezogenes Experiment
T bedeutet technologisches Experiment
Weitere Ziffern geben die Seriennnummer des Experimentes an.

Die Erfolgsquote ist folgendermaßen festgelegt:
A = 100% erfolgreich
B = mindestens 75% erfolgreich
C = 25 – 50% erfolgreich
D = ohne Erfolg
(Es gab erstaunlicherweise keine Experimente mit Erfolgsquoten zwischen 50 und 75%.)

Bezeichnung des Experiments	***Experiment-nummer***	***Name und Adresse des Experimentators***	***Plazierung des Experiments***	***Masse (kg)***	***Erfolgs-quote***
NASA-Experimente					
Astronomie Sonnenphysik					
Teleskop FAUST Beobachtungen im kurzwelligen UV-Bereich	1NS 005	C.S. Bowyer, University of California, Berkeley, USA	P	89,6	C
Aktives Hohlraum-Radiometer zur Messung der Energieabstrahlung der Sonne	1NS 008	R.C. Wilson Jet Propulsion Laboratory, USA	P	21,6	A
Plasmaphysik im Weltraum					
Weltraumexperimente mit Hilfe von Teilchenbe-schleunigern (SEPAC)	1NS 002	T. Obayashi, Institute of Space & Astronautical Sciences, Tokio, Japan	P	398,0	B
Photometrische Abbildung atmosphärischer Lichtemissionen (AEPI)	1NS 003	S.B. Mende, Lockheed Paello Alto Research Laboratory, USA	P	221,0	B
Atmosphärenphysik und Fernerkundung der Erde					
Abbildendes und spektralauflösendes Observatorium (ISO)	1NS 001	M.R. Torr, Utah State University, USA	P	246,3	B

Medizin und Biologie Strahlenbelastung an Bord von Spacelab	1NS 006	E.V. Benton, University of San Francisco, USA	M	2,6	A
Aufrechterhaltung des Tagesrhythmus im Weltraum: Neurospora als Modellsystem	1NS 007	F.M. Sulzman, State University of New York in Binghamton, USA	M	3,4	A
Minilab-Experimente:	1NS 100		M	354,3	
Nutation von Helianthus annuus unter Mikrogravitation	1NS 101	A.H. Brown, University of Pennsylvania, USA			B
Vestibularexperimente	1NS 102	L.R. Young, Massachusetts Institute of Technology, USA			A
Einfluß eines Raumfluges auf die Kinetik der Erythrozyten im Menschen	1NS 103	C. Leach, NASA Johnson Space Center, USA			A
Der Mechanismus des Vestibulo-spinalen Reflexes	1NS 104	M.F. Reschke, NASA Johnson Space Center, USA			A
Auswirkung langondauernder Schwerelosigkeit auf das humorale Immunverhalten beim Menschen	1NS 105	E.W. Voss, Jr., University of Illinois, USA			A
Technologie Tribologie-Experimente in der Schwerelosigkeit	1NS 011	C.H.T. Pan, Columbia University, USA	M	72,3	A
ESA-Experimente *Astronomie Sonnenphysik* Weitfeldkamera	1ES 022	G. Courtès, Laboratoire d'Astronomie Spatiale, Marseille, Frankreich	M	99,8	B
Spektroskopie Röntgenastronomie	1ES 023	R.D. Andresen, ESA (ESTEC), Niederlande	P	20,5	A
Sonnenspektrums im Wellenlängenbereich 170-3200 Nanometer	1ES 016	G. Thuillier, Service d'Aéronomie du CNRS, Verrières-le-Buisson, Frankreich	P	31,8	A
Messung der Solarkonstante	1ES 021	D. Crommelynck, Institut Royal Météorologique de Belgique, Belgien	P	6,6	A
Plasmaphysik im Weltraum Phänomene, induziert-durch Ionenund Elektronenstrahlen (PICPAB)	1ES 020	C. Beghin, CNRS, Orléans, Frankreich	M/P	43,8	B

Experiment	Nr.	Leiter, Institut			
Niederenergetischer Elektronenfluß	1ES 019A	K. Wilhelm, Max-Planck-Institut für Aeronomie, Hannover, Bundesrepublik Deutschland	P	26,1 (gemeinsam mit 1ES 019B)	A
Messung des Vektors von Gleichstrom-Magnetfeldern	1ES 019B	R. Schmidt, Space Research Institute of the Austrian Academy of Sciences, Graz, Österreich	P		A
Registrierung von Isotopen schwerer Höhenstrahlungsteilchen mit Mehrschichtdetektoren	1ES 024	R. Beaujean, Institut für Reine und Angewandte Kernphysik der Universität Kiel, Bundesrepublik Deutschland	P	22,2	A
Atmosphärenphysik und Fernerkundung der Erde					
Weltraumerprobung eines Grille-Spektrometers	1ES 013	M. Ackerman, Institut d'Aéronomie Spatiale de Belgique, Belgien	P	137,4	C
Wellen in Hydroxyl-Emissionsschichten	1ES 014	M. Hersé, Service d'Aéronomie du CNRS, Verrières-le-Buisson, Frankreich	P	11,5	A
Messung atmosphärischen Wasserstoffs/Deuteriums mittels ihrer Lyman-Alpha-Emissionslinien	1ES 017	J.L. Bertaux, Service d'Aéronomie du CNRS, Verrières-le-Buisson, Frankreich	P	13,2	B
Weltraumerprobung einer Reihenmeßkammer	1EA 033	M. Reynolds, ESA, Toulouse, Frankreich	M	155,4	B
Mikrowellenexperiment zur Fernerkundung (MRSE)	1EA 034	G. Dieterle, ESA, Toulouse, Frankreich	P	166,3	0 (aktiv) A (passiv)
Medizin und Biologie					
Weiterentwickeltes Biostack-Experiment	1ES 027	H. Bücker, Institut für Flugmedizin/ Abteilung für Biophysik, Frankfurt/Main, Bundesrepublik Deutschland	M/P	7,8	A
Auswirkungen der kosmischen Strahlung auf Mikroorganismen und Biomoleküle	1ES 029	G. Horneck, Intitut für Flugmedizin/ Abteilung für Biophysik, Frankfurt/Main, Bundesrepublik Deutschland	P	4,6	A
Auswirkungen geradliniger Beschleunigungen, opto-kinetischer und kalorischer Stimulierung im Weltraum	1ES 201	R. von Baumgarten, Johannes-Gutenberg-Universität, Mainz, Bundesrepublik Deutschland	M	47,9	B

Messung des zentralen Venendruckes sowie Bestimmung von Hormonen im Blutserum in der Schwerelosigkeit	1ES 026 and 1ES 032	K. Kirsch, Physiologisches Institut der Freien Universität, Berlin, Bundesrepublik Deutschland	M	3,7	A
Unterscheidung von Massen in der Schwerelosigkeit	1ES 025	H. Ross, University of Stirling, Groß-Britannien	M	4,5	A
Dreidimensionale Ballistokardiographie in der Schwerelosigkeit	1ES 028	A. Scano, University of Rome, Italien	M	2,6	A
Miniaturbandgerät zur Aufzeichnung elektrophysiologischer Daten	1ES 030	H. Green, Clinical Research Centre, Harrow, Groß-Britannien	M	5,8	A
Einfluß der Schwerelosigkeit auf die Vermehrung von Lymphozyten	1ES 031	A. Cogoli, Eidgenössische Technische Hochschule, Zürich, Schweiz	M	5,5	A
Materialwissenschaften					
Experimente im Werkstofflabor (MSDR):	1ES 300		M	534,7	
Spiegelofen					
Siliziumkristallisation nach dem Zonenschmelzverfahren	1ES 321	R. Nitsche, Kristallographisches Institut der Universität Freiburg, Bundesrepublik Deutschland			A
Wachstum von CdTe durch Vorschubheizung	1ES 322	R. Nitsche, Kristallographisches Institut der Universität Freiburg, Bundesrepublik Deutschland			A
Wachstum von GaSb durch Vorschubheizung	1ES 323	K.W. Benz, Universität Stuttgart, Bundesrepublik Deutschland			A
Kristallisation von Silizium-Kugeln	1ES 324	H. Kölker, Wacker-Chemie, München, Bundesrepublik Deutschland			A
Isothermal-Heizofen					
Erstarrung von Legierungen mit Mischungslücke	1ES 301	H. Ahlborn, Universität Hamburg, Bundesrepublik Deutschland			A
Erstarrung technisch interessanter Legierungen	1ES 302	D. Poetschke, F. Krupp GmbH, Essen, Bundesrepublik Deutschland			0
Erprobung der Stützhauttechnik unter Mikrogravitation	1ES 303	H. Sprenger, Maschinenfabrik Augsburg-Nürnburg AG, München, Bundesrepublik Deutschland			0

Vakuum-Lötverfahren	1ES 304	W. Schönherr, Bundesanstalt für Materialprüfung, Berlin, Bundesrepublik Deutschland	A
	1ES 305	R. Stickler, Universät Wien, Österreich	A
Erstarrung monotektischer Legierungen	1ES 306	H. Ahlborn, Universität Hamburg, Bundesrepublik Deutschland	A
Reaktionskinetik von Glasschmelzen	1ES 307	H.G. Frischat, Technische Hochschule, Clausthal, Bundesrepublik Deutschland	C
Herstellung von Al-Pb-Metallemulsionen	1ES 309	P.D. Caton, Fulmer Research Institute, Slough, Groß-Britannien	C
Herstellung blasenverstärkter Materialien	1ES 311	P. Gondi, Instituto de Fisica della Universitá, Bologna, Italien	A
Versuche zur Kristallkeimbildung bei eutektischen Legierungen	1ES 312	Y. Malméjac, Centre d'Energie Atomique, Centre d'Etudes Nucléaires, Grenoble, Frankreich	C
Erstarrung von quasi-monotektischen Zn-Pb-Legierungen	1ES 313	H. Fischmeister, Montanuniversität Leoben, Österreich	A
Dendritwachstum und Mikrosegregation	1ES 314	H. Fredriksson, Kung-Tekinska, Högskolan, Stockholm, Schweden	A
Herstellung von faser- und oxidteilchenverstärkten Kompositmetallen	1ES 315	A. Deruyttere, Université Catholique de Leuven, Belgien	B
Gerichtete Erstarrung von Gußeisen	1ES 325	T. Luyendijk, Laboratorium voor Metaalkunde, Delft, Niederlande	A
Niedertemperatur-Gradienten-Heizofen			
Gerichtete Erstarrung von Al–Zn-Dampfemulsionen	1ES 316	C. Potard, Centre d'Energie Atomique, Centre d'Etudes Nucléaires, Grenoble, Frankreich	A
Gerichtete Erstarrung von eutektischen Legierungen	1ES 317	J.J. Favier, Centre d'Energie Atomique, Centre d'Etudes Nucléaires, Grenoble, Frankreich	A

Experiment	Nr.	Experimentator	
Wachstum von PbTe	1ES 318	H. Rodot, CNRS Laboratoire d'Aérothermique, Meudon, Frankreich	A
Gerichtete Erstarrung von eutektischen Legierungen (InSb-NiSb)	1ES 319	K.L. Müller, Universität Erlangen, Bundesrepublik Deutschland	A
Thermodiffusion in Zinnlegierungen	1ES 320	Y. Malméjac, Centre d'Energie Atomique, Centre d'Etudes Nucléaires, Grenoble, Frankreich	A
Flüssigkeitsphysik-Modul			
Schwingungsdämpfung in freischwebenden Tröpfchen	1ES 326	H. Rodot, CNRS Laboratoire d'Aérothermique, Meudon, Frankreich	A
Kinetik der Benetzung von Festkörpern durch Flüssigkeiten	1ES 327	J.M. Haynes, University of Bristol, Groß-Britannien	A
Marangoni-Konvektion unter Mikrogravitation	1ES 328	L.G. Napolitano, Universitá degli Studi, Neapel, Italien	A
Kapillare Oberflächen unter Mikrogravitation	1ES 329	J.F. Padday, Kodak Limited, Harrow, Groß-Britannien	A
Gekoppelte Bewegung von Flüssigkeit-Festkörper-Systemen unter Mikrogravitation	1ES 330	J.P.B. Vreeburg, National Aerospace Laboratory, Amsterdam, Niederlande	A
Fließzonenstabilität unter Mikrogravitation	1ES 331	I. Da Riva, Ciudad Universitaria, Madrid, Spanien	A
Grenzschichten-instabilität und Kapillarhysterese	1ES 339	J.M. Haynes, University of Bristol, Groß-Britannien	A
Einzelexperimente mit Spezialgeräten			
Züchtung von Proteinkristallen	1ES 334	W. Littke, Chemisches Laboratorium der Universität Freiburg, Bundesrepublik Deutschland	A
Eigen- und Interdiffusion in flüssigen Metallen	1ES 335	K.M. Kraatz, Technische Universität, Berlin, Bundesrepublik Deutschland	A

Adhäsionskräfte an Metalloberflächen (UHV-Kammer)	1ES 340	G. Ghersini, Centro Informazioni Studi Esperienze, Mailand, Italien			A
Weitere materialwissenschaftliche Experimente					
Züchtung organischer Kristalle aus einer Lösung	1ES 332	K.F. Nielsen, Technical University of Denmark, Lyngby, Dänemark	M	25,3	A
Kristallzüchtung durch Ausfällen aus der flüssigen Phase	1ES 333	A. Authier, Laboratoire de Minéralogie – Cristallographie, Paris, Frankreich	M		A
Wachstum von Quecksilberjodid-Kristallen durch Abscheiden aus der Dampfphase	1ES 338	R. Cadoret, Laboratoire de Crystallographie et Physique de Matériaux, Clermont-Ferrand, Frankreich	M	13,7	A

Zugesicherte Wiederholungen von Spacelab-1-Experimenten

Bezeichnung	***Nummer***	***Mitfluggelegenheit***
Astronomische Weitfeldkamera	1ES 022	Spacelab-3, gestartet im April 1985
Weltraumteleskop für Beobachtungen im kurzwelligen UV-Bereich(FAUST)	1NS 005	Mission zur Fernerkundung der Erde (EOM-1), geplant für September 1986
Weltraumexperimente mit Hilfe von Teilchenbeschleunigern (SEPAC)	1NS 002	
Photometrische Abbildung atmosphärischer Lichtemission (AEPI)	1NS 003	
Weltraumerprobung eines Grille-Spektrometers	1ES 013	
Ermittlung wellenartiger Strukturen in hohen Atmosphärenschichten durch Beobachtung von Hydroxyl-Emissionen	1ES 014	
Weltraumerprobung einer Reihenmeßkammer	1EA 033	

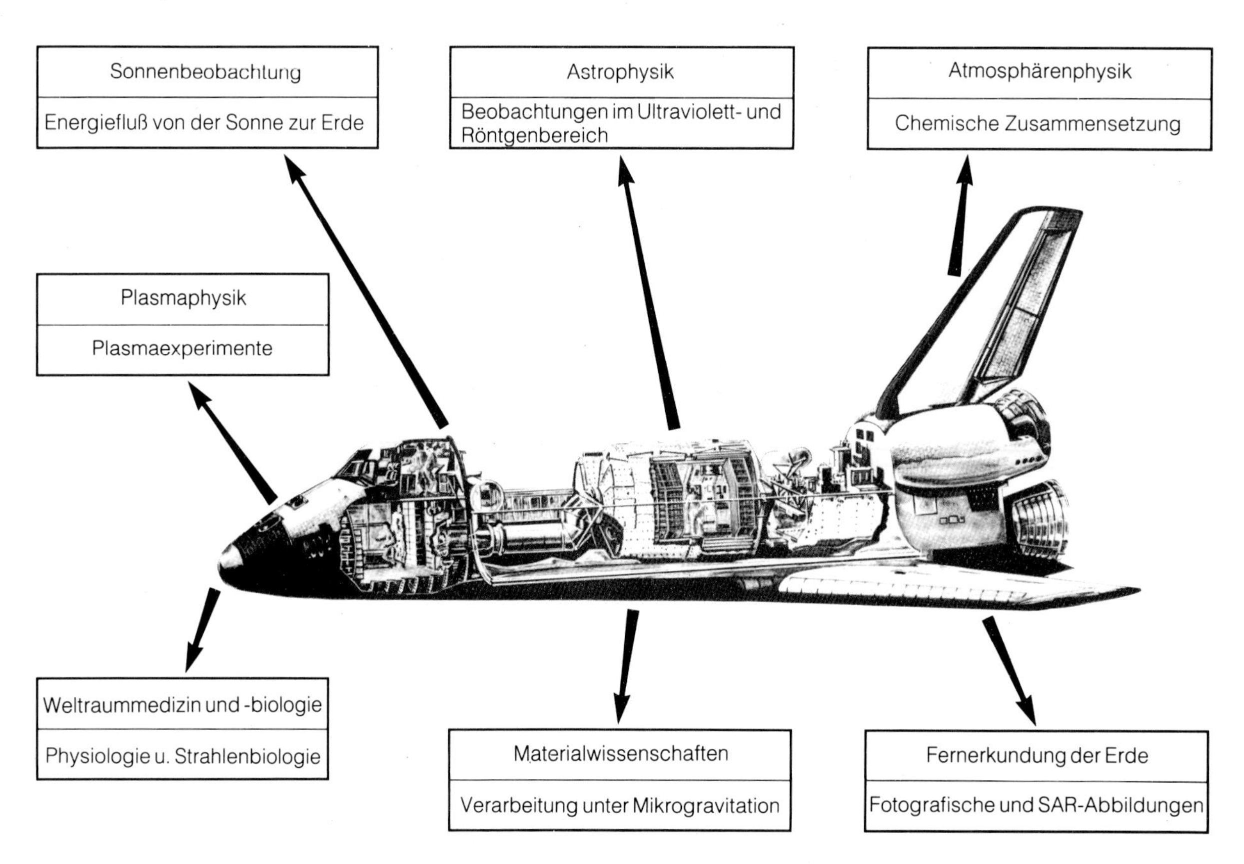

Spacelab-1: Anordnung der Experimente auf der Palette

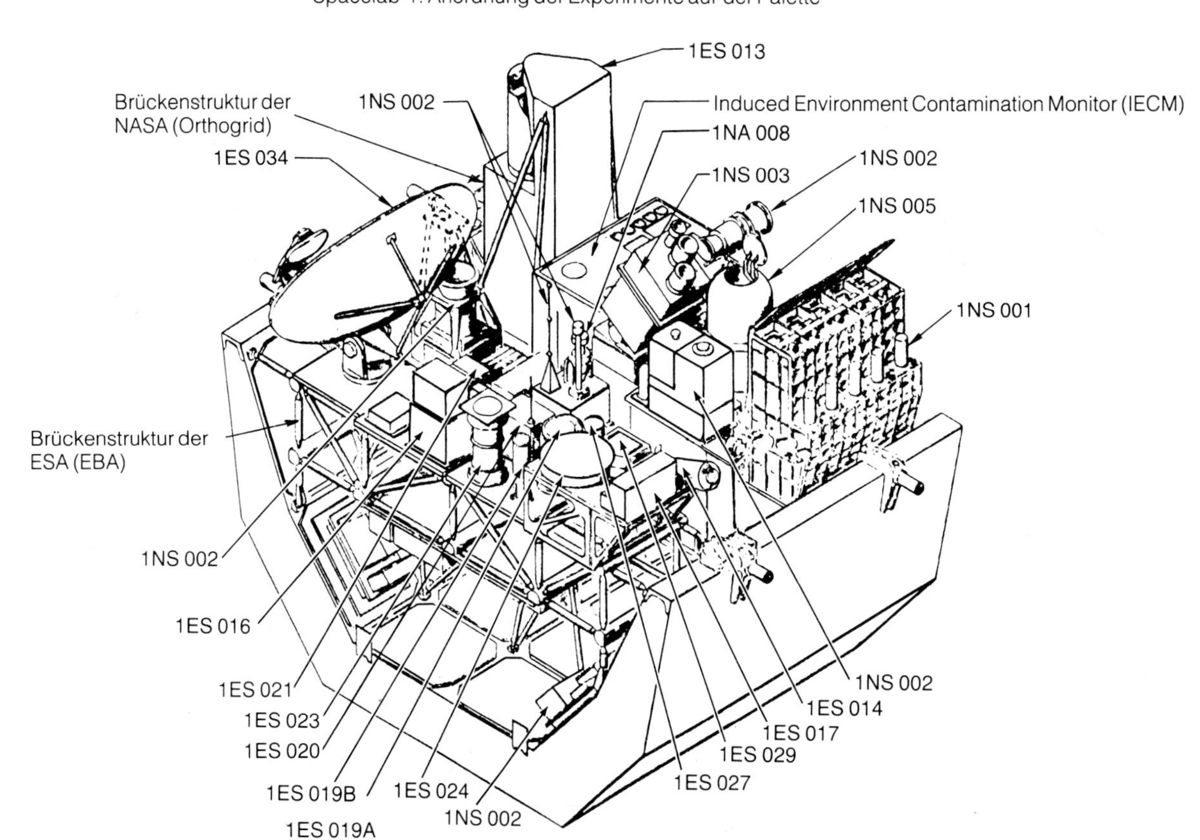

Spacelab-1: Anordnung der Experimente im Modul (Steuerbord-Seite)

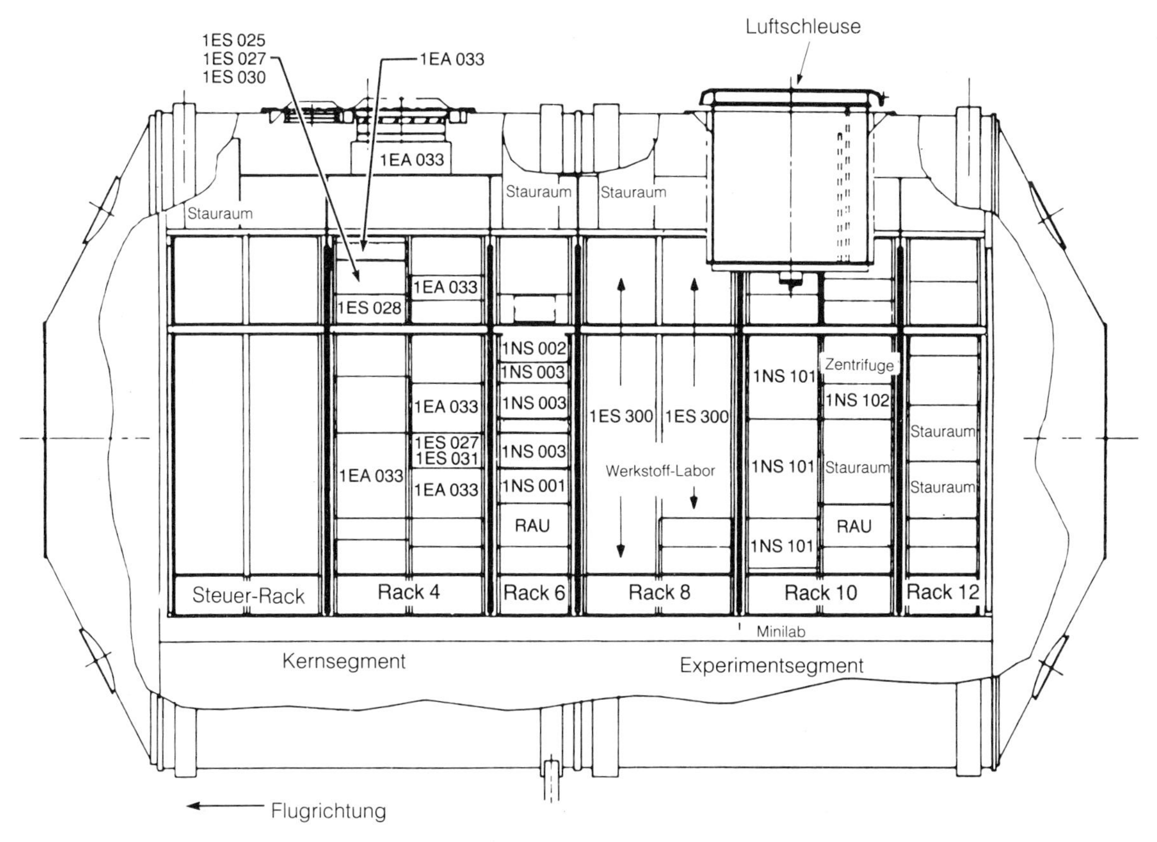

Spacelab-1: Anordnung der Experimente im Modul (Backbord-Seite)

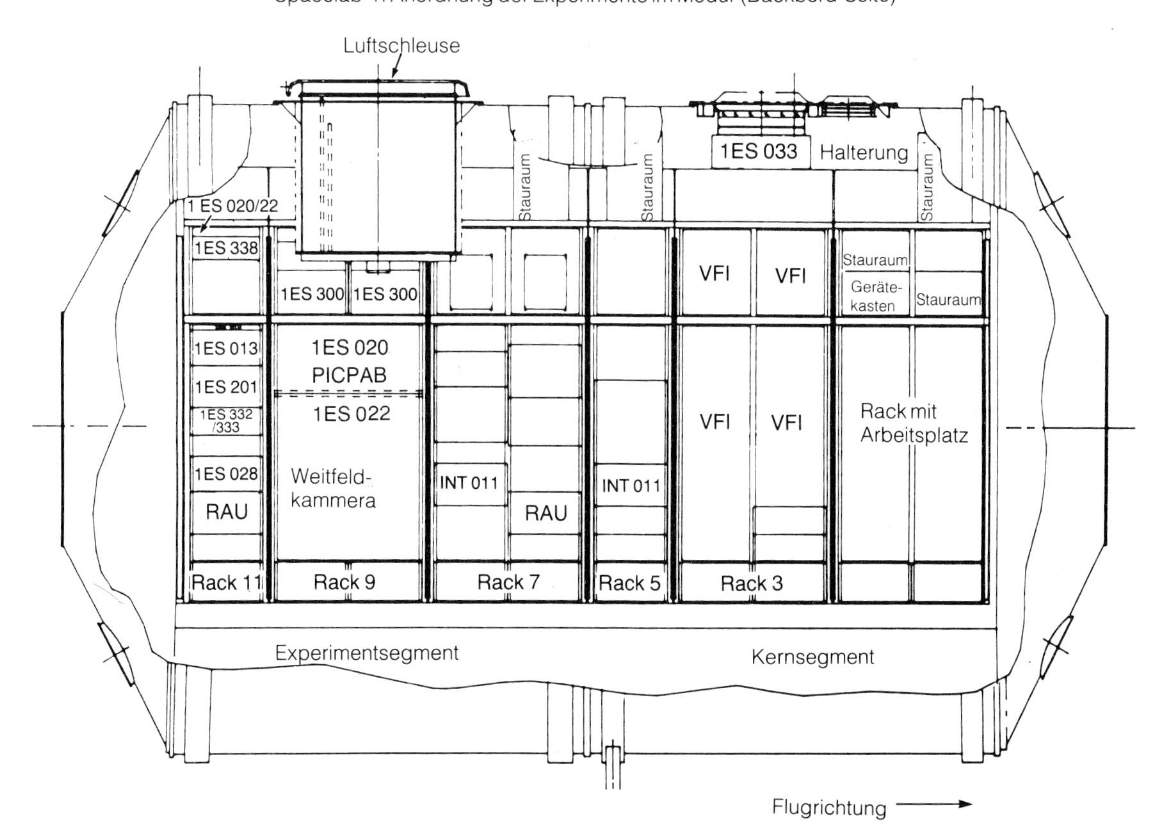

VERZEICHNIS DER ABKÜRZUNGEN

Abkürzung	Bedeutung	Seite
AC	alternating current (Wechselstrom)	
AEPI	Atmospheric Emission Photometric Imaging	*133*
CDMS	Command and Data Management Subsystem	*39*
CHASE	Coronal Helium Abundance Spacelab Experiment	*158*
CITE	Cargo Integration Test Equipment	*107*
CNES	Centre National d'Etudes Spatiales	*107*
CPU	Central Processing Unit	
DC	direct current (Gleichstrom)	
DFVLR	Deutsche Forschungs- und Versuchsanstalt für Luft- und Raumfahrt	
DPA	Data Processing Assembly	*39*
ECAS	Experiment Computer Application Software	*41*
EKG	Elektrokardiogramm	
ECOS	Experiment Computer Operating System	*41*
ECS	Environmental Control Subsystem	*34*
ECS	European Communications Satellite	*23*
EEG	Elektroencephalogramm	
ELDO	European Launcher Development Organisation	*42*
EOG	Elektrookulogramm	*150*
EMO-1	First Earth Observation Mission	*162*
EPDB	Experiment Power Distribution Box	*37*
EPSP	Experiment Power Switching Panel	*37*
ESA	European Space Agency	*4*
ESRO	European Space Research Organisation	*42*
ESTEC	ESA's technology centre	*46*
EURECA	European Retrievable Carrier	*165*
EVA	Extra-Vehicular Activity	*55*
FAUST	Far Ultra-violet Space Telescope	*162*
FPM	Flüssigkeitsphysik-Modul	
FSLP	First Spacelab Payload	*107*
GAS	Get Away Specials	*71*
GIRL	German Infra-Red Laboratory	*163*
GMT	Greenwich Mean Time	*117*
HDRR	High Data Rate Recorder	*41*
HOSC	Huntsville Operations Support Center	*126*
HRDA	High Rate Data Assembly	*39*
IECM	Induced Environment Contamination Monitor	*133*
IML	Internationales Mikrogravitationslaboratorium	
IPS	Instrument Pointing System	*28*
IRA(S)	Infrarot-Astronomie-(Satellit)	
ISO	Imaging Spectrometric Observatory	*139*
IUS	Inertial Upper Stage	*50*
IWG	Investigator's Working Group	*98*
JSC	Johnson Space Center	
JSLWG	Joint Spacelab Working Group	*46*
KSC	Kennedy Space Center	
LFC	Large Format Camera	*165*
MEA	Material Experiment Assembly	*161*
MEDEA	Materiallaboratorium	*161*
MMU	Manned Maneuvering Unit	*172*
MMU	Mass Memory Unit	*41*
MOCR	Mission Operations Control Room	*126*
MOMS	Modular Opto-electronic Multi-spectral Scanner	*92*
MOU	Memorandum of Understanding	*43*
MRSE	Microwave Remote Sensing Experiment	*183*
MSDR	Material Sciences Double Rack	*135*
MSFC	Marshall Space Flight Center	
MSL	Material Sciences Laboratory	*165*
NASA	National Aeronautics and Space Administration	
NAVEX	Navigationsexperimente	
NOAA	National Oceanic and Atmospheric Administration	*90*
O&C	Operations & Check-out Building	*99*
OCS	Orbiter Control System	*166*
OM(S)	Orbital Maneuvering (System)	*52*
OPF	Orbiter Processing Facility	*56*
OSS	NASA Office of Space Sciences	*66*
OSTA	NASA Office of Space and Terrestrial Applications	*66*
OTV	Orbital Transfer Vehicle	*169*
PAM	Payload Assist Module	*71*
PDP	Plasma Diagnostics Package	*66*
PICPAB	Phenomena Induced by Charged Particle Beams	*137*
POCC	Payload Operations Control Center	*39*
RAU	Remote Acquisition Unit	*39*
RCS	Reaction Control System	*52*
RMS	Remote Manipulator System (Greifarm)	*55*
SAR	Synthetic Aperture Radar	*66*
SBS	Satellite Business System	*63*
SEPAC	Space Experiments with Particle Accelerators	*137*
SHEAL	Shuttle-Hoch-Energie-Astrophysik-Laboratorium	
SIRTF	Shuttle Infra-Red Telescope Facility	*164*
SL	Spacelab	
SOT	Solar Optical Telescope	*164*
SPA(S)	Shuttle Pallet (Satellite)	*71*
SPICE	Spacelab Payload Integration and Coordination in Europe	*106*
SRB	Solid-fuel Rocket Booster	*113*
SRL	Shuttle-Radar-Laboratorium	
STDN	Space Tracking and Data Network	*38*
STS	Space Transportation System	*42*
TDR(SS)	Tracking and Data Relay (Satellite System)	*38*
UHV	Ultrahochvakuum	
VAB	Vehicle Assembly Building	*56*
VFI	Verification Flight Instrumentation	*123*
VFT	Verification Flight Test	*123*

Erläuterungen der englischen Begriffe finden sich auf den angegebenen Seiten (kursive Zahlen).

REGISTER

(Kursiv gedruckte Seitenzahlen beziehen sich auf Abbildungen)

Die D 1-Mission in Kürze

1985 war das Jahr des D 1-Fluges. Zum ersten Mal in der Geschichte der bemannten Raumfahrt trug nicht die NASA die Verantwortung für ein Weltraumprojekt, sondern die DFVLR in Köln-Porz. Zum ersten Mal wurden damit auch die einzelnen Nutzlastelemente in Deutschand montiert und mit Genehmigung der NASA endabgenommen.

Ein Höhepunkt der Flugvorbereitungen war der sog. Mission Squence Test bei der Firma ERNO in Bremen und im Nutzlastkontrollzentrum in Oberpfaffenhofen. Der Test diente dazu, die Hardware, die bei ERNO zusammengebaut worden war, und den Missionablaufplan, der in den Computern des Kontrollzentrums gespeichert war, ein letztes Mal aufeinander abzustimmen. Anschließend wurde die Nutzlast zum Kennedy Spaceflight Center in Cape Canaveral geflogen und in das Spacelab eingebaut. Als Raumfähre stellte die NASA Challenger zur Verfügung.

Endgültig wurde der Start auf den 30. Oktober 16.00 GMT festgelegt, mit einem Startfenster von max. 3 Stunden. Einen größeren Spielraum lies die Empfindlichkeit der biologischen Proben nicht zu.

Der Countdown läuft auch in den letzten Sekunden wie geplant. Die Challenger hebt auf die Sekunde genau ab und bringt die Nutzlast auf die Sollhöhe von 342 Kilometern. Die ersten zwei Stunden im Raum verbringt die Shuttle-Mannschaft damit, die Raumfähre auf den genauen Kurs einzustellen. Nach drei Stunden ist die Nutzlastmannschaft am Zug und beginnt mit dem Einstieg vom Shuttle in das Spacelab. Während Bonnie Dunbar die Versorgungssysteme des Raumlaboratoriums, also Licht, Heizung, Luftversorgung, Stromaggregate, Fernsehsysteme und das zentrale Computersystem, nach Plan einschaltet, bringen die anderen Nutzlastspezialisten die im Mitteldeck der Fähre gelagerten empfindlichen biologischen Proben an ihren Bestimmungsort, zu den Inkubatoren und Kühlschränken. Der Raumschlitten (auch: Vestibularschlitten) wird aufgebaut und die Experimentieranlage MEDEA vorsorglich in Betrieb genommen.

Der erste Experimentiertag ist den Beschleunigungsexperimenten auf dem Schlitten vorbehalten. Dabei fällt als positives Nebenprodukt das Ergebnis ab, daß der Schlitten nicht in dem Maße Erschütterungen an den materialwissenschaftlichen Racks auslöst wie vor dem Flug befürchtet wurde. So keimen bereits Pläne, am Ende der Mission zusätzliche Materialproben einzusetzen, um die wissenschaftliche Ausbeute zu erhöhen. Am zweiten Tag halten Anlaufschwierigkeiten im Werkstofflabor und besonders bei der Experimentieranlage MEDEA die Besatzung und das Bodenpersonal in Atem. Eine von der Norm abweichende Vakuumanzeige bereitet auch der NASA Kopfzerbrechen, die eine Undichtigkeit des Vakuumanschlusses zum Weltall befürchtet und vorsorglich das Hauptventil schließen will. DFVLR-Analysen und korrigierende Maßnahmen der Besatzung an den Vakuumventilen ergeben jedoch, daß es sich wohl um Reste von Wasserdampf handelt, die zu falschen Druckanzeigen führen. Danach läuft alles wieder normal, und Zeitverzögerungen werden nach und nach aufgeholt. Ein neues Problem tritt auf: Die Synchronisation der Atomuhren des Navigationsexperiments NAVEX hat gelegentlich einen Zeitsprung. Das bedeutet eine Behinderung des Experiments zur Bestätigung von Einsteins Relativitätstheorie. Nach langen Diskussionen, vor allem im Kreis der CDMS-Experten, wird beschlossen, daß Guion Bluford eine sog. IFM-Prozedur (In Flight Maintenance) durchführt. Dies ist eine typische Aufgabe für einen Missionsspezialisten, gilt es doch, ohne die Stromversorgung abzuschalten, eine

Frontplatte abzunehmen und an der RAU einen Stecker zu lösen, der den störenden Zeitimpuls an den NAVEX-Computer liefert. Einige Stunden später ist sicher, daß die Uhren nun normal laufen – das Einstein-Experiment scheint gerettet.

In der Mitte der Mission muß die Entscheidung fallen, ob es eine Verlängerung um einen Tag geben soll. Die längere Experimentierzeit müßte jedoch mit Einsparungen an Energieverbrauch bezahlt werden, und einige gleichzeitig geplante Abläufe könnten dann nur hintereinander durchgeführt werden. Damit wäre der Zeitgewinn wieder geschmälert. Endgültig wird am 5. Flugtag entschieden, die Mission nach Plan ablaufen zu lassen, es gibt also keine Verlängerung.

Der Flug wird nun mehr und mehr zur Routine. Wenn auch die Besatzung und das Bodenpersonal weiterhin angestrengt arbeiten, so ist doch für Journalisten außer Erfolgsmeldungen etwa über die biologischen Experimente nichts Spektakuläres zu berichten. Für das Oberpfaffenhofener Team gibt es noch ein besonderes Geschenk: Am Sonntagabend kann bei plötzlich wolkenlosem Himmel Challenger heller als der hellste Stern genau über dem Zenith ziehend beobachtet werden. Alle sind von diesem seltenen Ereignis begeistert.

Der siebte und letzte Tag bringt dann noch einmal heftige Umplanvorschläge seitens der materialwissenschaftlichen Disziplinen. Ermutigt durch die Ergebnisse der Beschleunigungsexperimente vom ersten Tag, müssen noch so viel zusätzliche Proben wie möglich untersucht werden, und die Mannschaft tut alles in ihren Kräften Stehende, um die wissenschaftliche Ausbeute weiter zu steigern.

Sechs Stunden vor der Landung beginnt die Deaktivierung des Spacelab. Alle losen Teile werden verstaut und die biologischen Proben wieder im Mitteldeck der Fähre untergebracht. Pünktlich um 17.44 GMT am 5. November setzt die Raumfähre auf dem US-Luftwaffenstützpunkt Edwards in Kalifornien auf. Die Mission ist erfolgreich beendet.

Noch ist es zu früh, über die wissenschaftlichen Resultate zu berichten; dies ist einem großen Symposium im August auf der Insel Norderney vorbehalten. Einiges läßt sich jedoch vorwegnehmen: Die Experimentatoren, die sich für die Informationsübertragung während der Mission ein genaues Konzept überlegt hatten, konnten eine Fülle von Vorabinformationen mit nach Hause nehmen, sei es als Temperaturprofile, Zeitmarken für spezielle Ereignisse, Videoaufzeichnungen besonders interessierender Abläufe wie der Wachstumsphasen von Pflanzen und Zellen oder aktuelle Berichte der Astronauten über Verhalten der Proben unter Schwerelosigkeit. Um allerdings endgültige Schlußfolgerungen ziehen zu können, müssen erst die aus dem Spacelab geborgenen und mittlerweile den Experimentatoren übergebenen Schmelzen, Froschembryos, Fliegeneier, Filme und vieles andere gründlich untersucht werden. Eine vorläufige Statistik des wissenschaftlichen Leiters der Mission, Prof. Dr. P. Sahn aus Aachen, zählt 75 gelungene Experimente von 76 geplanten, wobei die vorher nicht geplanten nicht mitgezählt sind.

Ein Resultat der Experimente wurde kürzlich veröffentlicht. Es betrifft NAVEX: Einsteins Relativitätstheorie wurde erneut bestätigt, die Uhren an Bord liefen um 25,5 Mikrosekunden langsamer als eine Uhr vom Boden. Das bedeutet für die Flugmannschaft, daß jeder ungefähr 1,8 Millisekunden jünger aus dem All zurückkehrte, verglichen mit einem Verbleib auf der Erde.

Dr. N. Trappen, DFVLR, Köln-Porz